**Menschlich lernen TZT-Basisbuch**

Heinrich Werthmüller

# *Menschlich lernen*

**TZT-Basisbuch**

## Lernen duch Erleben und Erfahren
## mit Seele, Geist und Körper

**Neuausgabe**

Meiner Frau Maya und allen
Trägerinnen und Trägern der wachsenden Bewegung des
Themenzentrierten Theaters TZT gewidmet.

SI TZT-Verlag

***Bitte betrachten Sie alles, was Sie in diesem Buch lesen, als Anregung für Ihr eigenes Schaffen – und nicht als Fertiggericht.***

1. Auflage 1.–5. Tausend 1984
2. erweiterte Auflage 6.–10. Tausend 1988

Umschlag: Maya Werthmüller-Vonmoos
Fotos: R. Brechbühl, D. Liechti, F. Röthlin, R. Ernst, L. Kindschi, R. Maurer, H. Werthmüller, A. Dörr, Ch. Lerch, M. Nodes-Muth



Gesamtherstellung: Condrau SA, Disentis

# Inhalt

# Einblick

***Dieses Buch ist gleichzeitig Werkbuch für Ihre Praxis und Theoriebuch zum Verständnis der TZT-Grundlagen. Um Ihnen den Zugang zu erleichtern, begleite ich Sie mit Hinweisen durch den Inhalt. Das Buch hat insgesamt fünf Teile:***

## 1. Das Themenzentrierte Theater – TZT



## 2. Die Erfahrungen mit TZT

## 3. Die TZT-Spielanlagen

Ab jetzt wird's bunt: Hundertneunzehn Einstiegsspiele zur Bereicherung Ihrer Praxis finden Sie auf den roten Seiten. Da kann ich Sie nur noch einladen zum



Weiter geht's nicht minder farbig; einundfünzig Ausgangslagen für szenische Spiele schmücken die grünen Seiten. Jede Ausgangslage beinhaltet eine kleine Problemstellung, die es im Spiel zu lösen gilt:



Wie Sie ja bereits wissen, ist TZT nicht einfach Theaterspiel; ebensowenig liegt der Schwerpunkt bei der TZT-Arbeit im Vermitteln grauer Theorie. Deshalb können Sie auf den folgenden sonnig-gelben Seiten auswählen aus zwanzig Impulsen, die Ihre Gruppe einlädt, sich ganz praktisch zu betätigen. Dadurch wird sie konfrontiert mit den Herausforderungen der



Natürlich ist allzuviel Realität auch ungesund. Deshalb führe ich Sie schnell ein ins Reich der grenzenlosen Phantasie. Die dreissig Wegweiser dorthin finden Sie auf den orangenen Seiten:



Zupacken, Gelegenheiten ergreifen, machen und Projekte wälzen ist grosse Mode in unserer Gesellschaft. So gesehen ist das TZT nicht besonders gesellschaftsfähig. Denn die blauen Seiten verheissen eher das Gegenteil: ausspannen, aussteigen:



Damit Sie auch hier eine satte Auswahl vorfinden, hat sich **Theres Hofer** – ganz entspannt . . . ins Zeug gelegt . . .

## 4. TZT-Anlagen auf den Stoff bezogen

Im dritten Teil habe ich Ihnen einen bunten Strauss von Spielanlagen vor Augen geführt, inhaltlich auch nicht geordnet. Hier wird das anders: die Anlagen sind jetzt stoffbezogen. In Auszügen zeige ich Ihnen die Ernte einer Indonesienreise. Dabei geht es zuerst um den



Damit will ich zeigen, wie ein beliebiger Stoff mit TZT aufbereitet werden kann. Auch der folgende Beitrag zielt in diese Richtung, er liefert ein Beispiel dafür, wie schon mit einfachen Mitteln eine Erzählung für die Zuhörer erlebbar gemacht werden kann:

Aufwendiger wird es bei einer Geschichte aus Madagaskar. Dafür erfahren Sie



**Mariette Zurbriggen** hat das Märchen in TZT-Anlagen verwandelt.

Nun geht's wieder abendländischer zu und her. Als Ausgleich werden die Seiten wieder farbig. Zum Stoff «Division» hat eine Gruppe von TZT-Leiterinnen und TZT-Leitern über fünfzig Anlagen erfunden. Für eine Gruppe wird die Einführung der Division dadurch zum grossen Erlebnis. Ausgangslage dazu ist das Thema:



Dass das Adjektiv zu mehr taugt, als es im Grammatikunterricht knochentrocken zu vermitteln, beweist uns eine andere TZT-Leitergruppe: zur Einführung des Adjektivs hat sie rund sechzig Anlagen entwickelt. Naheliegend ist dabei die Verbindung des Wieworts mit dem Thema





Immer wenn der Zirkus Knie wieder Premiere hatte, steigt die Nachfrage nach diesem Paket. Es ist deshalb schon in der vierten Auflage. Pate hat dabei kein ganz grosser Zirkus gestanden, sondern die beiden «Kleinen» Nock und Stey. Nina Siebenmann und ich haben für die Unter- und Mittelstufe ein Zirkus-Paket entwickelt, das «Machbares» vorschlägt: nicht «Kinderakrobatik» und auch nicht «lustige Clowns» stehen im Mittelpunkt, sondern die Auseinandersetzung mit der kleinen, übersichtlichen und fesselnden Zirkuswelt und allen, die dazugehören: Tiere, Artisten, Zirkusarbeiter und Publikum.



***Wenn Sie durch dieses Buch Lust bekommen, «menschlich lernen» selber zu erleben: wo für Sie die Gelegenheit dazu besonders günstig ist, erfahren Sie auf der hintersten Seite.***

## Zu diesem Buch

*Vor etwas mehr als zehn Jahren hatte ich die TZT-Basismappe «KAKTUS» geschrieben und herausgebracht. Sie war der Vorgänger zur ersten Fassung des TZT-Basisbuches – Menschlich lernen, das vor vier Jahren erschienen ist. Zu meiner Freude hat es bei vielen Leuten ausgezeichnete Aufnahme gefunden. Immer mehr Leute setzen sich persönlich in ihrer Praxis für die Idee des «menschlich lernen mit TZT» ein – und immer weniger steht damit jemand, der Neues ausprobiert, allein auf weiter Flur . . . Der Mut, menschlich zu lehren, verbindet, fördert den Austausch und führt zu vermehrter Solidarität mit uns allen.*
*So viele sind wir bereits, dass die ganze Basisbuch-Auflage schon ausverkauft ist. Natürlich könnte ich jetzt einfach noch einmal ein paar Tausend davon drucken lassen – aber das will ich nicht. Der Grund dafür ist einfach: die Idee des TZT ist fünfzehn Jahre alt, aber die Suche nach Mitteln und Wegen, die ihrer Verwirklichung dienen, ist nie beendet. Deshalb befindet sich das*

# *TZT immer in lebendiger Entwicklung*

An dieser Entwicklung will ich Sie teilnehmen und teilhaben lassen. Was Sie also jetzt in Ihren Händen halten, ist der neueste Stand des TZT's. Viele ursprüngliche Ideen sind erhalten – und viele sind ausgebaut worden; Erfahrung ist dazu gekommen, die es erlaubt, Altes konstruktiv mit Neuem zu verweben.
Zentral dabei bleibt mein Wunsch, ganzheitliches Lernen zu erreichen, menschlich lernen zu verwirklichen. Auslöser dafür war eine Arbeit im Zuchthaus. Drei Jahre lang habe ich dort mit einer Gruppe von Strafgefangenen gearbeitet. Eine «Theatergruppe» war es (ich komme ursprünglich von der Theaterregie her). Sehr schnell wandelte sich durch die Begegnung mit den Menschen dieser Gruppe das Ziel: nicht Theater als Laienkunst wollten wir machen, sondern das Theater im weitesten Sinne einsetzen zum sozialen Lernen. Dazu eignet sich das Theater mit seinen unendlichen Ausdrucksformen körperlicher, gefühlshafter und verstandesmässiger Art auch besonders gut. Das «Als-ob»-Gefühl, das dem Theater(spiel) innewohnt, fördert in einzigartiger Weise den Mut und die Fähigkeit, sich in neue Verhaltensweisen hineinzuwagen, sich darin auszuprobieren – und sie bei Wohlbefinden zu verinnerlichen. Natürlich ist hier Theater nicht im landläufigen

Sinn – bei dem ein Stück auswendig gelernt und vor grossem Publikum aufgeführt wird – zu verstehen; beim themenzentrierten Theater, TZT, ist der Theaterbegriff viel breiter aufzufassen: er umfasst alle Mittel, die im Lernprozess dazu eingesetzt werden, dem Lernenden den Stoff durch Erlebnisse und eigene Erfahrung zu vermitteln!
Im Zusammenhang mit meinen Arbeiten und Studien im Bereich der Pädagogik und Psychologie, Weiterbildungen in Bioenergetik, Gestalttherapie und Psychodrama wurde mir etwas Wichtiges bewusst: Lernen findet nur statt, wenn es verhaltenswirksam ist. Da die meisten von uns mit ihrer Eigenart doch recht zufrieden sind, kann uns dieser Gedanke auch Angst machen; Ausbau im Sinne von Veränderung birgt ja auch immer ein Risiko in sich. Gerade deshalb ist es von ausschlaggebender Wichtigkeit, dass ein Lernen, das persönliche Veränderung ermöglicht, besonders behutsam von statten geht. Vertrauen zu mir selbst, Vertrauen zu den andern muss aufgebaut werden. Dann findet wirkliches Lernen statt, dann kann ich mich getrost verändern. Denn dann habe ich den Mut, mich in einen Lehrstoff hinein zu wagen mit beiden Gehirnhälften, wie Lozanov, der Erfinder der Sugestopädie sagt – mit Kopf, Hand und Herz, wie es Pestalozzi formulierte – oder eben «menschlich», wie ich es nenne. Dadurch wird Lernen fast automatisch verhaltenswirksam und damit sehr bereichernd.
Das Ziel ist weit, der Weg dahin aber von allem Anfang an lehrreich und spannend. Jede und jeder kann ihn gehen; Voraussetzung ist der Mut und die Bereitschaft, Lernen nicht als kurzfristige Faktenspeicherung aufzufassen, sondern als grosse Chance für eine persönliche Veränderung anzunehmen.
Auf meinem Weg erwarten mich viele Fragen. Eine davon heisst: «Ist TZT nun Pädagogik oder Therapie?»
Meine Antwort darauf heisst: «TZT ist nicht Therapie, wenn der Begriff als Kranken- und Heilbehandlung verstanden wird. TZT ist aber therapeutisch, wenn der Begriff wieder den Sinn bekommt, der ihm aus dem Griechischen eigentlich zusteht: Das Dienen, die Pflege (=therapeía). Das griechische Stammwort dazu heisst Therápon: Der Diener, der Gefährte.» Das will ich sein: ortskundiger Gefährte der Menschen, die ich lehre, Diener beim Ausbauen ihres Könnens, bei einem verhaltenswirksamen Lernen, bei ihrer Veränderung; so wie sie Diener sind in meinem Lernen! Gemeinsam verändern wir uns – und doch jeder in seiner Weise. Als Gefährte kümmere ich mich bei ihren Veränderungen auch um ihr Befinden – so wie sie sich um meines. Menschlich lernen berücksichtigt die Befindlichkeit, die Stimmung und die ganze Persönlichkeit der Lernenden und wird dadurch zu einer Pädagogik mit grosser prophylaktischer Wirkung, bei der die positiven Anlagen gestärkt werden; sie sind es, die dem Einzelnen helfen, sein Gleichgewicht zu bewahren – oder es wieder zu finden.

Ohne Gefährten wäre das TZT nie geworden, was es heute ist. Deshalb richte ich hier ausdrücklich meinen

## herzlichen Dank

an die TZT-Leiterinnen und TZT-Leiter, die auch meine jetzigen Wegbegleiter sind:
Luzia Aeschbacher-Küng, Heilpädagogin; Josef Aschwanden, Sekundarlehrer; Maria Teresa Bally, Haus- und Geschäftsfrau; Marita Barthel-Rösing, Heilpädagogin; Margrit Birchmeier-Allemann, Heilpädagogin; Markus Brüesch, Pfarrer; Dorothea Bucher, Heilpädagogin; Gino Calore, Sozialarbeiter; Dan Diggelmann, Jugendarbeiter; Margrit Dittli, Ergotherapeutin; Helen Elmer, Hausfrau; Markus Egli, Sekundarlehrer; Ruedi Ernst, Lehrer; Peter Fischer, Reallehrer; Urs Franzini, Lehrer; Christiane Frei-Küntzelmann, Heilpädagogin; Dr. Daniel Glass, Soziologe; Luismarie Graf, Lehrerin; Barbara Greminger, Lehrerin; Elisabeth Grob-Spörri, Heilpädagogin; Markus Grob, Kirchengemeindezentrum-Leiter; Dorothee Hermann-Stokar, Lehrerin; Theres Hofer, Lehrerin; Coll Hofmann, Diplom-Pädagoge; Marie-Theres Huber-Lottaz, Lehrerin; Beatrice Hug, Berufsschullehrerin; Ladina Kindschi, Lehrerin; Ursula Klipstein, Sekundarlehrerin; Doris Knödler-Bunte, Lehrerin; Dr. Gisela Kreie, Diplom-Pädagogin; Christian Lerch, Lehrer; Dieter Liechti, Reallehrer; Elke Mai-Schröder, Lehrerin; Dr. Otto Marmet, Psychologe; Renato Maurer, Kursleiter; Esther Mäder-Schwald, Heimerzieherin; Sabine Ochsenbein, Lehrerin; Bärbel Petry, Lehrerin; Doris Portner, Hortnerin; Liliane Reichel-Bregy, Lehrerin; Esther Rohner-Artho, Psychologin; Florentin Röthlin, Lehrer; Esther Schneider, Lehrerin; Beat Schuler, Lehrer; Lilo Schwarz-Zaibi, Lehrerin; Helen Stettler, Hausfrau und Landwirtin; Jörg Sutter, Gassenarbeiter; Catherine Szudarovits, Sozialpädagogin; Susanna Vock, Kindergärtnerin; Walter Vonarburg, Reallehrer; Dr. Ruth Wullschleger, Mittelschullehrerin; Margrit Zimmermann, Lehrerin; Mariette Zurbriggen, Kindergärtnerin.

Meilen, im Frühling 1988

Heinrich Werthmüller
Begründer des TZT

***Immer mehr Leuten ist der Begriff TZT geläufig. Deshalb werde ich in Begegnungen auch immer öfter darum gebeten, kurz zu erläutern, was Themenzentriertes Theater ist. Das lässt sich ohne weiteres machen, weil das Anliegen des TZT's einfach ist und auf den kürzesten Nenner gebracht heisst:***

# *Lernen im Erlebnis lernen durch Erfahrung und lernen dank Reflexion*

Ein ganzheitliches Lernen also. Solange ein Mensch existiert, ist er von Umwelteinflüssen betroffen. Dadurch wird er auch verändert. Einige dieser Einflüsse werden bewusst wahrgenommen und gesucht. Andere werden unbewusst aufgenommen; beide aber führen zu einer Veränderung. Teile der bewusst gesuchten Einflüsse nennen wir «Lernen». Der Ort, wo dieses Lernen stattfindet, heisst Schule, Lehre, Universität und so weiter.
Wir alle waren an einem dieser Orte. Dort haben wir z.B. lesen gelernt – und schreiben und und und . . . Das hat uns verändert, jeden auf seine Weise.
Daneben gibt es für jeden von uns bei näherer Betrachtung aber auch Veränderungen, die durch Erlebnisse und eigene Erfahrungen ausserhalb der Schule zustande gekommen sind. Diese Veränderungen, behaupte ich, sind die nachhaltigeren. Was wir beim Lernen im Alltag erfahren haben, ist dem Lernen in der Schule haushoch überlegen. Das meiste was wir können, kennen wir durch Erlebnisse und Erfahrungen aus dem Alltag; angenehme oft – aber natürlich mitunter auch schmerzliche. Nur das meiste was wir kennen (ohne es deshalb zu können) – oder einmal gekannt haben, stammt aus der Schule. Für viele ist sie denn auch mehr eine Leidens- denn eine Lehrzeit. Manchen verleidet das Lernen mehr, als dass sie dazu hingeführt werden.
Sie sehnen sich nach Erlebnissen, wie sie sie aus dem Alltag durchaus kennen; nach Auseinandersetzungen mit den anderen Menschen, die auch gerade am lernen sind, denn das ist manchmal ein Nachteil beim lernen im Alltag, dass ich dabei ziemlich allein bin. Deshalb empfinde ich den Lernort Schule als durchaus geeignet, weil sie mich zusammenbringt mit Gleichge-

sinnten und «Gleichfähigen». Mit ihnen möchte ich das Lernen aber erleben und nicht nur «erdenken».
Wenn ich nämlich das jetzige Schullernen mit dem Lernen im Alltag vergleiche, fällt mir auf, dass die Schule fast nur in einer Dimension verharrt: in der kognitiven Wissensvermittlung. Ob das ausreicht, um uns im Sinne ihres eigenen Bildungsanspruches anzuleiten? Ein Bildungsanspruch, der sich in Lehrplänen so artikuliert: « . . . soll den Lernenden darin bestärken, eigene und fremde Standpunkte immer wieder zu überprüfen, sich gegenüber neuen und alten Gedanken offen zu verhalten . . .» Und auch: « . . . ermutigt den Lernenden, seiner Persönlichkeit aktiv und schöpferisch Ausdruck zu verleihen . . . und hilft Menschen heranbilden, welche tragfähige zwischenmenschliche Beziehungen einzugehen und entsprechende Verantwortung zu übernehmen gewillt und fähig sind.»
Wer von uns würde solch hehre Anliegen nicht unterschreiben wollen. Theoretisch und grundsätzlich sind wir alle dafür – von links bis rechts, von unten nach oben. Und trotzdem tun wir uns bei der Umsetzung schwer damit. Gerade wir Betroffenen, die unmittelbar mit dem Lehrbetrieb zu tun haben, mit Kindern, Jugendlichen, Erwachsenen, sind ja nicht fertig mit der Arbeit, sobald solch schöne Worte gedruckt sind, sondern dann beginnt sie erst – und mit ihr die Herausforderung, bisweilen sogar Überforderung. Unser Bemühen gipfelt oftmals in einem diffusen Unbehagen dem Lernen und Lehren gegenüber. Was Wunder, ist doch dieser Bildungsanspruch mit der kopflastigen Eindimensionalität, die das Lernen vorherrschend bestimmt, gar nicht zu erfüllen.
Positiv an diesem weit verbreiteten Unbehagen ist, dass daraus auch neue Wege und zauberhafte Ideen erwachsen.
Bisweilen ist dieses Unbehagen leider auch Zuchtstall für Sündenböcke: Zerrüttung der Familie, Untergrabung traditioneller Werte, Fernsehen, keine Autoritätsgläubigkeit mehr usw.
Die Nachdenklicheren, womöglich auch die Sensibleren – sicher aber die Wacheren – versuchen etwas anderes: nämlich dieser einen Dimension, der kognitiven Faktenvermittlung, jene zwei anderen Dimensionen, die des lebendigen Körpers und die der fliessenden Gefühle, wieder beizugesellen Das versuche ich mit dem TZT. Natürlich, die Idee ist nicht neu. Pestalozzis «Kopf, Hand und Herz» ist in aller Munde. Nur haben wir eben auch diesen Impuls vermehrt über den Kopf aufgenommen. Wissen tun wir es – aber können . . .?
Ob wir es können, ist nicht in erster Linie eine Frage des Systems, das wir dabei einsetzen, sondern vielmehr eine Frage der Haltung. Dass wir diese Haltung benennen, ist nicht absolut notwendig, aber umgekehrt schadet es wohl auch nicht. Ich nenne deshalb die Haltung, aus der heraus ich das TZT-System schöpfe:

# *menschlich lernen*

Ich nenne sie so, weil ich überzeugt bin, dass der Mensch seit seiner Geburt (wenn nicht noch früher) durch Erlebnisse und Erfahrungen, durch Träumen und Phantasieren, durch Handeln und Spielen, durch Sinnieren und Denken – lernt; weshalb soll er dann plötzlich mit dem Eintritt in die Schule sein Lernen nur noch auf kopflastige Verstandesakrobatik reduzieren? Einschränkend sei hier erwähnt, dass im Kindergarten und auf der Unterstufe diese Reduktion glücklicherweise noch nicht vollkommen ist . . . die Kinder sind ja noch soo klein . . .! Das stimmt, aber auch grössere Kinder sind Menschen und Erwachsene sind Menschen.
Selber habe ich viel mit Studenten der Universität und mit anderen Erwachsenen zu tun – und weiss deshalb wie unzufrieden, ja geradezu unglücklich viele von ihnen mit dem eindimensionalen Lernen sind. Jeder von uns bleibt Mensch, sein ganzes Leben lang: ich will als ganzer Mensch lernen, mit meinen Gefühlen, mit meinem Körper und meinem Verstand. Dadurch erlebe ich den Lehrstoff so, dass er in mich eindringt, mich durchwächst und mich dadurch wirklich verändert; so erwerbe ich die Fähigkeit zur Partizipation und damit zur Einflussnahme auf den Lehrstoff auf mich und meine Umwelt.
Das gilt für das Aufnehmen geistes- oder naturwissenschaftlicher Erkenntnisse ebenso wie für das soziale Lernen; ja es ist sogar so, dass es gar nicht zwei Dinge sind, die nebeneinander laufen: der Lehrstoff «Division» zum Beispiel, beinhaltet nicht nur die arithmetische Komponente des Teilen-Könnens, sondern ebenso die soziale Komponente des Teilen-Wollens! (Vgl. Divison – ich teile, in diesem Buch). Durch menschliches Lernen verbindet sich beides zu einem einzigen Fluss. Wie das zu schaffen ist, ist eine Frage des Systems. Sicher gibt es verschiedene Ansätze mit ähnlichem Ziel. Einer davon ist das System des Themenzentrierten Theaters, des TZT's.

**«Es gibt nur einen Weg um frische Pilze zu riechen: den in den Wald!» H.W.**

***TZT ist Haltung und Werkzeug zugleich; die Haltung bestimmt das Ziel, das Werkzeug ebnet den Weg dazu. Das Ziel ist:***

# *Lernprozesse in Gruppen ganzheitlich gestalten*

Um dieses Ziel zu erreichen, müssen Bedingungen erfüllt werden, die ich in der Folge beschreibe:

**1. Die Auseinandersetzung mit dem Lehrstoff muss gleichermassen körperlich, gefühls- und verstandesmässig erfolgen.**

Dieses Postulat verlangt vom Leser gewiss einige Phantasie; ich streue deshalb hier zwei Beispiele aus der Praxis zur besseren Illustration ein. Das erste stammt aus einer Arbeit mit Kaderleuten unter dem Titel: «Firma führen – Mitarbeiter führen.» Um den Aspekt der Führung von Mitarbeitern auch körperlich anzugehen, habe ich vorgeschlagen, dass der «Chef» seine Mitarbeiter, einen nach dem andern zuerst, später alle miteinander, wie ein Blindenführer durch die Gebäulichkeiten und Abteilungen der Firma führt. Blindenführer deshalb, weil die geführte Person bei der ersten Runde die Augen geschlossen hält. Führen und führen lassen beruht auf gegenseitigem Vertrauen. Die Aufgabe des Führenden ist dabei vergleichbar mit der eines Reiseleiters: seine Mitarbeiter auf besonders wichtige Orte im Firmengefüge aufmerksam machen, Hintergrundinformationen liefern – und den Mitarbeiter so behutsam über Treppen und an Ecken vorbeiführen, dass sich sein Vertrauen auch körperlich spürbar als berechtigt erweist. In einer späteren Phase führte in gleicher Anordnung jeder Mitarbeiter den Chef in seinem eigenen Bereich (dem des Mitarbeiters) herum; dort, wo er die grössere Einsicht in Details hatte.
So erlebten beide körperlich und sinnlich die Substanz einer fruchtbaren Führung: den fortlaufenden Kreislauf im Austausch von Initiative und Reaktion.
Aus diesem Erlebnis, das körperlich erfahrbar machte, wie vielschichtig der Führungsaspekt eigentlich ist, entspann sich eine rege Diskussion, eine offene Reflexion der Gefühle und verstandesmässigen Erkenntnisse. Der

Grundsatz des Lernens im Erlebnis, durch eigene Erfahrung und dank anschliessender Reflexion, war optimal erfüllt; wohlbemerkt: das war nur ein Aspekt dieses Prozesses; nur ein Beispiel zur Stimulierung der Phantasie, wie es wohl gelingen möge, auch den Körper konsequent in einen Lernprozess einzubeziehen.
Das zweite Beispiel ist dem Schulalltag entnommen; in einer Schulklasse steht im Fach Geschichte die Auseinandersetzung mit dem Nationalsozialismus an. In einer Phase, in der es um das Phänomen der in totalitären Staaten üblichen Gleichschaltung geht, steigen wir mit einer ganz harmlosen körperlichen Umsetzung dieses Gleichschaltungsgedankens ein: alle Schüler gehen im Raum herum, jeder gerade so, wie es ihm beliebt. Per Stimmzettel wählt die Klasse einen Mitschüler, der nachher vorgeben wird, »wie zu gehen ist!» Der Schüler, der am meisten Stimmen auf sich vereinigt, macht eine Gangart vor. Alle, die ihn gewählt haben, gehen nun in der gleichen Art. Jetzt schon macht sich unter dieser Mehrheit ein Gefühl der Verbundenheit bemerkbar – und der Druck, «nicht dabei zu sein», bei denen, die (noch) einer eigenen Gangart frönen. . . Wie lange werden sie es aushalten, rein körperlich «anders» zu sein als die Mehrheit? Auch hier wird diesem Erlebnis ein verbaler Austausch über eigene Empfindungen dabei folgen, werden intellektuell Parallelen zum historischen Kontext gesucht und gefunden. Nochmals will ich hier betonen, dass diese Beispiele nicht isoliert betrachtet werden sollen, sondern lediglich «Muster» aus einer unendlichen Kollektion darstellen, die im Lernprozess mit TZT zum Tragen kommen. Ziel dabei ist es immer, einem Inhalt, sei dieser intellektueller oder psychischer Natur, eine Gestalt zu verleihen, durch die er körperlich und gefühlsmässig erlebt werden kann.
Die nächste Bedingung befasst sich mit der Frage, was mich denn eigentlich dazu motiviert, etwas zu lernen? Eine, wenn auch nicht abdeckende Antwort darauf heisst: «Dass ich das Gelernte anwenden kann.» Oft wird aber der Zeitpunkt der Anwendung so weit nach hinten verschoben, dass die Motivation, Neues aufzunehmen erlahmt, wenn nicht gar erlischt. Deshalb formuliere ich meine zweite Bedingung folgendermassen:

**2. Schon während der Auseinandersetzung mit dem Lehrstoff muss ein fortwährender Kreislauf geschaffen werden zwischen der Aufnahme und der Anwendung dieses Stoffes.**

Im Lernen ohne diesen ausdrücklichen Anspruch reduziert sich die Aufnahmephase auf das einsame Anhören von Fakten und Erklärungen. Durch ebenso einsam aufgebaute Übungsanordnungen sollen diese Ausführungen verarbeitet werden.
Als Möglichkeit, dem Gelernten Ausdruck zu verleihen, es «richtig» anzuwenden, wird oftmals ausschliesslich die Prüfung angesetzt.

Der Druck, welcher eine Prüfungssituation nun mal mit sich bringt, reduziert im vornherein einen Teil des gesamten Wissenspotentials, das eigentlich zur Verfügung stünde; ohne sich dessen ganz bewusst zu sein, erfährt der Lernende nach misslungener Prüfung, dass er nur sehr wenig kann. Das nagt an seinem Selbstbewusstsein, er sieht sich als Versager, was ihn wiederum hindert, gelöst und gelassen an neue Lerninhalte zu gehen. Dergestalt wird die Selbsteinschätzung «ich bin halt dumm» geradezu systematisch gefördert. Um das gleich vorwegzunehmen, ich propagiere nicht die Abschaffung von Prüfungen. Denn ich sehe in den Prüfungen durchaus ein Ausdruckmittel meines Wissensstandes. Nur darf es nicht die einzige Möglichkeit sein, mich im Sinne des Gelernten auszudrücken. Der Ausdruck von dem, was ich bereits kann, selbst wenn es noch nicht viel wäre, ist integrierter Bestandteil des Lernprozesses – und nicht einfach krönender Abschluss. Deshalb müssen vorzu Gelegenheiten geschaffen werden zur eigenen Anwendung, zum Ausdruck dessen, was ich kann. Dies im möglichst angstfreien Raum, der es erlaubt, das, was ich bereits «in mir» habe, auch dann noch fliessen zu lassen, wenn es noch keineswegs perfekt ist, denn «es ist von grossem Vorteil, die Fehler aus denen ich lernen kann, schon recht früh zu machen» (Winston Churchill). Wiederum erlaube ich mir, zwei Beispiele anzuführen: in einer Primarschulklasse wird die Addition gelernt. Früher oder später wird jeder Schüler und jede Schülerin vor einem Blatt sitzen, auf dem Additionsaufgaben stehen, die es zu lösen gilt. Bevor wir dort sind, können wir die mannigfaltigsten Ausdruckserfahrungen unseres Könnens machen: ein Teil der Klasse baut einen Gemüsemarkt auf. Die Produkte sind in ganzen Franken angeschrieben. Der andere Teil der Klasse spielt die Kunden. Sie kaufen an den Ständen – und führen dabei ihre schriftliche Buchhaltung. Nach Marktende kann jeder Schüler zusammenzählen, was er ausgegeben hat und alle Verkäufer, was sie eingenommen haben.
Aber schon während des Marktes hat der Lernende lebendige Ausdrucksmöglichkeiten seines Könnens – und erst noch in Zusammenarbeit mit andern – den Verkäufern einerseits – und den Kunden andererseits. Diese Zusammenarbeit ist wichtig, denn sie lässt den Lernenden zwei Grunderfahrungen machen: erstens, dass er in seinen Bemühungen nicht allein gelassen wird und zweitens, dass seine Mitschüler auch von ihm lernen können und umgekehrt; in voller Interaktion mit andern wird hier gelernt. Eine solche Marktanordnung läuft zwar letzlich auf fiktiver Ebene – aber die dabei gemachten Erfahrungen sind deshalb nicht weniger real – und das zarte heranwachsende Pflänzchen des Wissens wird nicht durch die Einsamkeit und durch die Angst vor der Prüfung im Keime erstickt. Sollten wir das Bedürfnis nach umfassendem Realismus haben, können wir in einer zweiten Phase immer noch an einen richtigen Markt, das gleichsam andeutet, dass das Lernen keinesfalls immer in der Schulstube stattfinden muss. . .

Ein weiteres Beispiel stammt gar nicht aus der Praxis des TZT, sondern ist Bestandteil der Ausbildung zum Flugpiloten bei der Swissair: im Flugsimulator zieht der Pilot Zwischenbilanz seines Könnens; die eigentliche «Prüfung», sein Flug mit Passagieren, kommt viel später, aber hier in der Fiktion, soll er bereits ausdrücken und anwenden, was er kann – und merken, was er noch nicht kann. Dann erst ist der Anspruch dieses Aufnahme- und Anwendungs-Kreislaufes erfüllt, wenn der «Schüler», Kind oder Erwachsener, zu seinem eigenen «Lehrer» wird!
Auch diese Beispiele dienen lediglich der Illustration des Prinzips. In der Praxis erscheinen sie nicht isoliert, sondern in einer fortlaufenden Vielfalt, die dem Lernenden den Weg vom Unbekannten zum Bekannten bahnt. Alles Lernen dient letztlich der Veränderung unseres Verhaltens. Dank frühzeitiger Anwendung wachsen wir förmlich in diese Verhaltensveränderung hinein. Fliessend bauen wir unsere Fähigkeit aus, dem Mitmenschen und der Umwelt einfühlsamer zu begegenen.

Eine weitere Herausforderung, der wir uns stellen müssen, ist eine Leihgabe aus der Themenzentrierten Interaktion von Ruth Cohn:

3. **Zwischen den Kraftfeldern, die eine Gruppe bestimmen, soll eine dynamische Balance entstehen; diese Kraftfelder sind: meine Person (Ich), Sie und Ich und sie und er zusammen (Wir) sowie die Aufgabe (Es) und das Umfeld (Globe).**

Der Name TZT lässt ja von weitem eine Anlehnung an das TZI vermuten. Darin, dass ich dieses eben erwähnte «Gruppenarbeitsmodell» in meiner Arbeit zu verwirklichen versuche, besteht diese Anlehnung auch. Trotzdem wäre es falsch zu glauben, «TZI sei eigentlich wie TZT und umgekehrt.»
Aus meinem Verständnis der Anliegen von Ruth Cohn bin ich überzeugt, dass es in ihrem Sinne ist, ihre Erkenntnisse nicht kleinlich gralshüterisch für sich allein zu beanspruchen, sondern im Gegenteil, sie liebevoll grosszügig auch in den Dienst weiterer Entwicklungen nehmen zu lassen – auch dann, wenn sie in Kombination mit weiteren Erkenntnissen wirken sollen.

Jeder von uns, die wir praktisch arbeiten, weiss, dass es sich bei den drei formulierten «Bedingungen» um Zielvorstellungen von idealem Charakter handelt. Schon einen dieser Ansprüche umfassend zu erfüllen, stellt eine sprudelnde Energiequelle und ein grosses Motivationspotential dar. In der Kombination von allen drei gemeinsam ergibt sich ein Synergieeffekt, der die Wirkung nochmals erhöht. Dadurch kommen wir dem «menschlich lernen» nochmal einen Schritt näher. Um sie miteinander zu verbinden, ja gleichsam zu verweben, brauchen wir nun noch den Boden, aus dem die Einzelteile miteinander verknüpft hervorwachsen. Diesen Boden nennen wir Thema.

# *Das Thema ist das Herz des TZT*

Deshalb nenne ich mein Lernsystem «themenzentriert. . .»
Was aber ist ein Thema im Sinne des Themenzentrierten Theaters? Das Thema ist die Summe aller bewussten und unbewussten Phantasien bezüglich einer Ausgangslage, betreffend dem «Ich» und bezüglich dem «Wir», die vom Einzelnen ausgehen und sich in einer Gruppe mit den Phantasien aller andern Mitglieder verweben. Diese Summe lässt sich formulieren. Im TZT formulieren wir sie als Handlungsansatz und in der ersten Person Singular. Letzteres, weil dadurch der Einzelne in seiner Wirkung herausgestrichen wird und ersteres, weil diese Summe immer auf das Verhalten, die Art und Weise meiner Handlungen hindeutet. Die nötige Technik und das Einfühlungsvermögen zu erwerben, die einen das Thema einer Gruppe erkennen lässt, ist schwierig – aber durch Erfahrung lernbar.
Ist beides in genügendem Mass vorhanden, eröffnet sich eine neue Welt im Lehren und Lernen mit Gruppen, die in der Kunst, TZT zu machen, gipfelt. Um in diese Kunst hineinzuwachsen genügt die Lektüre dieses Buches nicht. Mein Thema beim Schreiben dieses Buches heisst deshalb: «Ich will anderen zeigen, dass es TZT gibt» und nicht «ich will, dass sie damit TZT können.» Umgekehrt ist Ihr Thema beim ersten Lesen dieses Buches kaum: «Ich will jetzt TZT können», sondern eher «Ich will sehen, ob TZT etwas für mich ist oder sein könnte.» Ich wäre ein schlechter Anwalt in eigener Sache, wenn ich nicht klipp und klar darauf hinweisen würde, dass der Schritt vom TZT «Kennen» zum TZT «Können» nur durch eigene Erfahrungen im TZT gemacht werden kann!
Besser als ich werden Sie wissen, dass bei Ihnen noch andere Themen mitschwingen: «Ich will wieder einmal einen neuen Impuls für meine Arbeit» zum Beispiel. Auch ich habe noch weitere Themen: «Ich hoffe, dass ich so schreibe, dass Ihr Interesse nicht erlahmt» und «kann ich Sie durch dieses Buch motivieren, TZT können zu wollen?»
Es sind also mehrere Themen, die bei Ihnen und mir vorhanden sind; genauso wie es in jeder Gruppe mehrere Themen gibt. Welches von allen ich als Ausgangslage für die Arbeit wähle, ist abhängig von der Eigenart der Gruppe und von ihrem Ziel. Auf dem Weg zu diesem Ziel werden sich die Themen ohnehin noch mannigfaltig verändern, genauso wie sich Ihre Themen bei der Lektüre verändern können – auch durch Faktoren, die ausserhalb der eigentlichen Lektüre sind: morgen vielleicht treffen Sie eine Kollegin, die Ihnen begeistert von TZT-Erlebnissen mit Ihrer Gruppe erzählt. . .

Bis jetzt haben Sie das Buch «nur mal kurz durchgeblättert» eben im Thema «. . . mal sehen, was das überhaupt ist. . .» Durch den Impuls Ihrer Kollegin kann sich Ihr Thema verändert haben: «Jetzt will ich wissen, was die daran so toll findet» oder auch gegenteilig «Wenn die das gut findet. . . dann gute Nacht!» Das hängt wiederum davon ab, in welcher Beziehung im weitesten Sinne Sie zu Ihrer Kollegin stehen.
Dabei bitte ich Sie folgendes zu beachten: das TZT-Basisbuch, über das wir hier sprechen und das vor Ihnen liegt, hat sich selber in diesem Prozess nicht verändert; sondern Ihre Stimmung ist es, die sich verändert hat. Durch neue Themen haben Sie einen neuen Zugang gefunden. Dieser Umstand ist so wichtig, dass wir im TZT zwischen

# *Stoff und Thema unterscheiden*

Als Stoff bezeichnen wir alles Dingliche, vorher z.B. das TZT-Basisbuch oder ein (Schul)fach – Chemie, Geographie, Literatur, Geschichte, Mathematik usw. – oder einen Lerninhalt wie «Französische Revolution», «Die Addition, die Division», schlicht alles, was vordergründige Aufgabe ist. Der Inhalt der Aufgabe bleibt solange «tot», bis er in Verbindung mit dem Individuum oder einer Gruppe gebracht wird. . . Erst in der Interaktion zwischen dem Thema des Menschen und dem jeweiligen Stoff erweist sich dieser Stoff als erlebbar und befruchtend. Dabei kann es mitunter spannende Überraschungen geben: beispielhaft berichte ich von einer Arbeit mit einer Heilpädagogengruppe, die sich regelmässig mit einer Psychologin treffen sollte, mit dem Ziel, Praxisverarbeitung zu betreiben. Die Treffen fanden auch statt – aber sonst haperte es. Die Gruppe war nämlich vom Resultat dieser Praxisverarbeitung (einer Art Supervision) allgemein frustriert, weil sie gar nie dazu kam, ihre praktische Unterrichtsarbeit zu verarbeiten. Äussere Ursache dafür war, dass sich die Gruppe auf keinen Ansatz der Leiterin einliess, zwar immer glaubhaft beteuernd, dass sie ihre Praxis verarbeiten wolle, aber ebenso hartnäckig jede sich bietende Gelegenheit dazu schon im Keime erstickte. Warum tat sie das? Auf der Basis des thematischen und stofflichen Verstehens im Sinne des Themenzentrierten Theaters können die Ursachen dafür folgendermassen eruiert werden: auf Grund der Vorgeschichte im Zusammenwirken dieser Gruppe war ihr aktuelles Thema: «Ich exponiere mich hier nicht, weil ich den andern nicht traue.» Wenden wir uns nun dem Stoff «Praxisverarbeitung» zu – und machen dabei eine wichtige Entdeckung: in diesem Stoff steckt auch ein Thema. Sofern «Praxisverarbeitung» für die beteiligten Menschen lebendig werden soll, lebt sie davon, dass eben diese Menschen z.B. sagen: «Hier und hier habe ich Schwierigkeiten mit mir und meinen Schülern»; erst darauf können die Leiterin und alle andern Mitglieder ihrerseits Stellung dazu nehmen, von eigenen Leichtigkeiten und Schwierigkeiten berichten und erzählen; die Praxisverarbeitung hätte begonnen. Das Thema im Stoff «Praxisverarbeitung» formuliere ich deshalb so: «Ich bin bereit, mich in meinen Schwierigkeiten im Beruf aufzuzeigen und dadurch Schwächen aufzudecken.» Jeder Stoff strahlt Themen aus. Sie werden bestimmt durch Erfahrungen, die wir mit diesem Stoff gemacht haben, und beinflusst durch die Vorstellungen, die wir uns von diesem Stoff machen. Beim Aufeinandertreffen des Gruppenthemas mit dem stoffimmanenten Thema wird sich zeigen, ob Berührungspunkte vorhanden sind – oder nicht. Natürlich, wer sich um das Gruppenthema nicht schert, wird auch darauf verzichten können, sich um das Thema im Stoff zu kümmern. Er wird seinen Stoff «abgeben» – notfalls gegen die Gruppe; vielleicht wird er dann sagen: «Also heute waren sie gar nicht motiviert – und schon gestern hatten sie nur Flausen im Kopf – na ja, zum Glück gibts Prüfungen.» Die ideale Voraussetzung für eine Gruppe ganz allgemein ist die, dass sich das Gruppenthema mit dem Thema eines Stoffes deckt. Hier war das überhaupt nicht der Fall; Gruppenthema: «Ich zeige mich nicht, weil ich kein Vertrauen zu Dir habe.» Schon fast diametral entgegengesetzt das stoffimmanente Thema: «Ich bin bereit, mich in meinen Schwierigkeiten und Schwächen aufzuzeigen.» Hätte es sich bei dieser Gruppe um Leute gehandelt, die freiwillig in diese Praxisverarbeitung gekommen wären, wäre die Gruppe schon nach wenigen Versuchen vom Mitgliederschwund befallen worden. Da es sich aber um eine Studienklasse handelte, für welche die Praxisverarbeitung in diesem Verband Pflichtfach war, versuchte sie sich folgendermassen zu helfen: sie entwarf ganz einfach immer neue Konzepte zur Praxisverarbeitung – ohne jemals eines wirklich zu realisieren. Sie hat also bewusst oder unbewusst nach immer neuen Möglichkeiten gesucht, dem stoffimmanenten Thema, «ich zeige etwas von mir. . .» ausweichen zu können. Möglicherweise eine Art der Praxisverarbeitung, in der sich niemand exponieren müsste. Dass dies nicht gelingen konnte ist klar, dass viele äussere Umstände wie Gruppengrösse, Zeitmangel keine richtige Motivation(!) und nicht zuletzt die Leiterin als Hemmschuh bezeichnet wurden, auch. . .

Gegen Ende dieser Leidensphase kam die Gruppe nun zu mir. Auch dieser Anlass war nicht freiwillig. TZT steht bei ihr auf dem Lehrplan. Für mich ging es dabei darum, einen der wichtigsten Grundsätze des TZT's zu realisieren: «Arbeite stets mit dem Widerstand – und nicht gegen ihn.» Konkret hiess das, mit dem aktuellen Thema zu arbeiten, nämlich «Ich exponiere mich hier nicht, weil ich Euch nicht traue» und nicht etwa mit der Wunsch- oder Zielvorstellung aufzufahren, die thematisch forumliert etwa «Mein Vertrauen zu Dir ist gross genug, um mich etwas zu öffnen» heissen könnte. Das war zwar das Ziel – aber der Weg zu einem Ziel beginnt bekanntlich beim Start – und nicht am Ziel! Also war es meine Aufgabe, aus dem Thema des «Nichtvertrauens» (themenzentrierte) Aktionsanlagen zu schöpfen, denn im TZT ist eben das aktuelle Thema die Mutter aller Anlagen. Eine Anlage will ich hier beschreiben; ich bot sie ziemlich zu Beginn unserer Zusammenarbeit an: alle, aber jede und jeder für sich, gehen still im Raum herum. Jede Berührung – auch noch so «zufällige» – zu andern sollte bewusst vermieden werden, sobald jemand das Gefühl empfand, dass er angeschaut würde, sollte er seine Kleider so zurechtrücken, dass sie ihn vermehrt verdeckten, Hemdkragen hochschlagen, Halstücher über den Kopf anlegen, Pulloverärmel über die Hände ziehen, usw. Das Umfeld kam uns entgegen, es war im Winter. . . «Pack Dich noch mehr ein – es ist kalt» sagte ich – das war durchaus doppelbödig gemeint – in einer Gruppe ohne Vertrauen ist es kalt – nicht nur wegen der Lufttemperatur. . . Die Anlage gipfelte in der Aufforderung, dass sich alle im Raum ihr bevorzugtes Plätzchen suchen sollten, an dem sie sich regelrecht verkriechen konnten, allein und möglichst vor Einblicken geschützt. . . Ich selber setzte mich in die Mitte des Raumes und bot nach einer Weile eine Atem- und Entspannungsübung an, die jeder dort, wo er war, aufnehmen konnte, wenn er wollte. Die zum Teil gekrümmten Gestalten wurden durch die Einladung zum «Luft holen» und «Dampf ablassen» langsam weicher, sie begannen mehr Raum einzunehmen, unter einem Tisch, der vorher als Höhle diente, lugten plötzlich zwei langgestreckte Beine hervor. Ich beendete meine Anleitung zur Entspannung und begann damit, über das TZT, das kennenzulernen wir ja zusammengekommen waren (das war der Lerninhalt dieser Woche), über meine damit verbundenen Anliegen und über meine Vorstellungen für die kommenden Tage zu erzählen. Das Bild, das sich einem fremden Beobachter geboten hätte, war nicht gerade hörsaalmässig: in der Mitte sass einer, der sprach – oder dozierte – wie man will. . . und am Boden, unter Tischen, in Ecken lagen oder kauerten Studentinnen und Studenten mit teilweise geschlossenen Augen. . . dösend vielleicht, wach möglicherweise – aber sicher recht entspannt.
Zum Ende meiner Ausführungen kündigte ich die Kaffeepause an, verbunden mit dem Hinweis, jede und jeder solle sich in aller Ruhe und in seinem Tempo von seinem Platz lösen und die Pause «antreten». Wenn auch die Verführung gross gewesen wäre, sich in einer Runde zusammenzusetzen

und auszutauschen, was beim einzelnen während dieser Phase «so gelaufen ist», so wäre es doch völlig verkehrt gewesen, ein solches Gespräch anzusetzen. Man erinnere sich, Thema ist: «Ich zeige mich nicht. . .» und wer von seinen Erlebnissen und Erfahrungen spricht, läuft dabei «Gefahr», sich zu zeigen. Der Anspruch auf ein Gespräch wäre nicht themenzentriert gewesen, denn dazu war es noch viel zu früh. Vielleicht ohne es selbst zu merken, zeigte mit die Gruppe während der Pause viel mehr. Der Kaffee wurde in einem Restaurant serviert. Eines von denen mit vielen kleinen Tischchen. Als ich ins Lokal kam, hatten bereits Mitglieder der Gruppe einige dieser Tischchen zusammengerückt; ein kleines Symbol dafür, zusammen zu sitzen. . .
Nach zwei weiteren Tagen der Arbeit, in denen ich die Zurückhaltung des Einzelnen in der Gruppe nicht nur respektierte, sondern durch die Handlungsanlagen und in Gesprächen auch unterstützte, spürte ich die heranwachsende Bereitschaft von vielen, sich etwas unter dem eigenen Schutz- und Deckmantel hervorzuwagen. Ich beschloss die erste Anlage anzubieten, bei der eine Szene vorgespielt werden sollte. Das Vorspielen beinhaltet zwangsläufig das Thema «ich zeige mich. . .», ich musste also ein Angebot machen, das das Vorzeigen der eigenen Person nicht überstrapazierte; mehr noch, das Dilemma, soll ich – oder soll ich nicht «mich zeigen», wollte ich geradezu zum Inhalt der Szene machen. Das Thema hatte sich nach meiner Wahrnehmung ja schon etwas in Richtung «Vielleicht zeig' ich mich doch noch, wer weiss. . .» verschoben. Im Sinne eines themenzentrierten Angebots formulierte ich deshalb folgende Situation: «In einem zweidottrigen, bereits ausgebrüteten Ei befinden sich zwei Küken.»
Die Eierschale ist hier Symbol für «die Wand», die zwischen Zeigen und Nicht-zeigen liegt. Das Ei ist an sich schon ausgebrütet, die Küken können, aber müssen nicht schlüpfen; zweidottrig war das Ei deshalb weil dadurch die gegenseitige Abstimmung – wenn Du Dich herauswagst, dann wag ich mich auch eher heraus – ermöglicht wurde. Die Figur des Kükens wählte ich deshalb, weil das Küken dadurch, dass es schlüpft, erstmal alle Erwartungen erfüllt hat –es muss danach nicht noch etwas ganz Tolles leisten; das wiederum ist eine Absicherung dafür, dass ich in meinem Zeigen nicht auch noch besondere Leistungen vollbringen muss, sondern mich ohne besondere Aufwendungen offenbaren kann, so, wie es mir momentan entspricht.
Alle in Zweiergruppen bereiteten die Szene kurz vor – und spielten sie im Plenum. Ich war natürlich mächtig gespannt, ob sie schlüpfen würden. Bei Beginn der Szene waren sie ja alle noch in der Schale; in ihrem Schutz fanden viele Gespräche zwischen den beiden Küken statt, in denen Vor- und Nachteile des Ausbrechens gegeneinander abgewogen wurden. Verbale Gespräche, aber auch die Körper der Spieler sprachen – somit war beides voller Symbolik über Hoffnungen und Befürchtungen, letztlich präzise Rückmeldungen zur eigenen Befindlichkeit in der Gruppe. . . und dann schlüpften sie alle!

In der anschliessenden Besprechung der Szenen offenbarten einige, dass sie am Anfang der Szene noch unentschlossen gewesen seien, ob sie die Schale verlassen wollten, dass dann aber die Stimmung während des Spiels dazu eben einladend genug war. . . und auch, dass vorhergehende Szenen sie beeinflusst hätten. Das Thema des Einzelnen hatte sich mit den Themen der andern verwoben – und daraus war das neue Gruppenthema entstanden: «Ich bin bereit, mich etwas zu zeigen. . .»
Hier beende ich den genauen Verlaufsbeschrieb dieser Arbeit. Erwähnen will ich allerdings, dass sich unsere Zusammenarbeit zur Zufriedenheit von allen entwickeln und abschliessen liess. Die Gruppe hatte TZT erlebt – und damit war auch das Lernziel viel näher gerückt, als wenn ich einfach mitgeteilt hätte, was TZT ist. . . Die Begegnung mit dem TZT hat nicht nur ihr Wissen erweitert, sondern auch die Atmosphäre in der Gruppe verändert; soziales Lernen ist mit dem Lernen von Lehrstoff verbunden worden.
Ermöglicht hat dies unter anderem eine ganz spezielle Eigenart des TZT's. Die Arbeit mit der Fiktion, die Auseinandersetzung im Spiel. Deshalb nenne ich das vorgeschlagene Lernsystem «Themenzentriertes Theater.» Theater ist dabei Sammelbegriff für alle sinnliche Wahrnehmungs-, Ausdrucks- und Gestaltungsmöglichkeit eines Themas. Es war nicht mehr die angstbesetzte reale Praxisverarbeitung, die mit ihrem Anspruch die Gruppe lähmte und sie auf der Stelle treten liess, sondern das anfängliche Gruppenthema wurde in transponierter Form realisiert, in der Fiktion «Küken im Ei.» Dadurch erst liess sich das Gruppenthema verändern und entwickeln, dass es in einen andern stofflichen Zusammenhang gebracht wurde und dadurch im Schonraum des Spiels auslebbar wurde: «In dieser Art der Arbeit habe ich selbst bei intensiver Problemgestaltung nie Anzeichen einer psychischen Überforderung bemerkt» (Reiser 1978). Denn die Gruppe selbst ist das Regulativ dafür, was sie will und was sie kann. Dieses Regulativ habe ich als Leiter aufzunehmen, indem ich in

## *ständigem Dialog mit der Gruppe*

lehre (und dabei selber dazu lerne): meine Rede erbringt Gegenrede, meine Aktion eine Reaktion und umgekehrt. So entwickeln wir gemeinsam unseren Weg durch den Stoff und durch die Themen. Im Gegensatz zum «monologischen Lehren» kann ich im TZT nicht «alles» vorbereiten, nicht jeden Lernschritt vorprogrammieren; ich kann zwar das wünschbare Ziel formulieren, aber der Weg dahin bleibt noch offen, bis ich die Menschen treffe, mit denen ich ihn gehen will. Er wird eine Gemeinschaftsproduktion sein, bei dem jeder und jede in der Gruppe sich persönlich einbringen kann mit den Vorkenntnissen und der eigenen Lebenserfahrung – mit allem, was jemanden zum Menschen macht – und das ist wahrscheinlich Bedingung zum «menschlich lernen».

Otto Marmet

***Mit vielen TZT-Leiterinnen und TZT-Leitern stehe ich auch nach ihrer Ausbildung in persönlichem Kontakt. Bisweilen ergeben sich daraus fachliche Gespräche. Aus einem solchen Gespräch zitiere ich einige Auszüge.* Dr. Otto Marmet *war achtzehn Jahre lang Lehrer für Pädagogik und Psychologie am Lehrerseminar Rorschach. Seit zwei Jahren praktiziert er als freischaffender Psychologe in Horgen. Seine Meinung zum gegenwärtigen Lehrbetrieb: es wird***

# *unendlich viel gelehrt – und wenig gelernt*

. . . was aus der gesamten Schulzeit im allgemeinen zurückbleibt, sind die Dinge, die wir auf der Unterstufe gelernt haben, also lesen, schreiben, rechnen. Dazu kommt vor allem der «geheime Lehrplan»: stille sitze, lose, folge (ruhig sitzen, zuhören, gehorchen). Darüber hinaus werden oft negative Überzeugungen gebildet bezüglich des eigenen Könnens und bezüglich bestimmter Fachgebiete. Für den Musik- und Zeichenunterricht heisst das z.B.: ich bin unbegabt, für den Deutschunterricht: Klassiker sind langweilig und aus dem Mathematikunterricht ergibt sich eine generelle Denkblokkade, sobald Wurzelzeichen und Bruchstriche auftauchen . . .

. . . es gibt immer wieder diese deprimierenden Überprüfungen der Langzeitwirkung des Unterrichts, in der Schweiz z.B. in Form der «Rekrutenprüfung». In regelmässigem Abstand von ein paar Jahren gibt es in der Presse ein Lamento darüber, was die Leute in Geschichte, in Staatskunde etc. nicht mehr wissen, was sie hier nicht können und dort nicht. Dazu kommt neuerdings noch der funktionelle Analphabetismus: bei Leuten, die regulär durch alle Schulen gegangen sind, stellt sich später heraus, dass sie gar nicht lesen können . . .

. . . ich bin davon überzeugt, dass das Allermeiste, was verhaltenswirksam ist, nicht durch theoretische Wissensvermittlung gelernt wird. Wenn sich ein Lehrer wirklich damit konfrontiert, was aus dieser «Vermittlung» längerfristig bleibt, wird er so erschrecken, dass er andere Wege sucht: Formen des Lernens, bei denen das Handeln und das Erleben im Zentrum stehen. Eigentlich haben ja viele pädagogische Reformbewegungen in diese Richtung tendiert, Pestalozzi z.B., Kerschensteiner, Freinet, auch Rudolf Steiner. Aber was die Lehrer in ihrer Schulzeit jahrelang selber erfahren haben, hat sich bisher immer wieder durchgesetzt . . .

. . . neue Wege können nicht allein in Büchern gefunden werden, auch nicht durch Diskussionen. Man muss sie gehen. Entscheidend ist, dass Lehrerstudenten in ihrer Ausbildung neue Unterrichtserfahrungen machen, dass sie selber handeln lernen können. Nur was sie erfahren haben, ist in ihrem Verhalten verankert . . .

. . . konkret auf mein Fach bezogen: von der Universität herkommend, verstand ich mich als Wissensvermittler, obwohl ich aus eigener Erfahrung die Nöte des Primarlehrers kannte. Ich konnte auch nur das anbieten, was ich selber erlebt hatte. Wissen und Wissensvermittlung entspricht übrigens auch der Erwartung des Lehrerstudenten, wenn er mit Psychologie in Kontakt kommt. Wenn eine attraktive Form dieser Vermittlung gelingt, ist er damit auch durchaus zufrieden. Da entstehen kaum Probleme. Die entstehen erst an der Nahtstelle zwischen Theorie und Praxis; vielfach gar nicht während der Ausbildung, sondern danach, beim sogenannten Praxisschock, wenn der junge Lehrer nach seiner langen Ausbildung plötzlich spürt: für die Praxis taugt mein Wissen kaum etwas!
Ein etwas krasses, aber symbolisches Beispiel dafür: Ich hatte eine sehr gute Studentin, die in allen Fächern Spitzenleistungen erbrachte. Sie machte den Abschluss mit der Höchstnote. Sie bekam eine gute Stelle, wollte sie auch antreten, bezog eine eigene Wohnung und kaufte dafür ein Stangenbüchergestell. Beim Einreihen der Bücher krachte das ganze Gestell zusammen. Sie verfiel daraufhin in einen Weinkrampf und wurde – da offenbar niemand helfen konnte – in eine psychiatrische Klinik eingeliefert. Ihr war vor dem Schritt in die Praxis das ganze Schulwissen zusammengebrochen. In dieser Form ist das natürlich ein Extremfall und kommt sicher selten vor. Aber dass nach etwa einem halben Jahr Praxis die in der Lehrerausbildung erworbene Schulweisheit zusammenbricht, ist absolut üblich . . .

. . . unter dem Druck der Praxis wird dann zurückgegriffen – nicht auf das, was man in der Ausbildung gelernt, sondern auf das, was man jahrelang als Schüler erlebt hat. Das theoretische Wissen fällt ab, übrig bleibt das davon «unberührte» persönliche Verhaltensrepertoire . . .

. . . das ganze «Programm», das dem Lehrer in seinem Beruf zur Verfügung steht, steckt schon vor der Ausbildung in ihm drin: es hat eine lange Geschichte, es setzt sich zusammen aus unzähligen Erfahrungen mit Eltern, Lehrern, Autoritäten. Wie man als Lehrer reagiert, z.B. in Konfliktsituationen, was man tut, wenn die Autorität herausgefordert wird, das ist bei jedem «schon da», unabhängig von aller Psychologie und Pädagogik. Praxis ist eben die Grundlage der Praxis. Wenn nun Theorie daraufgelegt und darübergeschichtet wird, so werden dadurch vielleicht schöne Ideale und Vorstellungen gebildet, «wie man es machen sollte», aber unter dem Druck einer kritischen Situation brechen diese gewöhnlich zusammen. Das ist natürlich mit grossen Enttäuschungen verbunden, mit Zweifeln auch an der persönlichen Eignung für den Beruf . . .

. . . deshalb denke ich, dass sich die Lehrerbildung in erster Linie mit dem Verhaltensrepertoire, das ein Student bereits mitbringt, zu befassen hat, sie muss ihn einladen, sich damit auseinanderzusetzen . . .

. . . der Pädagogik- und Psychologieunterricht muss Situationen anbieten, in denen das persönliche Verhalten zum Tragen kommt, es muss sichtbar und erlebbar werden, nicht irgendwann in der Zukunft, sondern hier und jetzt . . .

. . . dabei hat mir das TZT eindeutig geholfen: eine Unterrichtssituation so zu arrangieren, dass persönliche Reaktionen sichtbar und erlebbar werden. Frühere Anstösse gab es zwar auch schon. Durch die themenzentrierte Interaktion von Ruth Cohn z.B. bin ich überhaupt dazu gekommen, mich nach meiner persönlichen Beziehung zum Stoff zu befragen, und bei Moreno habe ich gelernt, die dramatischen Aspekte eines Themas aufzuspüren. Aber in der praktischen Umsetzung mit den Studenten blieb das alles doch zu sehr im Verbalen stecken. Ich ertappte mich bei der Aufforderung «Sprich von Dir». Ich kannte diesen Satz zur genüge aus den TZI-Kursen. Er fiel immer dann, wenn einer im Gespräch ins Allgemeine und Unverbindliche abglitt, und er hatte mich immer schon gestört. Es stimmt einfach etwas nicht, wenn ich jemanden dauernd dazu auffordern muss, sich mit sich selbst auseinanderzusetzen. Wenn ich ein Arrangement im Unterricht anbieten kann, in dem etwas geschieht und etwas erlebt wird, muss ich hinterher niemanden dazu auffordern, von sich selber zu sprechen. Das tut dann jeder automatisch, er spricht von dem, was er erlebt hat . . .

. . . beim Rollenspiel nach Moreno war es jeweils ein Glücksfall, wenn einige Mutige in eine Spielszene einsteigen wollten. Viele blieben in der Zuschauerrolle und glänzten hinterher in der Diskussion durch kluge Beiträge. Wie ich eine ganze Gruppe animieren kann, so dass jede und jeder in eine gewisse Spiel- und Erlebnislaune kommt, das habe ich erst in meiner TZT-Ausbildung gelernt . . .

... neu bei meiner Arbeit mit TZT war, dass der Student wirklich an seine persönlichen Themen herankam, dass er erlebte, was bei ihm selber war und wo er möglicherweise einen Schritt machen musste ...

... noch etwas Wesentliches hat sich durch meine TZT-Erfahrung verändert. Früher ging ich sehr von pädagogischen Zielsetzungen aus, zuhören lernen z.B., miteinander reden, Konflikte lösen lernen. Ich hatte dabei immer eine «Besser-als-Zielsetzung» im Hinterkopf, also besser zuhören, besser kommunizieren etc. Natürlich setzte ich Übungen ein und jeder lernte z.B. «aktives Zuhören». Aber die harte Realität, dass da z.B. eine Klasse von angehenden Lehrern war, in der die Leute überhaupt nicht miteinander redeten, blieb bei allen Gesprächsübungen verborgen. Als dies dann durch TZT-Anlagen sichtbar wurde, hat es mehr bewirkt als das ganze lernzielgerichtete Kommunikationstraining.

***Im Zusammenhang mit einem Projekt, das sich mit den Fragen «Was will ich können – was muss ich können?» auseinandersetzt, haben wir auf verschiedenen Stufen (Kindergarten, Unter- und Mittelstufe, Oberstufe und Universität) verschiedene Umfragen und Lektionenreihen durchgeführt.* Dieter Liechti, *TZT-Leiter und Reallehrer in Höri bei Bülach, stellt hier eine seiner Lektionen vor. Sein Ziel dabei war herauszufinden:***

# *Was wollen die Schüler?*

*Meine Zweitrealklässler stehen im achten, einige bereits im neunten Schuljahr. Das Ende ihrer obligatorischen Schulzeit (in 19 Monaten) liegt noch in weiter Ferne. Aus dieser Situation heraus und auf Grund verschiedener Beobachtungen, welche Rückschlüsse auf eine gewisse Schulmüdigkeit zulassen, habe ich obiges Thema formuliert, das uns alle, Schüler und Lehrer, betrifft.*
*Beim Ausdenken der Spielanlagen achte ich darauf, dass diese sowohl themenzentriert als auch stoffbezogen sind. Und natürlich sollen sie bei meinen Schülern «ankommen», also stufengerecht sein.*

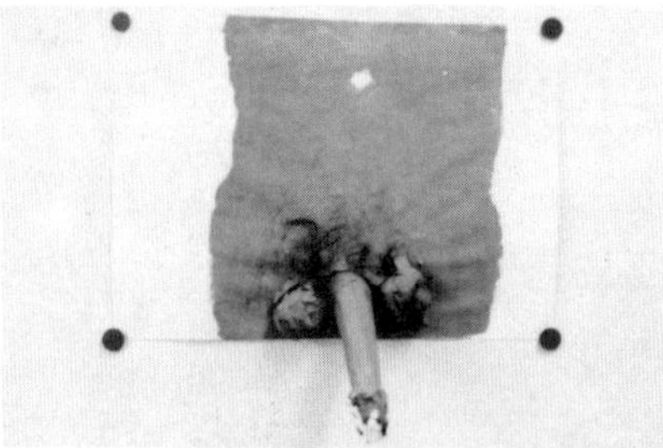

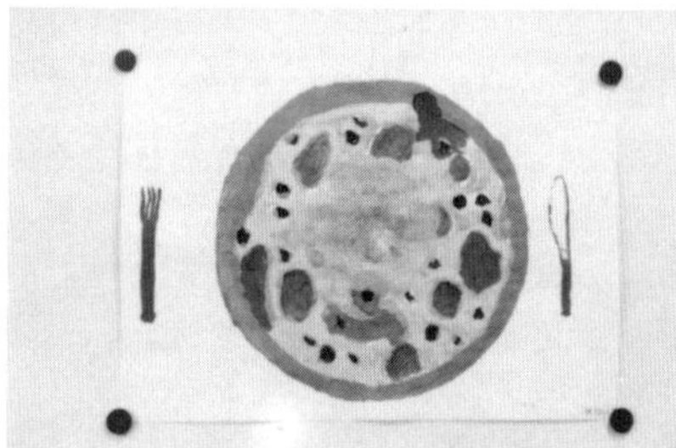

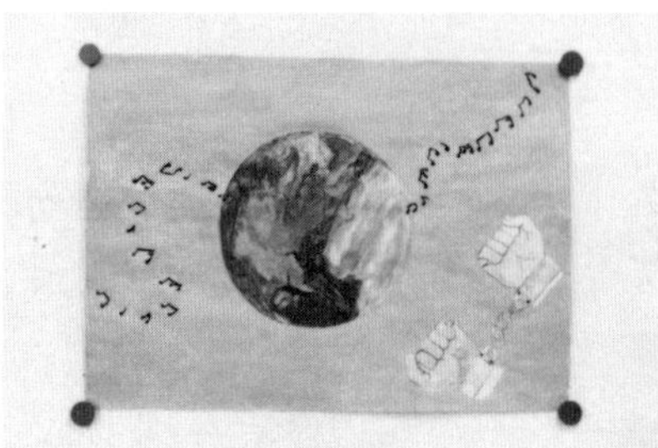

## Stoff: Bildung.
## Thema: Ich wähle mir mein «Schulfutter» selber aus.

### Kaninchen E1

| | |
|---|---|
| Wer? | Ganze Schulklasse |
| Wo? | Singsaal |
| Wie lange? | 10′ |
| Was? | Alle Schüler sind Kaninchen.<br>Sie liegen in ihrem Stall und schlafen.<br>Sie geben Töne von sich.<br>Der Meister öffnet die Türchen ihrer Käfige, und sie dürfen sich auf der Wiese tummeln.<br>Sie beschnuppern sich gegenseitig.<br>Sie kämpfen miteinander.<br>Sie fressen Gras.<br>Sie sind müde und kehren in den Stall zurück. |
| Wozu? | Mit seinem Körper ein Tier darstellen<br>Vorbereitung auf die Situation |

### Den Rücken kraulen E2

| | |
|---|---|
| Wer? | Ganze Schulklasse |
| Wo? | Singsaal |
| Wie lange? | 10′ |
| Was? | Einige Schüler (etwa die Hälfte) spielen ein Kaninchen, die andern sind deren Besitzer. Sie kraulen ihren Tieren den Rücken.<br>Dasselbe mit umgekehrten Rollen. |
| Wozu? | Etwas Angenehmes erleben und erleben lassen. |

Vielleicht, liebe Kollegin, lieber Kollege, empfinden Sie die beiden Einstiegsspiele nicht als stufengerecht, denken, das sei etwas für kleine Kinder. Ich möchte Ihnen sagen, dass meine Schüler grossen Spass daran hat-

ten. Sie sind sich allerdings solche Spiele gewohnt. Wenn ich eine neue Schulklasse vor mir habe, achte ich sehr sorgfältig darauf, dass ich sie nicht überfordere. Es braucht sicher eine grosse Portion Mut für einen Bengel, wie ich mehrere in meiner Klasse habe, ein «herziges Tierli» darzustellen (ein andermal dürfen sie durchaus einen harten Gangster spielen). Unterdessen herrscht in meiner Klasse ein Vertrauensverhältnis, welches solche Dinge zulässt. Die Knaben waren jedenfalls sehr dankbar, dass sie sich ein wenig austoben durften (E1), und mehr als ein Mädchen hat zu spüren bekommen, dass auch Knaben in bestimmten Situationen durchaus zärtlich sein können (E2).
Im übrigen spielen ja bei den Einstiegsspielen alle Schüler gleichzeitig, was das Sich-Ausgestellt-Fühlen wesentlich mildert.

*Gruppenbildung*
Alle Schüler stellen sich so in eine Reihe, dass derjenige, der heute das grösste Frühstück eingenommen hat, zuvorderst steht, derjenige, der am wenigsten gegessen hat, zuhinterst.
Jetzt bildet der Lehrer Zweiergruppen, indem er immer den vordersten und den hintersten Schüler zusammentut. So entstehen Zweiergruppen.

Die Probleme bei der Gruppenbildung sind nicht zu unterschätzen. Am schwierigsten und heikelsten ist es wohl, wenn die Schüler ihre Gruppenkameraden selber auswählen dürfen (müssen?). Objektive Kriterien (hier: die Menge des heutigen Frühstücks) sind ein geeignetes Hilfsmittel, um Stresssituationen bei der Gruppenbildung («Mich will keiner») abzubauen. Natürlich benötigt die vorgeschlagene Art der Gruppenbildung etwas Zeit; die Schüler müssen ja einander mitteilen, was sie gefrühstückt haben. Dafür ist keiner der Schüler auf den Lehrer böse, weil er (schon wieder) mit diesem oder jener zusammenspielen soll.
Im Idealfall ist auch die Gruppenbildung stoff- und themenbezogen.

## Überfüttert S1

| | |
|---|---|
| Wer? | Zweiergruppen |
| Wo? | Singsaal |
| Wie lange? | Vorbereitungszeit 5′, Spielzeit je Gruppe 3′ |
| Was? | Ein Kind gibt seinem Kaninchen zuviel Futter, sodass das Tier Bauchweh bekommt. |
| Wozu? | Überfütterung erleben. |

## «Futter» R1

Wer? Ganze Schulklasse

Wo? Schulzimmer

Wie lange? 15′

Was? Jeder Schüler erstellt für sich eine möglichst vollständige Liste von «Futter», das er vorgesetzt bekommt. Der Lehrer weist darauf hin, dass es nicht nur Futter für den Magen gibt:
– Futter für den Körper
– Futter für die Seele, für das Gemüt
– Futter für den Kopf, für den Geist
Anschliessend nennt jeder Schüler der Reihe nach ein bestimmtes Futter, das er notiert hat. Wer von den andern Schülern dieses Futter nicht aufgeschrieben hat, notiert es nun ebenfalls. Das geht so lange, bis jeder die vollständige Liste besitzt. Diese wird gleichzeitig auch an der Wandtafel festgehalten.

Wozu? Sich Gedanken darüber machen, was der Mensch alles braucht.

## Gutes Futter – schlechtes Futter R2

Wer? Ganze Schulklasse

Wo? Schulzimmer

Wie lange? 10′

Was? Jeder Schüler für sich untersucht die vollständige Liste aus R1 unter folgenden Gesichtspunkten:
Dieses Futter habe ich gern und/oder es erscheint mir nützlich: rot unterstreichen.
Dieses Futter habe ich nicht gern und/oder es erscheint mir unnütz: blau unterstreichen

Wozu? Was will ich? Was brauche ich?

*Futter für den Körper*
Schniposa, Lasagne, Gemüse, Getreide, Luft, Gulasch, Fisch, Brot, Obst, Äpfel, Fleisch, Gigot, Pizza, Joghurt, Sauerstoff, Medikamente.

*Futter für die Seele, für das Gemüt*
Gefühle, Fernsehen, Musik, spazieren, allein sein, Sex, Liebe, Glück, Verständnis, Tabak, Piece, lustig sein, Lesen, Zeichnen, Märchen, Schlafen, Theater, Tanzen, Alkohol, Trost, Freiheit, Mofa + Velo fahren! Kameradschaft, Geschichten, Gedanken, Freude, Fantasie, Enttäuschungen, Freundschaft, Selbständigkeit.

*Futter für den Kopf, für den Geist*
Fernsehen, eine Erfahrung machen, Ruhe, Lernstoff, von überall, vom Tag erzählen, Rechnen, Französisch, Deutsch, Werken, etwas Wohltuendes, Streit, Probleme, Informationen.

## Schulfutter R3

Wer? Ganze Schulklasse

Wo? Schulzimmer

Wie lange? 10′

Was? Schüler und Lehrer gemeinsam bestimmen ein Futter, das sie in der nächsten Schulwoche vermehrt anbieten wollen.

Wozu? Vom Nachdenken zum Handeln kommen.
Veränderbarkeit der (Schul-)Welt erleben.

## Futterbild R4

Wer? Dreiergruppen

Wo? Schulzimmer

Wie lange? 60′

Was? Jeder Schüler umrahmt in seiner Liste aus R1 dasjenige Futter, auf das er jetzt am wenigsten verzichten möchte, mit rotem Farbstift.

| | |
|---|---|
| | Dann sucht er sich zwei Kameraden, die den selben oder einen ähnlichen Begriff umrahmt haben. Diese drei Schüler malen gemeinsam ein Bild ihres Begriffes. |
| Wozu? | Etwas, das mir sehr wichtig ist, bildnerisch darstellen. |

### «Bettmümpfeli» A1

| | |
|---|---|
| Wer? | Ganze Schulklasse |
| Wo? | Schulzimmer |
| Wie lange? | 5′ |
| Was? | Jeder Schüler überlegt sich, welches Futter er seinem Partner in S1 am nächsten Schultag mitbringen will und teilt es der Klasse mit. |
| Wozu? | Dem andern eine Freude machen. |

Warum nicht gerade mit den Realien anfangen, warum zuerst Einstiegsspiele und eine Situation, mag sich mancher fragen?
Die Liste aus R1 zeigt wohl eindrücklich, dass der Mensch nicht nur Futter für den Kopf braucht. Auch bin ich überzeugt, dass diese Liste nicht halb so vielfältig und reichhaltig ausgefallen wäre, wenn der Vormittag gleich mit dieser Aufgabe angefangen hätte.
Mit den Einstiegsspielen hole ich die Schüler dort ab, wo sie sind, und führe sie behutsam zum Stoff und zum Thema hin. Beim (Theater-)Spielen haben sie Gelegenheit, sich in ihrer Ganzheit einzubringen und ihre spezielle Situation darzustellen. Dabei lernen sie, miteinander zu diskutieren, aufeinander einzugehen, sich zu entscheiden, einen Entscheid durchzuführen – lauter Fähigkeiten, die man in vielen Berufen, in mancher Familie nicht ungern sieht!
Jetzt sind die Schüler optimal in der Lage, in die vorgeschlagenen Realien, den eigentlichen Schulstoff, einzusteigen:
Die reichhaltige Liste von R1 habe ich bereits erwähnt. Diese Liste wird uns bei späterer Gelegenheit ein zweites Mal von Nutzen sein, beispielsweise für eine Realie über Drogen (= Futter für die Seele?).
Am reichsten fällt die Ernte von R3 aus:
Valérie schlägt vor, die Fantasie vermehrt zu schulen.
Maria möchte über Probleme diskutieren.
Peter will neue Stoffe, die in der Schule noch nie behandelt wurden, kennen lernen.

Hansjörg möchte vermehrt die Kameradschaft pflegen.
Alle vier Vorschläge gefallen uns so gut, dass wir auf keinen verzichten möchten. Beginnen wollen wir mit der Fantasieschulung. Valérie wird am Montag eine geeignete Musikkassette mitbringen, und wir werden zu dieser Musik ein Bild malen. Anschliessend werden wir einen Vorschlag für den nächsten Tag ausarbeiten.
Für die übernächste Woche hängt bereits eine Liste an der Steckwand, wo jeder seinen Vorschlag für ein Diskussionsthema eintragen kann. Mit diesem Eintrag verpflichtet er sich gleichzeitig, sich auf diese Diskussion vorzubereiten und die Gesprächsleitung zu übernehmen.
In einer zweiten Liste können sich Schüler eintragen, die eine Schulstunde oder eine Exkursion organisieren wollen.
In der vierten Schulwoche schliesslich werden wir bewusst auf das Anliegen von Hansjörg zurückkommen (Kameradschaft). – Kurz und gut: Die Schüler sind daran, Verantwortung für ihren Schulalltag zu übernehmen, das Rad ist in Schwung gekommen, und mir als Lehrer ist es mehr als recht so.
Für die letzte Realie dieses Vormittags sind folgende Gruppen entstanden: Hansjörg, Valérie und Reto H. haben sich für die Liebe entschieden. Erich, André und Roland stellen eine Pizza dar.
Für Christoph, Turgut und Peter ist Sex im Moment das Wichtigste. Sonja, Nadja, Nesli und Renato malen ein Bild über den Sauerstoff. Reto D. (Sex), Yvonne (Glück), Daniela (Liebe) und Maria (Verständnis), Iris (Freiheit), Sandra (Musik) bilden die beiden Restgruppen mit verschiedenen Begriffen.
Auch die entstandenen Bilder werden wir bei späterer Gelengenheit wieder verwenden können, beispielsweise bei einer Realie über Sex und Liebe.

Der Ausstieg schliesslich ist der Gegenpol zu den Einstiegsspielen. Er lässt die Lektion ausklingen und gibt Raum frei für das, was als nächstes auf uns zukommen wird. In unserem heutigen Ausstieg nennen etliche Schüler verschiedene Nahrungsmittel wie Äpfel, Schoggi, Rüebli, die sie ihren Partnern mitbringen wollen; andere offerieren Vertrauen, Freundschaft, Zuneigung. Einer will ein «Heftli» mitbringen. Alles in allem eine runde Sache, dieser heutige spannende, lehrreiche und lustige Vormittag.
Und nun viel Spass, liebe Kollegin, lieber Kollege, beim Zusammenstellen (und Durchführen) Ihrer eigenen TZT-Lektion – sie muss nicht gleich einen ganzen Vormittag in Anspruch nehmen: zehn Minuten sind unendlich viel Mal mehr als null Minuten!
Und am meisten Freude macht's, wenn Sie selber eine Spielanlage kreieren: Schauen Sie Ihren Schülern zu, hören Sie Ihren Schülern zu, betrachten Sie deren Zeichnungen, lesen Sie deren Texte – Sie werden das Thema Ihrer Klasse finden und bald übersprudeln vor Ideen.

***Immer mehr Pfarrer, Katecheten und Religionslehrer finden Geschmack am TZT, weil sie es besonders gut dazu einsetzen können, biblische und religiöse Inhalte über Erlebnisse zu vermitteln, statt sie trocken mitzuteilen.* Florentin Röthlin, *TZT-Leiter und Mitarbeiter der Caritas/Kt. Luzern, berichtet von seiner Vorbereitungsphase zu einer Woche mit Konfirmanden, Konfirmandinnen und Pfarrer* Jürg Rother. *Die Judas-Geschichte war hier gewählter Stoff. Wie im TZT üblich, sucht er anfänglich nach Themen, die in diesem Stoff enthalten sind:***

# *Themenwahl*

Im Zusammenhang mit einer TZT-Arbeitswoche für Konfirmanden und Konfirmandinnen zum Stoff «Der, welcher Judas hiess», war mir zunächst unklar, wie ich mit der Geschichte aus der Bibel und dem Mann, der Jesus laut Berichten der Evangelisten verraten hat, umgehen wollte. Ich fand keinen andern Zugang als den über meine Erlebnisse im Religionsunterricht während der Primarschulzeit. Als ich damals zum ersten Mal von Judas hörte, prägte sich ein Bild ein, von dem ich nicht wusste, dass es mir bis heute erhalten geblieben ist. Beim Nachdenken über Judas tauchte es wieder auf und wurde immer deutlicher. In diesem Bild fand ich ihn wieder, den Schurken, der Schuld am Tode Jesu war. Gefühle erwachten, die ich als kindlicher Zuhörer für Judas empfand. Sie waren geprägt von Abscheu und Verachtung für diesen Mann. Es fiel mir daher leicht, weitere Namen zu finden, die seinen «miesen» Charakter umschreiben: Verräter, Satan, Nichtsnutz, gemeiner Hund. Das Bild war wieder da, farbig und dämonisch.
Je länger ich nun mein Bild von Judas betrachtete, umso klarer wurde mir, dass ich ein altes Bild wachgerufen hatte und an ihm weitermalte. Ich entdeckte aber auch jene Spur Ratlosigkeit wieder, die mich schon damals beschäftigte. Ich erinnerte mich nämlich, dass ich es von Jesus als ungerecht empfunden hatte, Judas zu verdammen, nachdem er ihn doch selbst gerufen hatte, obschon – oder gerade weil – er gewusst hatte, dass er durch ihn verraten werden sollte. Also nicht gänzliche Ablehnung von Judas, sondern auch Sympathie für ihn? Ich wollte nicht mehr bloss ein altes Bild auffrischen und begann daher über meine «Maltechnik» nachzudenken. Meine eigenen Vorstellungen und Phantasien, mit Hilfe derer ich die Figur Judas belastete oder entlastete, ihr recht oder unrecht tat, wurden mir immer wichtiger. Ich entdeckte plötzlich die grenzenlosen Möglichkeiten, sie als Projektionsfläche zu benutzen, sie schlechter oder besser zu machen, als sie tatsächlich gewesen sein mag, sie abzulehnen oder mich mit ihr zu identifizieren. Ich liess meiner Phantasie freien Lauf und liess das Pendel auf

beide Seiten ganz ausschlagen, ohne dabei die Zugfeder aus den Augen zu verlieren, die das Pendel in die eine oder andere Richtung bewegte.
Während ich mich in der Figur Judas und ihren Handlungen spiegelte, versuchte ich Themen und Stoffe zu formulieren, welche ich später mit Einstiegsspielen, Situationen, Realien, Improvisationen und Ausstiegsspielen füllen wollte. Ein Ausschnitt aus dieser Liste soll die Vielfalt der Themen zeigen, die ich zu Beginn aus der Geschichte herauslas.
Was den Verrat und die dreissig Silberlinge betraf, listete ich u.a. folgende Themen auf: «Ich entscheide mich gegen jemanden»; «Ich trachte nach meinem eigenen Vorteil»; «Ich will die Macht des anderen brechen und erkaufe mir den fehlenden Machtanteil».
Die Bibel berichtet, dass Judas nach dem Verrat an Jesus den Freitod wählte. Dazu notierte ich folgende Themen: «Ich übernehme für mein Tun keine Eigenverantwortung»; «Ich habe Angst, mich zu exponieren»; «Ich verleugne jemanden, der mir nahe steht und schliesslich mich selbst».
Nachdem ich diese Themen mit meinem Alltag in Beziehung brachte, wurden mir Wertvorstellungen deutlich, die hinter diesen Aussagen standen. Wie das Bild standen auch sie da in mehr oder weniger klaren Formen. Ich liess sie stehen, Judas und ich rückten einander näher. Hatte ich anfänglich versucht, Judas intellektuell zu begegnen – ich wahrte dadurch eine gewisse Distanz – öffnete ich ihm nun den Raum, um für sich selbst zu sprechen. Es war, als ob die Handlungen, die ich bis jetzt bloss als Bruchstücke ohne inneren Zusammenhang sehen konnte, so ineinander verwoben würden, dass sie schliesslich als Ganzes einen Sinn bekamen. Er erzählte mir, und ich versuchte, ihn dabei nicht zu unterbrechen. Ich lauschte und führte dennoch ein Zwiegespräch. Ich hing meinen Gedanken nach und Judas verschwand immer mehr im Hintergrund. Ich war auf seine Erzählung nicht mehr angewiesen. Es war, als hätte ich ihn, Judas, nur als Impuls gebraucht, um das zu finden, was «Judas» war an mir.
Nun zerbröckelten die meisten der zu Beginn formulierten Themen. Mich interessierte plötzlich nicht mehr so sehr Judas, wie er in der Bibel dargestellt wird, als vielmehr den eigenen und meinen Umgang mit ihm. So kristallisierte sich das neue Thema heraus «Ich verdächtige . . . und werde verdächtigt». Der erste Teil bringt meine anfängliche Haltung Judas gegenüber zum Ausdruck. Ich empfand weder im vergangenen Religionsunterricht noch während der ersten Vorbereitungsphase etwas für ihn, das ich hätte verstehen, geschweige denn akzeptieren können. Judas bot sich geradezu an, ihn aller Laster zu verdächtigen. Der zweite Teil des Themas « . . . und werde verdächtigt» gab mir einerseits die Möglichkeit, in die Rolle dessen hineinzuschlüpfen, der Objekt meiner Phantasien geworden ist – ich erreichte dadurch eine differenziertere Sichtweise – andererseits konnte ich dadurch Situationen reflektieren, in denen ich mich selbst zum Objekt anderer gemacht fühle. Auch die andern Themen, wie «Ich übernehme Sündenbockrollen und mache andere zum Sündenbock» und «Ich versuche, jeman-

den für mich zu gewinnen» waren schliesslich Versuche, jene «Judas-Mechanismen» festzuhalten, die vielleicht eine allgemeinere Gültigkeit haben. Ich suchte nach Themen, die ich auch in der Welt der Jugendlichen vorzufinden glaubte, Themen, die als Schlüssel für ihre eigenen Phantasien und Bilder dienen könnten. Hatte ich zu Beginn nur meine eigenen Phantasien und Bilder, orientierte ich mich während der TZT-Arbeitswoche am spielerischen Tun und Lassen der Jugendlichen. Dadurch, dass ich mich selbst mit einzelnen Figuren auseinandersetzte, eigene Phantasien zuliess und über diese wiederum nachdachte, war es mir möglich, offen dafür zu sein, was die Jugendlichen in den Spielen mir mitteilten. Ich konnte zwar die Spielanleitungen nicht losgelöst von meinen Bildern entwerfen, durch die Art der spielerischen Umsetzung meiner knappen Spielanleitungen informierten mich die Agierenden aber stets darüber, auf welche Weise sie sich mit dem Thema, dem Stoff und der Rolle auseinandersetzten. Während meine Bilder und Phantasien ihnen als Impulse dienten, ihre eigenen aufleben zu lassen, veränderten sie mit den ihrigen wiederum die meinen. Es war wie ein Auf- und Ab- und Überblenden, so wie wir es aus dem Film kennen.
Die Zeit der Auseinandersetzung mit Judas war eine spannende Zeit. Ich entdeckte von neuem die Möglichkeit, Geschichten nicht in erster Linie authentisch zu dramatisieren, sondern vielmehr deren Inhalt subjektiv zu thematisieren und mich auf Schwerpunkte, auf einzelne Figuren zu beschränken. Ich erlebte die Figuren als Impuls auf der Suche nach einer Antwort, weshalb gerade sie es ist, die mich anzieht, abschreckt, vielleicht Angst macht oder aber mir den Mut gibt, in ihre Rolle zu schlüpfen, sie im Spiel auf mich wirken und mich von ihr leiten zu lassen, um schliesslich Gemeinsamkeiten zwischen ihr und mir zu entdecken. Es schien mir unwichtig, ob Judas, die Schriftgelehrten oder andere Figuren innerhalb der biblischen Geschichte Haupt- oder Nebenrollen einnehmen. So lange mein Hauptinteresse einer bestimmten Rolle galt, so lange nahm sie für mich den Platz einer Hauptrolle ein. Ich nahm die Figuren als Rollenträger und als Angebot, sie nachzuempfinden, nachzuspielen, mit eigenen Gefühlen und Vorstellungen zu erweitern und zu verändern.

Ich meine, dass Geschichten – und mögen sie noch so kurz sein – sich besonders gut eignen zur Erarbeitung mit Themenzentriertem Theater. Sie enthalten eine ganze Palette von Figuren mit unterschiedlichen Charakteren. Ist es das eine Mal eine bestimmte Figur, die mich wegen ihres Charakters fasziniert, kann es das andere Mal eine ganze Szene sein, die mich zu fesseln vermag und für mich als Spieler oder Spielerin zur Hauptszene wird und für mich Stoff und Thema liefert. Ob Kindergeschichten, Märchen, Geschichten von Klassikern, Unterhaltungsgeschichten oder auch Bibelgeschichten, sie alle leben von ihren Figuren und deren Handlungen.
Jede dieser Figuren ist ein Mitspieler oder eine Mitspielerin mit einer eigenen Biographie und bestimmt dadurch einzigartig das Spiel mit. Je besser es mir gelingt, mich mit der Biografie der Rolle zu identifizieren, desto klarer werde ich meine eigenen Anteile an der Figur erkennen und desto tiefer wird dadurch mein Ausdrucksraum, mein Erlebnis und mein Lernprozess.

*

Ein umfassender Beschrieb des «Konfirmandenprojekts» von Florentin Röthlin und Jürg Rother ist erhältlich bei der SITZT, Meilen. Titel: Zinnober Nr. 11, «Der welcher Judas hiess»

*Viele Kongresse und Tagungen laufen nach folgendem Schema ab: Nach einem Grundsatzreferat verschwinden die Teilnehmer in Untergruppen und diskutieren einen Stoff, der mit dem Tagungstitel in Zusammenhang steht. Später finden sich dann alle wieder im Plenum, um von dieser Diskussion «das Wichtigste mitzuteilen.» Oft bleibt die persönliche Betroffenheit der Anwesenden durch die vielen Worte und Theorien auf der Strecke. Den Tagungsinhalt nach dem Eröffnungsreferat in einer Untergruppe so aufzubereiten, dass er durch eigene Erlebnisse, die hier und jetzt passieren, für den Teilnehmer zur erfahrenen Herausforderung und damit zur Bereicherung wird, schien mir vor zehn Jahren noch kaum möglich: zu kurz schien der zur Verfügung stehende Zeitraum, zu verschieden Bedürfnis und Möglichkeiten der Teilnehmerinnen und Teilnehmer an solchen Kongressen.*
*Inzwischen hat sich das System des TZT bereits so entwickelt und verbessert, dass ich dennoch an verschiedensten Tagungen damit befriedigend arbeiten konnte. Eine dieser Tagungen war die «Arbeitstagung der Dozenten für Sonderpädagogik in deutschsprachigen Ländern» an der Johann Wolfgang Goethe-Universität in Frankfurt am Main im Herbst 1987.*
*Das Dialogische bei Martin Buber – Erkenntnisse und Erfahrungen für die Heilpädagogik – stand im Mittelpunkt dieser Tagung.*
**Marita Barthel-Rösing,** *TZT-Leiterin und Pädagogische Mitarbeiterin am Institut für Sonder- und Heilpädagogik an eben dieser Universität, beschreibt den gegangenen Weg*

# *zum Dialogischen mit Themenzentriertem Theater*

Neunzehn Teilnehmer fanden sich im Laufe der ersten akademischen Viertelstunde ein – Dozenten und Studenten. Die Hälfte der Teilnehmer hatte bereits Erfahrungen im Themenzentrierten Theater (TZT), was zur Intensität dieser nur eintägigen Zusammenarbeit beitrug.
Ein Seminarraum stand uns zur Verfügung, der nur dadurch sich von ähnlich kahlen Räumen der Universität abhob, dass mehr gegenständliche Malereien als Parolen die Wände zierten; Stühle und Tische rückten wir an die Peripherie, und auf dem kühlen grauen Boden luden die Decken der Teilnehmer als bunte Inseln dazu ein, die Strassenschuhe abzulegen.

In diesem universitären Ambiente – üblicherweise Domäne des gesprochenen Wortes – sollte «Dialog» mit den Mitteln des Themenzentrierten Theaters versucht werden; das heisst, den Dialog nicht nur auf das Verbale beschränken, den Körper auch anders als im Sitzen auf Stühlen bewusst – und unbewusst – mitreden lassen, die Dimension des Raumes in Bewegung erfahren, Berührung auch als körperliche zulassen und gar dazu auffordern, im Rahmen der von den Leitern verantwortlich initiierten Interaktion, die Aufmerksamkeit auch auf jene Anteile an der verbalen und nonverbalen Kommunikation lenken, deren Bedeutung für die Verständigung in der Theorie zwar thematisiert wird, im Verlauf des akademischen Diskurses nicht selten unbeachtet bleibt.
Ich will den Ablauf dieses Tages skizzieren auf der Basis psychoanalytischen Verstehens und in Beziehung setzen zu Momenten von Dialog, wie Martin Buber sie fasst.
Das Thema, in dem Dialogisches erfahren werden sollte, hatten wir für diesen Tag so formuliert:

«Ich will Kontakt mit Dir
und bin unsicher, wieviel Berührung
ich eingehen kann.»

Der gerade entstehenden Gruppe wollten wir in gleichzeitig ausgeführten Aktionen zunächst eine Basis gemeinsamer Erfahrung schaffen, aus der Annahme, die allen «Einstiegen» im TZT zugrundliegt, «wie fast unmöglich es ist, gemeinsam, seis auch nur gegeneinander zu denken, wo man nicht gemeinsam erfährt.» (Buber, 1)
Alle zusammen – und doch bewusst jeder für sich – erschliessen sich den Raum in Bewegung, in Konzentration auf das Atmen im eigenen Rhythmus, das Gehen im eigenen Tempo und das In-Einklang-Bringen von beidem. «Einstieg» 1
«Freilich muss man, um zum Anderen ausgehen zu können, den Ausgangsort innehaben, man muss bei sich gewesen sein, bei sich sein.» (Buber, 2)
Dieser Satz könnte über allen «Einstiegen» stehen, die TZT-Stunden eröffnen in der gelenkten Konzentration auf die eigene Person, auf Körper, Atmung, Bewegung, Phantasie.
Erst dann wird die Aufmerksamkeit auf den anderen gelenkt, dazu angeregt, einen kleinen Kontakt aufzunehmen, im Vorbeigehen ein Zeichen zu geben, «dass Du den anderen wahrgenommen hast.» «Einstieg» 2
Mit dem eigenen Namen in Form einer Verfremdung zu Klangmaterial bringt jeder sich in die Kommunikation der Gruppe ein – Klangmaterial, das weniger besetzt ist als der Name selber, genug immerhin, um ein bedeutsames Wort zu werden, eine eigene Sprache, verdichtet in diesem einen Wort. «Einstieg» 3

In so ungewohnter Weise miteinander zu sprechen, bedarf der Unterstützung, die Aufkeimendes aufgreift, anfeuert und so zu Äusserungen ermutigt.
Dass einer den anderen, mit dem er sich in einem kurzen Gespräch bekannt gemacht hat, dann in der Runde mit Namen nennt und vorstellt – jeder «bei seinem Namen gerufen» wird –, entspricht der Haltung im TZT, dass es auf jeden in der Gruppe ankommt, jeder wichtig ist. «Einstieg» 4
Auf die gemeinsame Mitte – hier räumlich wörtlich – zuzugehen und blind mit ausgestreckter Hand die Hand eines anderen zu ergreifen, lässt Paare sich bilden. Im Spiegeln von Bewegungen der Arme und Hände erproben diese eine Vorstufe des Dialogs: die Äusserungen des anderen aufmerksam wahrzunehmen und im fliessenden Wechsel zwischen Führen und Folgen sich zu nähern einem gleichberechtigten Austausch. «Einstieg» 5
Ein Austausch wird hier aufgegriffen, dessen lebensgeschichtlich frühester Vorläufer prägend war für die eigene Dialogfähigkeit eines jeden von uns: «ein Dialog des Tuns und Reagierens, der in Form eines Kreisprozesses innerhalb der Dyade Mutter-Kind vor sich geht.» (Spitz, 3)
Im folgenden «Einstieg» 6 wird das Erfahren von Haltungen zum anderen provoziert durch Adjektive wie z.B. «verunsichert», «überheblich», «nachgiebig», «akzeptierend». Sie werden umgesetzt als erstarrende Posen, vom einen offensiv, vom anderen im Reagieren auf diese offensive Haltung.
Indem der andere auf meine Geste reagiert und in dieser spontan eingenommenen Haltung verharrt, bleibt mir bis zum nächsten Impuls Zeit, der Haltung des anderen gewahr zu werden als seiner Antwort. Bei aller Künstlichkeit, die diesem initiierten Geschehen anhaftet, kommt darin doch immer auch ein Quentchen wahrhaftiges So-Sein von mir und vom anderen zutage; mitunter auch solches, dessen Annahme mir Mühe bereitet.
Um mit mehr als einem in Kontakt zu kommen lösen die Zweiergruppen sich jeweils wieder auf, und erneut wird die Wahl eines Partners initiiert: diesmal aus dem individuellen Gehen im Raum über die Kontaktaufnahme zu einem möglichst weit entfernt Gehenden; unter Beibehalten der räumlichen Distanz vereinbaren die beiden ein akustisches Zeichen miteinander, über das sie sich dann mit geschlossenen Augen finden.
Die so gebildeten Zweiergruppen lassen sich auf dem Boden nieder zu einem Dialog mit den Händen. «Einstieg» 7. Tastend aufzunehmen mit der einen und mit der anderen Hand nachzubilden die Handhaltung des Partners, realisiert auf körperlich-sinnlicher Ebene ein wesentliches Moment von Dialog: des anderen gewahr werden und gleichzeitig meiner selber.
Indem ich mit meiner Fähigkeit zu ganzheitlicher Wahrnehmung, die mit geschlossenen Augen aktiviert wird, die Haltung des anderen – verdichtet in der Haltung der Hand – mir vergegenwärtige, sie nachbildend in die eigene körperliche Äusserung aufnehme, öffne ich mich dem, was dieser andere von sich gibt: wie die Hand geöffnet, verschlossen, gekrümmt, gespannt

oder entspannt ist, vermittelt mir etwas vom anderen, das ich nicht mehr in Feststellungen verbalisieren kann und auch nicht soll.
Ob ich mich – und sei es nur für einen Moment – dem anderen öffnen, ihm mich stellen kann, wird wesentlich auch davon abhängen, auf welchem haltenden Grund sich dies vollzieht. Dieses Halten muss vom Leiter/den Leitern geleistet werden, gleichermassen schutzgebend und auffordernd im bereitgestellten Setting und durch «Umfassung» im Sinne von «vollkommne(r) Präsenz der Wirklichkeit, an der man teilhat.» (Buber, 4)
Mein Teilhaben als Leiterin muss nicht, kann aber darin bestehen, zeitweilig mitzuspielen – wie hier unter der selten günstigen Bedingung, dass wir als Leiterpaar so vertrauensvoll zusammenarbeiten, dass einer dem anderen die Verantwortung eine Weile überlassen und sich selber ein Stück weit ins Mitspielen einlassen kann.
In jedem Fall aber bin ich präsent zur «Erfahrung der Gegenseite», die sich nicht auf einen, sondern auf die vielen anderen bezieht. In freischwebender Aufmerksamkeit aufzunehmen, während ich mit Worten etwas gebe, z.B. Anleitung zum Abklopfen des anderen, erfordert, dass die «Person (in dem Falle ich als Leiterin, MBR) den gemeinsamen Vorgang, ohne irgendetwas von der gefühlten Realität ihres eigenen Tätigseins einzubüssen, zugleich von der anderen aus erlebt.» (Buber, 5)
Mit dieser Umfassungserfahrung – in der ich mich *und* den anderen erfahre – verantworte ich von Moment zu Moment meine weiteren Eingaben an die Gruppe als Aufforderungen, Impulse, Formulierungen von Spielsituationen und letzlich die Ausformulierung des Themas aus der so aufgenommenen Gruppenphantasie.
Zu einem Zwiegespräch mit beiden Händen werden die Zweiergruppen weiter angeregt in ihrer Begegnung. «Einstieg» 8
Die rechte Hand des einen fasst die linke Hand des anderen und umgekehrt; indem nun die rechte Hand als Sendende, die linke als Empfangende dient, kann eine Zwiesprache sich entfalten, der von aussen Impulse gegeben werden in der Form von Wörtern, die jeweils ein Kommunikationsmoment ansprechen, wie z.B. Neugierde, Behutsamkeit, Misstrauen, Kontaktfreudigkeit. Mit geschlossenen Augen auf Introspektion angewiesen, kann mir ein wenig deutlicher werden, was an Impulsen von mir ausgeht, was vom anderen – und was wir einander zu «sagen» haben. Die verbalen Impulse von aussen werden in dem Masse die Zwiesprache bestimmen, wie sie als verbindender Inhalt von beiden gebraucht werden; sie werden aus der Wahrnehmung ausgeblendet, nicht mehr gehört, je mehr die beiden ihre Zwiesprache mit eigenen Inhalten füllen, das «Hören» auf den Partner mehr in Anspruch nimmt als das Hören auf den Leiter.
Der Zweiergruppenbildung dient dann die Körpergrösse als objektives Zuordnungsmerkmal, hinter dem Anteile einer subjektiven Wahl verborgen und vor Rechtfertigung geschützt bleiben können.
Über ein vorsichtiges Abklopfen – auf den Rücken begrenzt – mit dem Spiel-

partner sich bekannt machend, einigen sich beide dann in dreiminütiger Vorbereitungszeit auf eine kleine pantomimische Szene mit der Aufgabe:

«Der Gegenstand Eures Gesprächs
soll ein Gegenstand sein.»

Nacheinander werden da von jedem Paar unsere Vorstellungen geweckt von Gegenständen und Verständigungen sichtbar gemacht, als deren Anlass sie fungieren:
Da verfolgen wir als Zuschauer das gemeinsame Bemühen der beiden, die eine Flasche öffnen wollen und eines Öffners ermangeln, wie sie einander wechselseitig anregen zum kreativen Bewältigen des Mangels – das Gelingen schliesslich vom gemeinsamen Trinken gekrönt wird. Ein Ball, von einem zum anderen gespielt – ein Ei, das mit beiden Händen geschützt der Partnerin dargeboten wird – eine Lieblingstasse, die sich von allen anderen pantomimisch angebotenen Tassen deutlich erkennbar unterscheidet – ein Stück Kreide, das im Streit der eine dem anderen abwechselnd wegnimmt, bis einer der beiden es auseinanderbricht und jeder seinen Anteil daran nimmt – ein Schirm, den sie allein nicht öffnen kann, der, mit der Hilfe der anderen aufgespannt, schliesslich beiden zum gemeinsamen Dach wird – all dies deutet sinnlich-symbolträchtig sowohl Einigungsprozesse an wie auch berechtigte Ansprüche des Einzelnen.
Die Einstiege sollen die eigene Person, die Mitspieler und den gemeinsamen Bezugspunkt – Momente des Dialogs – erfahrbarer werden lassen.
Kann die Tragfähigkeit der Gruppe als erwiesen gelten, wenn jeder seinen Partner durch den Raum getragen hat? Mit diesem letzten Einstieg gelangen wir zum Höhepunkt des Suchens nach dem Dialog mit der paarweise zu spielenden «Situation»:

«Petrus trifft im Himmel auf Judas
und stellt ihn zur Rede»

Intention dieser Situationsformulierung war u.a., dass hier Rede als hauptsächliche und vertraute Ausdrucksweise in der Universität direkt angesprochen wird. Die religionshistorischen Figuren – Prototypen von Einfluss, Macht und Stärke und zugleich von menschlichem Versagen – sind allen mehr oder weniger bekannt und schienen uns geeignet, in ihrem Zusammentreffen eine Dynamik zu entfachen, die belangloses Gerede nicht befürchten liess.
Die 15-minütige Vorbereitungszeit für die Szene ist so bemessen, dass darin die beiden Spieler einige Vorstellungen und Gedanken austauschen können, die die Situation in ihnen weckt. Jeder soll in sich nachforschen, welche Rolle ihn mehr reizt, sich darin zu erfahren; wenn sich die beiden auf die Rollenverteilung geeinigt haben, können aus diesen Vorstellungen Vorhaben für die Szene entwickelt werden. Ein Handlungsgerüst entsteht, das mehr oder weniger durchgeplant sein kann, das aber in jedem Fall vor

den Zuschauern in der Interaktion der beiden improvisierend gefüllt werden wird. Alle Planung relativiert sich im Augenblick des Spielens: «Ein echtes Gespräch kann man nicht vordisponieren.» (Buber, 6)
Einige Szenen – wert wären sie es alle! – sollen skizziert werden unter dem Aspekt, wie in ihnen Momente des Dialogs realisiert wurden:

**Vom Erkennen des Anderen**
Ein geschäftiger, wettermachender Petrus wird von einem, der Einlass in den Himmel begehrt, in seiner Geschäftigkeit unterbrochen; bekannt kommt der ihm vor; ist es nicht Judas? Der streitet ab, es zu sein und wird von Petrus, der in Strenge nicht ablässt, die Wahrheit erkennen zu wollen, zum Kuss herausgefordert – und überführt.
Die Rollenverteilung zwischen den beiden Spielerinnen scheint getroffen; im Gespräch aber wird offenkundig, dass niemand den Petrus hatte spielen wollen; die ein so überzeugend gestrenger Petrus war in der Szene, hatte zunächst die Rolle als vermeintlich nicht die ihre abgelehnt, hatte im Verlauf der Vorbesprechung ihren Petrus gefunden, der den Judas erkennen sollte und merkte aus dem, wie sie die Rolle füllte, dass da die andere etwas in ihr erkannt hatte.
Das Spiel ums Erkennen war von den beiden als Handlungsgerüst geplant, die Rolle des Petrus der einen scheinbar zugeschoben worden von der anderen. Im Dialog der Szene dann wurde von Petrus der Anteil des Überführens als ein Anteil eigener innerer Realität erkannt, d.h. im Dialog war zwischen den beiden ein Erkennen vonstatten gegangen, das – zunächst vorbewusst – sich im Dialog der Szene bewahrheitete und bewusst werden konnte im Verlaufe eines dritten Dialogs «über» die Szene.

**Vom therapeutischen Dialog**
Ein selbstzufriedener Judas lümmelt sich behaglich auf einer grossen Wolken-Decke. Da kommt Petrus auf einer Wolke daher, die nur halb so gross ist, so gross «wie sie jedem zusteht» und macht Judas so behutsam aufmerksam auf diesen Unterschied, dass dieser es annehmen und erkennen kann, sich da etwas erschlichen zu haben. Aber kein Vorwurf fällt auf ihn; stattdessen lässt ein nachdenklicher Petrus ihn an seiner Überlegung teilhaben, die darum kreist, dass jedes Teil auch sein Gegenteil in sich trage, jedes Böse auch eine gute Seite. Die Art und Weise, wie er um seine Meinung befragt wird, eröffnet Judas die Chance der Annahme, dass auch er eine gute Seite habe und diese vielleicht sogar hervorbringen könnte, indem er von seiner Wolke abgibt.
Die Aufspaltung in «gut» und «böse» entspringt einem Entwicklungsstadium, in dem das Kind die versagenden Anteile als «böse» von der versorgenden Mutter abspaltet. Einem reiferen Stand entspricht es, Gut und Böse zu integrieren – erkennend in sich selber zu integrieren.

Die Erkenntnis, die offenbar befreiend für Judas ist, vollzieht sich im Anschauen der Realität des anderen; es geht nicht mehr um die Wolkengrösse, es geht um das Annehmen des anderen, um die Begegnung, in der ihm zugestanden wird, mehr und anderes zu sein, als im Moment erkennbar und dadurch ihm eröffnet, auch etwas von diesem verborgenen Sein hervorzubringen. «Das Zwischenmenschliche erschliesst das sonst Unerschlossene.» (Buber, 7)

**Vom Verleugnen, das Erkenntnis birgt**
Ein fröhlicher Judas kommt daher und begehrt an der Himmelspforte Einlass; der misstrauische Petrus indes mutmasst, dass er Judas sei, was dieser vehement und wiederholt leugnet. Just daraus zieht Petrus den Schluss, dass er Judas sein müsse, überführt ihn an dem Verhalten, dass dem Verleugnen seiner Identität hat dienen sollen.
So schlüssig dies Erkennen aus den Worten des Petrus zunächst zu sein scheint, so doppelbödig erweist es sich, wenn wir uns vergegenwärtigen, dass dem Judas eigentlich der Verrat anhängt, das Verleugnen indes dem Petrus. Das «daran erkenne ich Dich» spricht Petrus in einer Verwirrung aus, die unbeabsichtigt Selbsterkenntnis offenbart und in der er die brüderliche Verbindung zu Judas herstellt im Feststellen des gleichen Vergehens: die eigene Identität aus Furcht verleugnet zu haben.

**Vom Verstehen aus Selbsterkenntnis**
Ein Judas, der sich seiner Schuld bewusst, nähert sich einem Petrus, der so ruhig dasitzt – gebeugt? gerundet? –, dass vor ihm die Schuldgefühle des Judas noch weiter anwachsen. Kaum traut sich dieser heranzukommen – da wird ihm von Petrus ein Platz angeboten. Zagend und immer noch in Furcht vor vernichtenden Vorwürfen lässt er sich nieder und erfährt mit Erstaunen das Gegenteil vom Erwarteten. Statt anzuklagen bittet Petrus um Verzeihung, dass er Judas in früherer Zeit mit seiner Anklage verfolgt hat. Am anderen – an dem in Erwartung seiner Verurteilung vor ihm zitternden Judas – wird Petrus sich seiner mit Erschrecken und Bedauern bewusst. Indem er dies ins Wort bringt, befreit er sich von seiner fürchterlichen Last und den anderen von der Furcht und öffnet sich einem Verstehen des anderen, für welches das Erkennen eigener Unvollkommenheit Voraussetzung ist. In diesem Sich-öffnen gerät der verharrende Körper in Bewegung, und die Hand wird hingestreckt von Petrus und von Judas ergriffen.

**Wie einer dem anderen um den Dialog ausweicht**
Judas der Dealer geht herum und wendet sich im Eifer, Hehler-Geschäfte anzubieten, an die Zuschauer. «Judas, kannst Du denn nicht anders?» wird er von Petrus angerufen, der dieses Treiben aus der Distanz eine Weile mitangesehen hat und diesem energisch ein Ende bereitet, indem er Judas von hinten packt und ihn, dessen Gesicht das Eingeständnis seiner Schuld spie-

gelt, davonschleppt und die Szene beendet. Ausgewichen dem Dialog sind beide; der eine in der Verlagerung seiner Aktivität nach aussen hin zu den Zuschauern, der andere, indem er als moralische Instanz auftritt und nicht von Angesicht zu Angesicht als Dialog-Partner.
Immer besteht in den Szenen auch die Möglichkeit – und dies ist legitim und akzeptiert – per Absprache, oder auch unabgesprochen, die Situation so zu inszenieren, dass eine Begegnung vermieden wird.

**Vom Dialog, der die beiden einander ebenbürtig werden lässt**
Die einzige Szene, in der auf das gesprochene Wort ganz verzichtet wird, beeindruckt durch ungeheure Präsenz und ausserordentliche Aussagekraft der pantomimischen Interaktion.
Ein aufrechter Petrus stellt sich dem schuldgebückten Judas in den Weg mit drohender Gebärde; der weicht zurück und hält doch stand dem anderen, der so ihn zur Rede stellt, und in höchster Anspannung, die Blicke ineinanderverkeilt, wahren sie tänzelnd den Abstand, und keiner entzieht sich, und keiner lässt ab.
Da erhebt, gegen ungeheuren Widerstand ankämpfend, Judas die Hand, den Daumen zur «eins» aufgestellt, dem gewaltigen Petrus entgegen; entgegen ihm auch die «zwei» und, bebend vor Spannung, die «drei». Getroffen zuckt Petrus zurück und holt doch aus zum weiteren Vorwurf.
Und wieder wagen die Finger, erst einer, dann zwei, dann drei, sich auf ihn zeigend hervor. Die Erkenntnis der eigenen Schuld greift an, und schwächer wird sein Angriff. Noch einmal wagt Judas sich hervor, sicherer, standfester denn zuvor, zum dritten Erinnern an die dreimalige Verleugnung.

Von Selbsterkenntnis gebeugt, geneigten Kopfes, die Hand an der Stirn, zieht Petrus sich allmählich zurück, und Judas, aufgerichteter, tut desgleichen, und jeder nimmt seinen Anteil mit sich. Was zwischen den beiden geschehen ist, lässt beide verändert voneinander gehen.
Der in der Szene bei jedem der beiden spürbaren Bereitschaft, die «Gegenseite zu erfahren», nicht den anderen zu übertrumpfen, entsprach bereits die Abmachung, pantomimisch miteinander zu reden und keinen Vorteil aus Eloquenz zu ziehen; denn der in der Rolle des Judas war ein Student, der in der Rolle des Petrus ein Professor . . .

Ausgehend von der einen vorgegebenen Situation «Petrus trifft im Himmel auf Judas und stellt ihn zur Rede», haben wir zehn ganz unterschiedliche Szenen gesehen! Jeder war ein anderer Petrus, jeder ein anderer Judas. Die Szenen offenbaren die ureigenste, lebensgeschichtlich geprägte Art, in Dialog zu kommen, ihn zu initiieren, aufzunehmen, abzubrechen, durchzuhalten, sich Grenzen zu nähern zum anderen.
Der Zusammenhang zwischen der Weise, wie die Rolle gefüllt wird, und der Realperson ist evident. Und doch gibt die Rolle in ihrer Distanz zur Realper-

son, in ihren Verfremdungen, dem Spieler einen Freiraum zum Erproben ungewohnter Facetten der eigenen Person.
Nicht die Darstellungsfähigkeit des einzelnen steht im Mittelpunkt, sondern was zwischen den Spielern, den Personen im Spiel geschieht. In der Szene einer Zweiergruppe bestimmen immer beide den Ablauf, auch wenn vordergründig einer dominiert.
So steht meine Äusserung als Spieler immer auch in Verbindung mit meinem Spielpartner, der selbst ohne bewusste Einflussnahme kraft seines So-Seins als Person mein Spiel, meine Äusserungen aktiviert oder hemmt, mir etwas erspart oder mich verlockt.
Dass der andere nicht nur mein Mitspieler ist, sondern auch Spieler mit mir, stellt im improvisierenden Spiel neben der Unberechenbarkeit, die ich mir selber bin, immer eine zusätzliche Gefahr dar, vom sicheren Weg eines geplanten Konzeptes abzuweichen – und immer eine Chance, einen unverhofften anderen Weg begehbar zu finden mit eigenen Schritten.
Der Spielpartner ist bei allen Übereinstimmungen immer auch der andere, der sich mir entzieht, das andere, an dem ich mich stosse. «Aber woran könnte ein Mensch so wesenhaft aus einem Individuum zur Person werden wie an den strengen und holden Erfahrungen der Zwiesprache, die ihn den grenzenlosen Gehalt der Grenze lehren?» (Buber, 8)
Wo sich Dialog ereignet, kann sich dies dem Zuschauer, der hier mehr als das ist durch seine eigene Berührung mit dieser Szene, mitteilen, indem er sich einbegriffen fühlt in das «Gesagte» und sein Ergriffensein sich mitteilt den Spielenden, ihnen etwas «sagt».
Im Anschluss an das Spielen der Szenen werden im Gespräch der Gesamtrunde angeregte Gedanken aus den Szenen verbalisiert, ehe sich alle, die zuvor Petrus waren, in einem Kreis und alle, die Judas waren, im anderen Kreis zusammensetzen und jeder in der Reflexion seiner Rolle im Gespräch mit den anderen der hineingegebenen Frage nachgeht: «Welche Angebote zum Dialog habe ich gemacht?»
Mitunter war den einzelnen Spielern gar nicht bewusst, wo sie etwas angeboten hatten; die Zuschauer hatten mehr gesehen und gemerkt, und die Reflexion jedes Einzelnen wurde durch diese Rückmeldungen bereichert. «Die Grundbewegung des Dialogs ist die Hinwendung» (Buber, 9), war eine Erkenntnis aus dieser Reflexion.
Denen im Judas-Kreis wird aufgegeben, dass jeder einen aus dem Petrus-Kreis auswählen und sich hinter ihn stellen solle; so entstehen wieder Zweier-Gruppen, denen nun das Thema offenbart wird:

> «Ich will Kontakt mit Dir
> und bin unsicher, wieviel Berührung
> ich eingehen kann.»

15 Minuten Vorbereitungszeit haben die Zweiergruppen, eine Szene vorzubereiten zu diesem Thema; da kein Handlungsgerüst vorgegeben ist wie bei

der «Situation», wird solches in der TZT-Struktur als «Improvisation» bezeichnet. Von vier zur Auswahl angebotenen Rollen werden je zwei gewählt, um in ihnen das Thema in eigener Variante zu realisieren: Rotkäppchen, Hänsel, Schneewittchen und Hans im Glück.
Zwei der Szenen – gerundete Gestaltungen von Dialog – seien hier angedeutet:

**Wie der andere einen Weg eröffnen kann**
Einsam und unsicher auf seinem Weg verteilt Hänsel Brotkrumen, eine Kette zu seinem Ausgangsort; da kommt Rotkäppchen aus dem Wald hervor, reicht ihm die Hand und ermuntert ihn mit allem Zugewandtsein ihres Wesens, mit ihr zu kommen. Hänsel, von ihrer Zuwendung gehalten und ermutigt, kann den Rückweg vergessen, da sich ihm ein Weg nach vorne in der Person der anderen auftut.

**Es bedarf der Person**
Schneewittchen, mutterseelenallein und weinend, begegnet Hans im Glück. Alles was er je besessen, bietet er an, Schneewittchen zu trösten – vergebens; sie weint und weint. Da bietet er sich selber an – und sie hört auf zu weinen . . .
Der Abgang Arm in Arm ist nicht der einzige in dieser Szenenfolge. In mehreren Szenen wird über die Gans der Kontakt hergestellt. Und ein Rotkäppchen ums andere packt sein Körbchen aus, mit dem anderen zu schmausen.
Die Spielerpaare lassen sich noch einmal auf ihrer «Privatwolke» nieder, den szenischen Dialog im Gespräch weiterzuführen und zu einem Abschluss zu bringen, bevor sie sich – «Ausstieg» im TZT – gleichzeitig gegenseitig hochziehen zum Stehen eines jeden auf eigenen Füssen.

**Literaturhinweise:**

Buber, Martin
1984 Das Dialogische Prinzip, Heidelberg
(1) Zwiesprache. S. 190
(2) Zwiesprache. S. 169
(6) Elemente des Zwischenmenschlichen. S. 296
(7) Elemente des Zwischenmenschlichen. S. 295
(8) Zwiesprache. S. 169
(9) Zwiesprache. S. 170
1986 Reden über Erziehung. Heidelberg
(4) Über das Erzieherische. S. 38
(5) Über das Erzieherische. S. 38

Spitz, René
1976 Vom Dialog. Stuttgart
(3) S. 16

Werthmüller, Heinrich u.a.
1984 Menschlich lernen – TZT-Basisbuch. Männedorf (Schweiz)

Margrit Birchmeier-Allemann

***Dass die Arbeit von Heilpädagogen keine leichte ist, ist sattsam bekannt. Besonders schwierig gestaltet sich die Aufgabe mit Mitmenschen, die als geistig behindert gelten. Geduld und Zurückschrauben von Anspruchsphantasien sind da besonders gefragt.*** **Margrit Birchmeier-Allemann,** ***Heilpädagogin mit TZT-Leiterinnenausbildung, arbeitet im Kanton Zürich mit geistigbehinderten Erwachsenen und dem Betreuerteam. Bericht und vor allem die Arbeit verraten ihren***

# *Mut zu Unspektakulärem!*

## 1. Zur Zielgruppe

Seit Januar 1986 arbeite ich mit einer Aussenwohngruppe eines Heims im Kt. Zürich. Das Heim beherbergt bildungsfähige, geistigbehinderte Erwachsene. Die Aussenwohngruppe existiert seit 1983. Die Mitglieder leben in zwei Wohnungen auf der gleichen Etage eines Mehrfamilienhauses ausserhalb des Heims. Zur Arbeit gehen die Behinderten in eine geschützte Werkstatt im Heim. Oft verbringen sie das Wochenende bei ihren Familien. Zur Gruppe gehören 7 Behinderte sowie 2 Betreuer und 2 Betreuerinnen. Mindestens eine Person des Betreuerteams ist immer anwesend. Ziel dieser Wohngruppe ist, die Behinderten vom Grossbetrieb abzunabeln und sie so weit zur Selbständigkeit zu führen, dass sie in der Lage sind, ohne ständige Betreuung in kleinen Wohngemeinschaften zu leben.
Die Gestaltung der Freizeit ist schwierig. Meine Aufgabe als Animatorin ist es, Teile der Freizeit aktiv mitzugestalten. Ich arbeite dabei mit TZT.
Ich wünsche, mit dem gesamten Team arbeiten zu können, um allen die Möglichkeit zu geben, sich anders als im Alltag zu erleben. Wir treffen uns alle 14 Tage für 2 Stunden, direkt im Anschluss an die Arbeit aller Teilnehmer und Teilnehmerinnen.

## 2. Beginn . . . und Denkpause

An 30 Abenden setzen wir uns mit verschiedenen Stoffen auseinander. Am Anfang steht das gegenseitige Kennenlernen im Vordergrund. Ich will wahrnehmen, wie sich die Behinderungen äussern. Ich merke, dass ich mit intellektuellen Anforderungen ganz sorgfältig umgehen muss. Auch Spielanlagen, in denen körperliche Fähigkeiten eingesetzt werden, wähle ich äusserst sorgfältig aus. Ich erlebe viel Freude, aber auch Verlegenheit und Angst. Oft wird in verletzender Art kommentiert, was andere machen. Hier

muss ich sehr behutsam Regeln einführen, um dem entgegenzuwirken. Die Behinderten geben sehr direkte und spontan geäusserte Rückmeldungen, was ich schätzen lerne.
Bald einmal setzen wir uns mit dem Stoff «Ich bin Teil einer Gruppe» auseinander. Zu Themen wie «Ich bin grob mit dir» biete ich Spielanlagen an, in denen soziales Verhalten ausprobiert werden kann. Dabei nehme ich oft Hilflosigkeit, Unsicherheit, Angst und daraus resultierende Grobheit wahr. Mit der Zeit wird es jedoch möglich, subtiler und rücksichtsvoller aufeinander zuzugehen.
Es fällt mir auf, dass den Behinderten die Möglichkeit fehlt, aus sich heraus zu schöpfen. Mit einem Märchen, das wir spielen, mit Theaterutensilien und über die Auseinandersetzung mit den Sinnen versuche ich, ihr Selbstvertrauen zu fördern. Ich strukturiere enger und ermögliche dadurch, im ständigen Ausprobieren zu erfahren, erfühlen, ertasten, erspüren und erspielen.
Nach drei Abenden beginne ich mit Entspannungsübungen. Die ersten paar Male herrscht grosse Unruhe. Die einen reagieren mit Kichern, lautem Lachen, Kommentaren zu meinen Impulsen, Fusstritten nach allen Seiten. Die andern finden zu absoluter Konzentration und Entspannung. Ich spüre, dass Entspannung für diese oft gestresste Gruppe wichtig ist, es braucht aber all meinen Mut, damit weiterzufahren. Doch es lohnt sich, mit der Zeit freuen sich alle darauf.
Innerhalb der Blöcke verzichte ich auf Auswertungsrunden, einige Male aber bespreche ich mich mit dem Betreuerteam. Dabei erfahre ich, dass die Funktion von Vater oder Mutter oft schwer auf allen lastet, und sie die TZT-Stunden geniessen, weil sie die Verantwortung mir übergeben können.
Eine neue Phase wird abrupt eingeleitet, weil die beiden Betreuerinnen auf Ende Januar 87 kündigen. Alle Betroffenen reagieren schockartig, ich erlebe die Gruppe wie gelähmt. Ich thematisiere diesen Stoff, erlebe aber immer wieder die gleiche Reaktion: die Gruppe ist nicht in der Lage, die Gefühle, die das Verlassenwerden auslöst, zu zeigen. Es tut mir weh mitzuerleben, wie Gefühle zurückgehalten werden und auf Umwegen sich Luft verschaffen. Thema ist «Ich weiche dem, was mir im Moment Angst macht aus und beschäftige mich mit der Zukunft» und nicht, was mir persönlich viel mehr entsprechen würde «Ich bin traurig und wütend, weil du fortgehst». Ich muss akzeptieren, was die Gruppe mir zeigt. Gleichzeitig suche ich nach meinen Anteilen an dieser Entwicklung. Habe ich selbst der Gruppe deutlich genug gezeigt, wie auch mich das Weggehen der beiden Frauen betroffen macht?
Es folgt eine sehr turbulente Zeit, ausgelöst durch eine weitere Kündigung, derjenigen des Teamleiters. Diese ständigen Veränderungen innerhalb des Betreuerteams lösen zusehends Unruhe und Spannungen unter den Behinderten aus. Ich biete Spiele und Szenen an, in denen sie ausleben können, was in ihrem Alltag so wichtig geworden ist: Veränderungen.

In diese unruhige Zeit, die beiden Betreuerinnen sind verabschiedet, taucht, für mich recht unerwartet, die Frage nach dem Sinn der TZT-Abende auf. In einem intensiven Gespräch mit der gesamten Wohngruppe wird mir nicht ganz klar, worum es geht. Am meisten Widerstand spüre ich von den beiden neuen Betreuerinnen, Tanja und Lotte. Der scheidende Teamleiter befürwortet nach wie vor die TZT-Stunden, Georg plädiert für eine Sommerpause. Von den Behinderten nimmt Koni klar Stellung gegen, Paul für die TZT-Stunden. Alle andern äussern sich nicht.
Den Gesprächen unter dem Betreuerteam entnehme ich, dass ein grosses Bedürfnis da ist, mehr unter sich allein zu sein, um Persönliches wie Berufliches auszutauschen. In diesem Zusammenhang wird der Wunsch nach Supervision formuliert. Ich biete spontan an, nach neuen Formen zu suchen, um die TZT-Arbeit zu optimieren. In diesem Sinne beschliessen wir, eine Sommer- und Denkpause vorzunehmen.

## 3. Reflexion und Weiterführung

Während dieser Zeit setze ich mich intensiv mit der Gruppe auseinander, reflektiere nochmals alle Abende, ich will die Hintergründe des plötzlichen Widerstandes verstehen. Dabei kommt mir ein Bild zu Hilfe: in all den Stunden, die wir gemeinsam verbringen, erleben wir uns als eine Art Familie. Ich selbst nehme dabei die Rolle der Mutter ein, das Betreuerteam diejenige der grossen Geschwister, die Behinderten der kleinen Geschwister. Die gute Stimmung in der ersten Phase führe ich darauf zurück, dass diese Konstellation für alle stimmte, dank der Überzeugung aller Betreuer und Betreuerinnen, für die Gruppe wie auch für sich selbst zu profitieren. Durch den grossen Wechsel veränderte sich dieses Gefüge, die neuen Betreuerinnen müssen sich ihren Platz suchen, und zwar innerhalb der Wohngruppe wie auch innerhalb der TZT-Abende. Ich spüre, dass ihnen die Rolle der grossen Geschwister nicht gefällt. Bevor ich meine Arbeit wieder aufnehme, schlage ich deshalb vor, in Zukunft eine Nachbereitung mit dem Betreuerteam durchzuführen. Ich will damit Raum schaffen für Gespräche ohne die Behinderten. Was diese betrifft, wird mir klar, dass sie in dieser unruhigen Zeit viel geleistet haben, dass sie zum Teil an die Grenzen des Möglichen gestossen worden sind. Jetzt muss ich ihnen Spielanlagen anbieten, in denen sie auftanken können.

### 3.1. Die Gruppe

Behinderte:
Beat (27), Bruno (25), Koni (26), Paul (31), Doris (23), Nadja (28), Vreni (39).
Vreni, Beat und Bruno sind fest angestellt, im Heim selbst oder extern. Alle anderen sind Mitarbeiter und Mitarbeiterinnen in der Dauerwerkstatt des Heims und rotieren alle 3 Monate.

Zur leichten geistigen Behinderung kommen, oft eine Folgeerscheinung, psychische Behinderungen dazu. Eine Person ist Epileptiker, zusätzlich ist die linke Körperhälfte leicht gelähmt. Dies führt zu Wahrnehmungs- und Gleichgewichtsstörungen.
Die Gruppe ist seit der Bildung der WG, 1983, beinahe konstant geblieben. Alle wohnen hier, weil sie ein von den Eltern unabhängiges Leben führen wollen, auf Betreuung aber (noch) angewiesen sind.

Betreuerteam:
Georg, 31, seit April 85 in WG tätig,
Tanja, 38, seit Februar 87 in WG tätig,
Lotte, 22, seit Mai 87 in WG tätig,
Thomas, 25, seit Juli 87 in WG tätig,

**3.2. Block 1**
3.2.1. Spielanlagen
Stoff: Wiedereinstieg
Thema: Ich schaue zurück und spüre, was mich am meisten beeindruckt hat.
E 1: Entspannung: tief durchatmen – Körper loslassen – geh in Gedanken zurück zu den TZT-Abenden, zur Pause, zu heute und zu jetzt. Wie hast du die Gruppe erlebt, wie dich selbst? – behalte diese Gedanken für dich.
R 1: Gruppenbildung: such dir eine Gruppe, in der es dir wohl ist. In jeder Gruppe soll jemand aus dem Beteuerteam sein.
S 1: Entscheidet euch in den Gruppen für eine von allen gespielten Szenen und spielt sie uns dann vor (Hinweis: 31 Szenen).
R 2: Auswertung der Szenen:
- weshalb habt ihr euch für diese Szene entschieden?
- welche Szenen habt ihr auch diskutiert?

A 1: blind von der Wand her sich in der Mitte treffen – sich an den Schultern halten – Augen öffnen und aus dem Kreis gehen.

3.2.2. Verlauf
Nach der Begrüssung teile ich mit, dass ich oft über unsere gemeinsamen Abende nachgedacht habe, dass ich auch ihnen die Gelegenheit dazu geben will. Die Entspannung löst Freude aus. Ich verzichte bewusst darauf, die Gedanken einander mitzuteilen, um niemanden unter Druck zu setzen. In den Szenen lassen sich alle auffallend viel Zeit.

Zu den Szenen:
Gruppe 1 (Tanja, Beat und Nadja) malt zu Musik ein Bild. Beat muss dauernd lachen, so dass er fast nicht Klavier spielen kann. Tanja und Nadja malen sehr liebevoll ihr Bild.
Gruppe 2 (Lotte, Paul und Doris) führt mit allen das Einstiegspiel «Eine blinde Person wird mit Rufen innerhalb eines Kreises um Hindernisse her-

um geführt» durch. Da Lotte dieses Spiel nicht miterlebt hat, muss ich helfend eingreifen. Diesem Spiel wird sehr viel Raum gegeben. Paul konzentriert sich so stark, dass er einen Epi-Anfall bekommt. Später versucht er es wieder und wird äusserst vorsichtig über eine kurze Strecke geführt. Es herrscht hochkonzentrierte Stimmung, alle freuen sich, dass es gut geht.
Gruppe 3 (Georg, Bruno und Vreni) spielt die Situation «Der Indianerhäuptling ruft zwei Indianer zu sich und teilt ihnen mit, dass er sie noch heute verlassen werde, um hinter dem Berg zu sterben». Sie wird zu einer Gesamtimprovisation umgeändert. Ich spiele mit und gebe meinem Bedauern Ausdruck über das Weggehen des Häuptlings. Ich möchte, dass er im Dorf sterben darf. Georg findet aber, der Wille des Häuptlings müsse respektiert werden. Als Dorfältester bestimmt er Doris zur Nachfolgerin. Diese bekommt in diesem Moment einen Husten-Schnupfen-Lachanfall, so dass sie nicht einmal mehr die Friedenspfeife rauchen kann. Der Häuptling geht, ich beginne zu weinen, einige stimmen kurz ins Klagelied ein, dann ist Stille. Nadja muss sehr viel lachen.

3.2.3. Nachbereitung mit dem Betreuerteam
Wir sitzen zusammen, um das Erlebte zu besprechen. Von Georg erfahre ich, dass die Behinderten mit grossen Widerständen gekommen sind. Er ist überrascht, wie sie sich einlassen konnten. Für sich selbst erlebte er die Entspannung gut, er wünscht sie jeweils ausgedehnter. Tanja und Lotte hatten gemeinsam eine Auseinandersetzung und kamen wenig motiviert. Lotte konnte sich aber einlassen, im Blindenspiel erlebte sie die Gruppe intensiv.
Im Verlaufe des Gesprächs spüre ich, dass Tanja und Lotte Mühe haben, sich in der Arbeit mit den Behinderten abzugrenzen, sie reden viel von Überlastung. Ich gewinne den Eindruck, dass die beiden Frauen erstmals offen miteinander über ihre recht verschiedenen Ansichten in der Betreuerarbeit sprechen.

3.2.4. Nachbereitung für mich
Zwei Aspekte dieses Abends sind für mich ausschlaggebend für das Weiterarbeiten: Die Tatsache, dass die Gruppen sich so viel Zeit lassen für bereits Bekanntes (die vorbereitete Gesamtimprovisation zum Wiedereinstieg muss ich aus zeitlichen Gründen weglassen) ist ein Hinweis, in Zukunft enger zu strukturieren. Lediglich eine Gruppe entscheidet sich für eine Szene, die beiden andern Gruppen wählen eine Realie und ein Einstiegsspiel. Alle drei Anlagen haben aber eine Gemeinsamkeit: das einzelne Gruppenmitglied agiert eingebettet in der Gesamtgruppe, d.h. niemand schaut nur zu. Daraus leite ich ab, dass alle mit der Exposition Mühe haben. Dies ist eindeutig das Thema der Gruppe.

**3.3. Block 2**

3.3.1. Spielanlagen

Stoff: Die Gruppe als Schonraum

Thema: Ich lasse mich auf etwas ein, aber nur im geschützten Rahmen der Gruppe.

E 1: Entspannung: Im Raum sich bewegen und mit allen Augenkontakt aufnehmen – auf Boden liegen – tief durchatmen – lass alle Gedanken an den heutigen Tag los – stell dir alle Teilnehmer und Teilnehmerinnen vor – spiele mit ihren Namen (denken, flüstern, rufen, schimpfen, singen, lieb, etc) – spiel jetzt mit dem eigenen Namen (unter Anleitung) – spiel mit der Lautstärke –, bring langsam wieder Bewegung in deinen Körper.

E 2: beweg dich im Raum, wenn ich klatsche, bleib bei jemandem stehen und mache folgendes: Rücken abklopfen, Arme schütteln, Beine schütteln, den Körper abstreichen.

R 1: Gruppenbildung: Reihe bilden nach dem Alphabet der Vornamen, halbieren.

E 3: Eine Hälfte steht mit dem Gesicht zur Wand – hinter jemanden stehen, den eigenen Namen so oft mit Grossbuchstaben auf den Rücken schreiben, bis er erkannt wird. Immer wieder wechseln.

E 4: Schreib deinen Namen auf verschiedene Unterlagen, auch auf verschiedene Körperstellen bei den andern.

R 2: Zu Meditationsmusik ein Namenbild malen (Fettkreiden). Beginn mit deinem Namen, lass dich dann einfach treiben und male das, wozu du Lust hast.

R 3: Auswertung des Malens, im Kreis sitzend: betrachten der Bilder; wie hast du das Malen des Bildes erlebt?

A 1: Im Kreis auf den Boden liegen, alle Füsse berühren sich, loslassen.

3.3.2. Verlauf

Koni ist sehr gereizt, Paul bittet mich, etwas Sanftes zu machen, er wirkt sehr abgeschlafft. Doris begrüsst mich offen wie noch nie. Ein heftig geführtes Gespräch unter dem Betreuerteam quittieren die Behinderten mit Bemerkungen, wie z.Bsp.: «Ja, ja, auf uns hört wieder niemand.»

Das Spielen mit den Namen beginnt sehr zaghaft, da ich zu direkt eingestiegen bin, wird dann aber zunehmend intensiver. Es wird fröhlich gelacht. Betreuer und Betreuerinnen sind mutiger im Ausprobieren. Die Auseinandersetzung mit dem eigenen Namen bereitet eindeutig mehr Mühe.

Bei den Lockerungsübungen wird eine noch nie erlebte Nähe zugelassen, auch Beat gelingt dies erstmals: Rundherum eine friedliche Athmosphäre.

Das Rückenschreiben wird mit Freude ausgeführt, obwohl Koni und Paul an Grenzen stossen. Auch hier wird Nähe zugelassen. Das Schreiben auf verschiedene Unterlagen löst laute und freudige Stimmung aus, viele Körperkontakte finden statt. Beim Malen ist es sehr ruhig, Koni steigt allerdings

bald aus. Er sitzt mit grimmigem Gesicht da, stört aber die Stille nicht, was für ihn eine gewaltige Leistung ist.
In der Auswertung erklärt Koni, dass er kein schönes Bild malen wollte. Ich erwidere, dass «schön» von jedem Menschen anders empfunden wird, und dass ich kein schönes Bild verlangt habe. Tanja ist überrascht über die Vielfalt der Bilder.

3.3.3. Nachbereitung mit dem Betreuerteam
Georg ist aufgefallen, dass heute viel Körperkontakt zugelassen werden konnte. Er begründet Konis Aussteigen als Reaktion auf die kürzlich verbrachten Ferien mit dem verwöhnenden Vater. Ich erfahre, dass die Behinderten diesmal mit weniger Widerstand gekommen sind, dass vor allem mit Doris seit dem letzten TZT-Abend (Hustenanfall) eine Veränderung geschehen sei. Ich vermute, dass sich Doris geschmeichelt fühlte, als sie zur Nachfolgerin des Häuptlings auserkoren wurde.
Bezüglich dieser Nachbereitung nehme ich mir vor, die angebotenen Strukturen (was hast du bei den Behinderten wahrgenommen?, was bei dir?) konsequenter durchzusetzen. Es fällt mir auf, dass die Betreuer und Betreuerinnen viel von den Behinderten, kaum aber von sich selbst sprechen.

3.3.4. Nachbereitung für mich
Ich bin mit dem Verlauf zufrieden. Das Hauptziel, Vertrauen in sich selbst zu finden über den Schonraum der Gruppe, ist meines Erachtens erreicht worden. Der Umstand, dass sich niemand exponieren muss, schafft ein Klima der Fröhlichkeit, Rücksichtnahme und Stille zugleich. Die Ausgewogenheit zwischen Nähe und Distanz setzt offensichtlich Kräfte frei. Der eingeschlagene Weg, ohne Exposition zu arbeiten, enger zu strukturieren, viel Zeit einzuräumen und keine zu hohen Ansprüche an intellektuelle Fähigkeiten erweist sich als richtig. Dass Koni beim Malen aussteigt, führe ich auf seine Gereiztheit und auf seine hohen Ansprüche an sich selbst zurück, ein Phänomen, dem ich in dieser Gruppe oft begegne.

**3.4. Block 3**
3.4.1. Spielanlagen
Stoff: Die Gruppe als Schonraum
Thema: Ich zeige mich, wenn mir Strukturen angeboten werden, die mich nicht überfordern und mir gleichzeitig die Phantasie anregen.
E 1: Entspannung: Ich lade zu einer Phantasiereise ein, in der ich viele Impulse gebe. Ziel ist ein Zimmer mit einem Spiegel, in dem sich der Träumer oder die Träumerin betrachtet.
E 2: Ganze Gruppe im Kreis: jemand beginnt eine Bewegung, alle übernehmen sie.
E 3: Spiegeln zu zweit, mit den Händen beginnend. Stetes Wechseln von führen und spiegeln.

E 4: Die beiden setzen sich gegenüber. Eine Person führt eine kleine Tätigkeit aus, die andere spiegelt sie. Ich gebe dazu Impulse.
E 5: Eine Person denkt sich eine kleine Handlung aus, die andere spiegelt sie und versucht sie zu erkennen. Im steten Wechsel.
E 6: Jede Gruppe zieht ein Kärtchen, auf dem eine kleine Handlung geschrieben steht. Ausprobieren und dann der Gruppe vorspielen, die die Handlung zu erkennen versucht.
E 7: Eine Hälfte der Gruppe: stell dich als Statue im Raum auf. Andere Hälfte: geh zu jemandem und spiegle die Statue. Im Wechsel.
E 8: Gruppe neu halbieren. Die eine Hälfte ist im Raum verteilt. Zweite Hälfte: geh zu jemandem und forme eine Statue. Auf ein Zeichen von mir: spiegeln der Statue. Im Wechsel.
E 9: Gruppe wieder neu halbieren: eine Gruppe stellt eine Skulptur dar, die andere spiegelt sie. Im Wechsel.
E 10: Gleich wie E 9, eine Gruppe formt aus der andern eine Skulptur.
A 1: An Wand stehen, Augen schliessen, eine Statue werden und in dieser Haltung blind zur Mitte des Raumes gehen, wo sich alle treffen, auflösen.

3.4.2. Verlauf

Ich werde in lauter, gelöster Stimmung erwartet. Einige der Behinderten kommen auf mich zu und begrüssen mich mit Händedruck, was selten ist.
Das Kreisspiel beansprucht viel Zeit und verläuft ruhig und konzentriert. Beim Spiegeln spüre ich zuerst Abwehr, dann lassen sich alle, mit mehr oder weniger Konzentration, darauf ein. Nur Georg kann sich nicht auf Beat einlassen, er agiert oft nach aussen. Beim Spiegeln ohne abgemachte Führung ist es erstmals ganz still vor Konzentration. Das Spiegeln der Tätigkeiten zeigt in der Präzision der Ausführung grosse Unterschiede. Mit dem Ausdenken einer Handlung stossen einige der Behinderten an Grenzen. Das Ziehen von Kärtchen lässt aufatmen: jetzt wird intensiv vorbereitet und dann vorgespielt. Die Gewohnheit, in solchen Momenten an- und abzuklatschen wird von keiner Gruppe weitergeführt, die Anlage wird also nicht als Exposition empfunden. In den gemischten Gruppen übernehmen klar die Betreuer und Betreuerinnen die Führung. Die Statuen-Spiele werden lustvoll ausgeführt. Die Skulpturen sind sehr körpernah. Beim Ausstieg muss sich Paul unheimlich konzentrieren, seine Behinderung (die linke Körperhälfte ist leicht gelähmt) ist deutlich wahrzunehmen.

3.4.3. Nachbereitung mit dem Betreuerteam

Georg und Tanja teilen mit, dass es ihnen mit der Zeit langweilig geworden ist. Georg möchte viel Abwechslung in den Stunden. Die heute erlebte Langeweile nimmt er gerne in Kauf, weil er miterlebt hat, wie die Behinderten dabei aufgetan haben. Er und Tanja glauben, dass die Stimmung deutlich gelöster ist, seit keine Szenen mehr erfunden und gespielt werden müssen. Ich spreche von meinem Dilemma zwischen Über- und Unterforderung, weise zugleich aber darauf hin, dass es für die ganze WG eine Chance ist, sich hier auf diese Art zu erleben. Georg ergänzt diese Bemerkung: er bringt einige erfreuliche Veränderungen bei den Behinderten in einen direkten Zusammenhang mit dem TZT: Muster, die die Behinderten hier ausprobieren können, werden in den Alltag integriert. Das Selbstvertrauen bei einem Teil der Behinderten ist gestört, da ihre Eltern oft jede Art von Eigeninitiative unterdrücken. Deshalb erscheinen die Behinderten uns oft phantasiearm, karg in den Möglichkeiten, sich selbst auszudrücken. In kleinen Schritten muss wieder aufgebaut werden mit Mustern, die sie ausprobieren können. Die gleichen Schwierigkeiten sind im Gefühlsbereich feststellbar: Gefühle im Zusammenhang mit den Betreuer-Kündigungen können weder gezeigt noch ausgelebt werden, obwohl ich sie sehr deutlich spüre. Sie dürfen, wohl aus Angst, nicht zugelassen werden. Die harte Realität, der häufige Wechsel im Betreuerteam, zementiert zum Teil das Verdrängen der Gefühle.

3.4.4. Nachbereitung für mich
Ich suche nach dem Kern von Tanjas und Georgs Aussage «mit der Zeit ist es mir langweilig geworden». Folgende Wahrnehmungen sprechen gegen Langeweile: Tanja macht die ganze Zeit äusserst konzentriert mit, Georg lässt sich wenig ein, er hat Mühe, sich auf Beat einzustellen. Es kommt mir in den Sinn, dass in allen Nachbereitungen immer wieder die Rede ist von Überlastung, zudem oft Aussagen wie «immer muss ich geben» gemacht werden. Ich interpretiere dies alles als ein Gefühl, selbst zu kurz zu kommen. Im Spiegeln können sie zuwenig loslassen von ihrer Betreuerfunktion. Das heisst, dass ich nächstes Mal Spielanlagen anbieten muss, in denen auch die Betreuer und Betreuerinnen etwas «bekommen»: die Gruppe ist im jetzigen Zeitpunkt dazu in der Lage.

**3.5. Block 4**
3.5.1. Spielanlagen
Stoff: Die Gruppe als Schonraum
Thema: Ich möchte umsorgt werden.
E 1: Schlange bilden. Ich führe, verwirre und verknote sie. Blind entwirren ohne loszulassen. Nochmals, aber alles mit geschlossenen Augen.
E 2: Ganze Gruppe schaukelt jeweils eine Person, die auf Decken liegt, ganz sachte und möglichst ohne zu reden.
E 3: Gruppe halbieren. 1. Hälfte: mach es dir auf einer Decke bequem. Schliess dann die Augen und öffne dich für das, was kommt. 2. Hälfte: geh zu jedem Liegenden und mach etwas, bei dem du ganz sicher bist, dass die betreffende Person es gerne hat. Lass dir Zeit. Wenn du bei jemandem gewesen bist, beweg dich und stelle dich auf die neue Person ein. Im Wechsel.

R 1: Was hast du bekommen und wie hast du das erlebt?
R 2: Such dir jemand, mit dem es dir wohl ist. Sitzt euch gegenüber auf einer Decke.
E 4: Handmassage, unter meiner Anleitung. Wer massiert wird, schliesst die Augen.
A 1: Mit dem Rücken auf den Boden liegen, Köpfe nach innen, kreisförmig. Arme strecken, mit den Händen spielen. Jede Hand nimmt eine andere, hält sie gut fest und wir stehen auf, ohne loszulassen.

3.5.2. Verlauf

Bei meinem Eintreffen herrscht gute Stimmung. Die Betreuerinnen wirken erschöpft. Tanja und Georg legen sich als erste auf die Decke, Beat und Doris müssen dazu animiert werden. Beat muss mit Bemerkungen seine Ängste überspielen. Ich muss oft daran erinnern, langsam zu schaukeln und nicht zu schnell aufzustehen. Beim nächsten Spiel fällt auf, dass sich alle auf den Rücken legen. Beat wickelt sich in die Decke ein. Es herrscht sehr bald eine noch nie dagewesene Stille im Raum. Diese angenehme Stille dauert bis zum Schluss an.
Doris und Beat können sich entspannen wie noch nie, es gelingt ihnen, die Augen geschlossen zu halten. Nadja, die üblicherweise sehr viel lacht, nicht immer nur aus Freude, kann heute ganz loslassen. Ich nehme Verspannungen wahr, aber keine Verweigerungen. Das «Bekommen» geniesse alle, das Geben macht einigen der Behinderten Mühe. Ich nehme nichts wahr, was als unangenehm hätte empfunden werden können. Am Ende muss ich die Entspannten sachte zurückholen, sie bleiben lange liegen. Auf eine gezielte Auswertung verzichte ich nach spontanen Äusserungen des Wohlbehagens.
Auch während der Handmassage fällt das Nehmen leichter als das Geben. Beat und Doris haben Mühe und signalisieren das deutlich: sie sitzen von allen am Weitesten auseinander. Ich massiere Nadja, sie geniesst es. Sobald ich mich von ihr entferne, beginnt sie zu kichern. Der Ausstieg gefällt allen sehr gut, wir schaffen es, trotz der Verwicklungen ohne loslassen aufzustehen.

3.5.3. Nachbereitung mit den Betreuerinnen

Ich möchte, dass die Betreuer und Betreuerinnen heute zuerst von sich sprechen. Tanja hat alles sehr schön erlebt, Georg, nach dem Schaukeln, das er sehr anstrengend fand, ebenfalls. Lotte äussert sich nicht. Alle sind erstaunt, dass diese Spielanlagen möglich waren. Lotte führt dies auf die reduzierte Gruppe zurück. Ich bin anderer Meinung und begründe meine Sicherheit mit den Wahrnehmungen vom letzten Mal (sehr körpernahe Skulpturen). Georg begrüsst diese Spielanlagen, weil die Behinderten, die oft nicht wissen, wie sie mit ihren Freunden und Freundinnen umgehen sollen, hier Muster dazu erhalten, die sie in den Alltag mitnehmen.

3.5.4. Nachbereitung für mich
Ich bin sehr zufrieden mit dem Block, ich freue mich über das, was heute möglich gewesen ist. Ich meine, auf dem richtigen Weg zu sein: Im geschützten Rahmen der Gruppe stark zu werden, so stark, dass der Mut zur Exposition wieder kommen kann.

## 4. Fazit und Ausblick

Die Arbeit mit der Aussenwohngruppe ist für mich eine echte Herausforderung. Ich erlebe mich oft auf einer Gratwanderung zwischen den Fähigkeiten und den Bedürfnissen der Behinderten einerseits und der Betreuer und Betreuerinnen anderseits. Gerade wegen dieser speziellen Situation muss ich dem bedeutungsvollsten Aspekt des Themenzentrierten Theaters, der Formulierung des Gruppenthemas, die grösste Aufmerksamkeit schenken. Oft erlebe ich, dass das Thema der Behinderten ein anderes ist, als dasjenige des Betreuerteams. Gewichte ich das Thema einer Gruppierung zu stark, reagiert die sich «vernachlässigt» fühlende Gruppierung oft stark darauf. Ein Beispiel dazu ist die Reaktion von Tanja und Georg nach dem dritten Block. Gleichzeitig muss ich mir stets bewusst sein, dass jedes Individualthema (oder das Thema einer Gruppierung) auf die Gesamtgruppe wirkt und deshalb je nach Situation zum Gruppenthema werden kann.
Die Veränderungen, die in diesen zwei Jahren stattfinden, erfüllen mich mit Freude. Verletzende Bemerkungen sind sozusagen verschwunden. Wenn ich einen Bogen spanne zwischen einem der ersten Themen, die ich formulierte «Ich bin grob mit dir, weil ich Angst habe, meine Gefühle anders zu zeigen» zum Thema und Verlauf der letzten Stunde, dann glaube ich, ist dies der Ausdruck eines grossen Prozesses: Im letzten Block ist das Geniessen nur möglich dank der erworbenen Fähigkeit, Angenehmes geben und nehmen zu können. Grobheiten, Anrempelungen, Verletzungen ganz allgemein, am Anfang der Arbeit oft das Erscheinungsbild der Gruppe, kann dank gewonnenem Vertrauen in die Gruppenmitglieder abgelegt werden.

## 5. Schlusswort

Abschliessend möchte ich all denen ganz herzlich danken, die mich in dieser Arbeit unterstützen:
Der Leiter des Heims hat grünes Licht gegeben und ist dieser Arbeit immer wohlwollend begegnet. Das Mitmachen der gesamten Wohngruppe und ihr Mut, neue Wege zu beschreiten, haben mich um diese wichtige Erfahrung reicher gemacht. Den unermüdlichen Einsatz des Betreuerteams möchte ich an dieser Stelle ebenfalls verdanken. Schliesslich danke ich Heinrich Werthmüller für seine feinfühlige Art, mich in Supervisionsstunden so zu begleiten, dass ich immer mehr Mut für diese Arbeit bekomme!

Ruedi Ernst
Helen Stettler

***Hauptziel des TZT ist es nicht, «richtige» Theateraufführungen zu machen – mit grossem Saal und grossem Publikum. Dennoch ist die Möglichkeit dazu selbstverständlich auch gegeben. Ein wichtiger Unterschied zum üblichen Theater liegt dann in der Arbeitsweise: es wird kein bestehendes Stück auswendig gelernt und inszeniert, sondern das vorgespielte Stück wird aus der bestehenden Gruppe heraus entwickelt; lebendig und improvisierend.* **Helen Stettler** ***und*** **Ruedi Ernst,** ***beide TZT-Leiter, haben eine solche Gruppe initiiert. Sie beschreiben hier nicht in erster Linie den Inhalt dieses Unterfangens, sondern den organisatorischen***

# Weg nach Katumba

Der Entschluss ist gefasst: wir gründen eine Theatergruppe. Die Idee dazu tragen wir schon lange mit uns herum. Beide spielen wir gerne Theater. Aber jetzt ist der Zeitpunkt richtig, jetzt wollen wir's anpacken. Nach diversen kürzeren TZT-Kursen, die wir geleitet haben, verspüren wir den Wunsch, einmal mit einer festen Gruppe über längere Zeit zu arbeiten. Den endgültigen Anstoss zu diesem Schritt haben uns aber unsere Erfahrungen mit der Revue «Um d'Chile ume» gegeben. Zur Erklärung: Die reformierte Kirche Kloten hat im vergangenen Jahr ihr 200-jähriges Bestehen gefeiert. Zu diesem Anlass verfassten zwei Klotener Lehrer eine Revue mit cabarettistischen Szenen rund um die Kirche. Die Revue wurde mit grossem Erfolg aufgeführt, und unter vielen anderen wirkten auch wir beide als Schauspieler mit. Das Auftreten hat grossen Spass gemacht, und es war schön, vom Publikum getragen zu werden. Schade war, dass die Entwicklung des Gruppengefühls nicht aktiv gefördert wurde. Das für uns ungewohnte Auswendiglernen und das Gebunden-sein an einen vorgegebenen Text empfanden wir als einschränkend, aber es war eine Erfahrung wert. Jedenfalls hat uns dieses «Revueerlebnis» Mut gemacht, unsere Theatergruppenidee zu verwirklichen.
Die Ausschreibung verschicken wir im Januar an alle Schauspieler der «Kirchenrevue» und an unsere Klotener TZT-Kursteilnehmer. Vereinzelt schreiben wir auch weitere Bekannte an und hängen einige wenige Plakätchen auf – in der Freizeitanlage zum Beispiel und im Kirchenzentrum. Wir laden alle Interessenten zu einem Gesprächsabend zu uns nach Hause ein, ohne Voranmeldung. Wir rechnen mit sechs, sieben, höchstens zehn Leuten. Und dann klingelt's ununterbrochen: 21 Frauen und Männer drängen sich schliesslich in unserer Stube . . .
Wir erklären unseren Plan, alle sind sehr interessiert, das Gespräch ist lebhaft. Die «TZTler» sind sich nicht so sicher, ob sie überhaupt je öffentlich auftreten wollen; die «Revueschauspieler» dagegen sind dem TZT gegen-

über eher skeptisch eingestellt und können sich gar nicht vorstellen, wie öffentliches Theaterspielen ohne Auswendiglernen überhaupt möglich sein soll. Ausnahmslos alle wollen sich aber auf das Experiment einlassen, und so können wir darangehen, Arbeitstermine zu suchen. Wir einigen uns auf Mittwoch abend, der allen passt mit Ausnahme eines jungen Burschen, der aus diesem Grund nicht mitmachen kann.
Wir treffen uns also jeden Mittwochabend für zwei Stunden im Singsaal des Schulhauses. Das hat den Vorteil, dass wir gratis proben können. Nachteil: punkt 22.00 Uhr muss Schluss sein.
Wir beginnen unsere Arbeit mit dem Thema: «Ich lerne Dich kennen.» Gleichzeitig greifen wir Ausdruckselemente wie Stimme, Bewegung, verschiedene Theaterformen heraus und stellen sie für einen oder mehrere Abende in den Vordergrund. Das Ziel ist, die Spieler einander näher zu bringen, sie eine Gruppe werden zu lassen, die Spielkompetenz jedes einzelnen zu fördern und dabei auszuloten, was alles möglich ist im Theater – was Theater alles sein kann. Das soll uns später auch als Grundlage dienen für die Entscheidung, was wir gemeinsam entwickeln und aufführen wollen.
Es gibt verschiedene Wechsel in der Gruppe. Anita, Barbara, Vreni und Theres springen nach und nach ab, teils aus zeitlichen Gründen, teils weil diese Art zu arbeiten doch nicht ihren Vorstellungen entspricht. Neu kommen Caroline, Manfred und Charles dazu, für kurze Zeit auch Jeannine. Eine gewisse Unruhe macht sich bemerkbar, die Zu- und Abgänge werden als störend empfunden, so dass wir vereinbaren, die Gruppe zu «schliessen». Das heisst, über die Aufnahme von Neuen muss die ganze Gruppe befinden. Das ist unsere erste Entscheidung für eine gezielte Arbeit und somit auf eine feste Aufführung hin.
An einem gemeinsamen Wochenende im Mai reift die Frage: Was wollen wir? Mit Spielen, Szenen, Diskussionen kreisen wir die Thematik ein: Wollen wir ein Theaterstück, eine Geschichte entwickeln, oder spielen wir lieber Einzelszenen? Wir entscheiden uns für Einzelszenen, die einen gemeinsamen roten Faden aufweisen sollen. Die Tatsache, dass wir eine grosse Gruppe sind, und es schwieriger und zeitaufwendiger ist, ein Stück für 19 Personen zu entwickeln, hat uns zu diesem Entscheid bewogen.
Als nächstes diskutieren wir darüber, welcher Art diese Einzelszenen sein sollen. Nach einigem hin und her greifen wir auf die uns schon vertraute Arbeitsform zurück: zu Stichworten Improvisationen zu spielen.
Nach dem Wochenende wird die Terminfrage plötzlich sehr aktuell: Corinne eröffnet uns, dass sie Ende November für ein Jahr nach London gehe. Es setzt eine heftige Diskussion ein. Wollen wir diesem Umstand Rechnung tragen und noch vor Corinnes Abreise eine Aufführung planen, oder spielen wir später (wann?) ohne Corinne? Die Meinungen sind sehr kontrovers, schliesslich ist es bereits Juni, bald Sommerferien und die Zeit also knapp. Es wird die Idee aufgeworfen, bloss eine interne Aufführung für unsere Bekannten und Verwandten zu machen, ohne öffentliche Ausschreibung. Die

Ruedi Ernst
Helen Stettler

Befürworter einer öffentlichen Aufführung setzen sich durch. Wie viele Aufführungen wollen wir? Eine? Zwei? Drei? Seid ihr wahnsinnig, höchstens eine. Doch, doch, wenn schon, denn schon. So geht es hin und her, bis wir uns auf drei Aufführungen einigen, und zwar noch vor dem Abflug von Corinne.

Wir rufen daraufhin eine Planungsgruppe ins Leben, der ausser uns beiden Rosmarie, Marlise, Urs und Alois angehören. Alois amtet als Kassier und kümmert sich um das Einziehen und Verwalten der Mitgliederbeiträge (deren Höhe wir gemeinsam festgelegt haben), die zur Abdeckung unserer finanziellen Belastungen (Saalmiete, Werbung, Requisiten etc.) dienen sollen. Die Planungsgruppe bereitet administrative Entscheidungen vor (Aufführungsdaten, Eintrittspreise, Werbung), und die Gruppe entscheidet als Ganzes.

Jetzt müssen wir Stichworte suchen, die uns als Arbeitsgrundlage dienen sollen. Alle schreiben je ein Verb, einen Gegenstand, eine Zeitangabe, einen Ort und ein Fantasiewort auf. Diese Wörter werden gesammelt und fünf davon ausgelost: schwitzen, Spieldose, 20.00 Uhr, Park, Katumba. Wir entwickeln und erfinden ca. 20 Szenen und protokollieren sie mit Video und durch Notizen.

Die nächste Entscheidung gilt der Frage, wie viele Szenen wir überhaupt auf die Bühne bringen wollen. Zuerst haben wir die Idee, 19 Szenen mit 19 Regisseuren aufzuführen, da wir ja 19 Leute sind. Diesen Gedanken verwerfen wir aber bald wieder; das würde viel zu lange dauern. Die Zeit wird sehr knapp. In diesem Zusammenhang greifen wir den Gedanken auf, den früher schon jemand geäussert hat, nämlich das Publikum mitgestalten zu lassen. In diesem Rahmen liesse sich das sehr gut verwirklichen; wir könnten zusätzlich zu fünf Wörtern, die das Publikum bestimmt, improvisieren. Wir stellen es jedem frei, bei diesen Improvisationen mitzumachen oder nicht. Alle sind ohne zögern dabei, was für die Spielfreude, die Sicherheit und das Vertrauen der Gruppe spricht.

Jetzt kann das Programm zusammengestellt werden. Wir rechnen aus, wie viele Szenen zeitlich möglich sind. Gemeinsam wählen wir Szenen aus, die uns besonders gut gefallen und die zudem ein möglichst breites Spektrum abdecken, möglichst verschiedenartig sind.

Szenenbesetzung: Wo will ich mitspielen? Welche wäre meine Lieblingsrolle? Wo will ich Regie führen? Engagierte Diskussion und das Ergebnis befriedigend für alle.

Wir proben die Szenen parallel. Zweifel kommen auf, ob das alles gut geht – Angst, dass es nie und nimmer klappen werde. Wir können die einzelnen Szenen nicht oft proben. Die wenigen zusätzlichen Proben, die wir am Aufführungsort machen, dienen dazu, Bühne und Saal kennenzulernen, uns mit Beleuchtung und der ganzen Infrastruktur vertraut zu machen sowie den gesamten Durchlauf zu proben. Wir sind sehr gespannt auf die Aufführung.

Die Generalprobe findet bereits vor Publikum statt – Leute aus dem Bekanntenkreis der Gruppe plus der Berichterstatter der Zeitung. Es läuft noch nicht ganz rund, das Publikum reagiert zurückhaltend . . . Wir sind sehr, sehr gespannt auf die Premiere.
Am 3. November ist es soweit. Voller Saal (wer hätte das gedacht), Freude darüber und Nervosität, Angst . . . Und dann läuft es. Und es läuft ausgezeichnet. Ein wundervolles Publikum beflügelt uns, lässt uns das Spielen geniessen. Die zusätzliches Herzklopfen verursachenden freien Improvisationen machen sogar besonderen Spass.
Die nächsten Aufführungen sind ebenfalls ausverkauft und ein Riesenerfolg.
Zum Schluss möchten wir noch kurz unsere Beziehung zur Gruppe beschreiben. Für uns war es von Anfang an klar, dass wir kein Honorar verlangten. Wir wollten die Gruppe gründen und leiten, aber wir wollten gleichwertige Mitglieder sein und nicht durch ein Honorar herausgehoben und herausgestellt sein. Wir wollten mitspielen, mitdiskutieren, mitbestimmen. Strukturen geben ja, aber nicht ausserhalb dieser Strukturen stehen. Wir haben von Anfang an und aus echtem Bedürfnis heraus sämtliche Entscheidungen in der Gruppe gefällt. Wohl haben unsere Spielanlagen die Entscheidungsfindung erleichtert, entschieden aber hat die Gruppe. Dieses Vorgehen hat nicht zuletzt an den Aufführungen Früchte getragen. Jede und jeder hat Verantwortung getragen, hat angepackt, hat mitgedacht, mitgeholfen; reibungslos und ohne Aufhebens hat die Beschaffung von Requisiten und Kostümen geklappt, der Bühnenaufbau und der Bühnenabbau. Für uns und die ganze Gruppe war das eine schöne Zeit und eine gute, wertvolle Erfahrung.
Jetzt machen wir Pause. Im Januar treffen wir uns, feiern die gelungene Theateraufführung und verprassen unsere Einnahmen. Dann machen wir weiter. Das steht jetzt schon fest.

***Zusammenarbeit mit andern bedeutet für jeden von uns immer wieder eine Herausforderung: viele Gruppierungen – seien es Teams in Institutionen, Lehrerkollegien, Arbeitsgruppen in Firmen, freie Arbeitsgemeinschaften oder Bürgerinitiativen – tun sich schwer, die Hoffnungen, die Möglichkeiten, Befürchtungen und Bedürfnisse der Einzelnen untereinander konstruktiv zu verbinden. Meist führt das zu Abspaltungen von Teilen der Gruppe oder zu «Passivmitgliedern». Beides bedeutet einen grossen Verlust an Energie- und Ideenpotential.***
***Während der TZT-Leiterausbildung versucht sich die ganze Ausbildungsgruppe deshalb einmal ausdrücklich an einer produktorientierten Zusammenarbeit. Das gemeinsame Ziel ist, ein Theaterstück zu entwickeln, in dem jede und jeder den eigenen Platz findet. Dabei ist anfänglich gar nichts vorgegeben; wie so oft bei neuen Projekten ist alles möglich – und nichts sicher. In einer Vorbereitungsphase wird lediglich «das Genre» des Stückes festgelegt: soll es ein Heimatstück, ein Krimi, eine Komödie oder noch etwas anderes werden. Was daraus entsteht ist nicht nur eine grosse Herausforderung für eine Gruppe, sondern auch eine Fundgrube der Erkenntnis für den Einzelnen bezüglich seines Verhaltens in einer Gruppe und ebenso für die Strömungen und Mechanismen, die in einer Gruppe wirksam sind.***
**Esther Rohner-Artho, *TZT-Leiterin und Psychologin, berichtet von ihren Erfahrungen als***

# *Frau im Wilden Westen*

## Vorspann

Ein Wildweststück wollen wir erspielen – sechzehn Leute auf einer Maiensäss am Vorderrhein: zehn Frauen und sechs Männer im Alter zwischen 25 und 58. Doch, doch, wir kennen uns, näher sogar. Seit eineinhalb Jahren machen wir zusammen die TZT-Leiterausbildung. Gemeinsam wollen wir im Verlauf der Woche eine Geschichte erfinden, sie von Tag zu Tag vorantreiben, Szene um Szene improvisieren, diskutieren, nochmals spielen, sie auf Videoband aufzeichnen, als Rohmaterial sozusagen für ein Stück, unser eigenes Wildweststück. Mit Verkleidungen und Requisiten rücken wir an – und mit unseren eigenen Themen und Rollenphantasien.

# TZT-Erfahrungen

Esther Rohner-Artho

*Zuerst habe ich mich gefreut auf die Woche, mich unbändig gefreut wie ein Teenager, dessen Karl-May-Träume in Erfüllung gehen: einmal eine Wildwest-Heldin spielen! Doch dann sind meine Teenagerträume erwachsener geworden und haben mich in völlige Ratlosigkeit gestürzt:*
*Will ich mich wirklich reitend, schiessend, jagend durch den Wilden Westen kämpfen? Als wildes Flintenweib etwa oder als resolute Farmerin? Verlangt der Wilde Westen vor allem nach starken Frauen, die sich behaupten? Sind meine Rollenphantasien nicht unangenehm nahe beim «Weiblichen Macho»? Natürlich könnte ich mich zur Heldin aufspielen, aber würden mir die anderen Figuren nicht übel mitspielen? Machtgehabe findet sicher seinen Widerstand . . Nein, ich will das alles nicht, ich habe Angst. Angst vor der Lächerlichkeit des Mann-Weibes, Angst vor der Arroganz und Isoliertheit der Mächtigen und noch vielmehr Angst vor Gefühlen der Ohnmacht, die zwingend zum Machtkampf gehören. Nein, ich will nicht schon durch meine Rollendefinition ein Kräftemessen provozieren. Es gibt ja noch andere Möglichkeiten:*
*Ein Saloonmädchen könnte ich spielen, eines von der leichtlebigen Sorte, ja, ich könnte ganz schön deftig sein, wenn ich wollte . . . Oder ich könnte die Rolle einer entwaffnend naiven Farmerstochter spielen, die sich im Verlauf des Stücks zu irgendetwas durchmausern würde – das alte Pygmalionmotiv. Zu beidem habe ich Lust, mag aber dann die phantasierten Konsequenzen nicht ertragen: mag nicht im Spiel die seelische Leere des Sexobjektes erleben, mag auch nicht als «Eliza» von der Gunst irgendeines «Professor Higgins» abhängig sein. Was gibt es denn noch für Möglichkeiten?*
*Vielleicht, wenn ich ganz von meinen Bedürfnissen ausgehe, von dem, was ich im Moment will und brauche für mein Wohlbefinden? Vielleicht wird sich daraus eine Rolle ergeben? Ich brauche nur in meiner Seele zu lesen, um meinen Wünschen auf die Spur zu kommen . . . Geborgenheit – ich suche nach einer inneren Geborgenheit, nach dem in mir, was warm ist und vertrauend, zufrieden bei sich, etwas, das ruhig ist und voll, sich verschenken kann, ausstrahlen, wärmen. Ja, dem allem in mir will ich Raum geben. Ich will eine Frau sein mit reichem Innenleben, lesend, schreibend, denkend, sich mitteilend, sich gebend. Mit diesem Bewusstsein will ich in den Wilden Westen gehen.*
*Diese Gedanken haben mich gewiss nicht direkt zu einer Rolle geführt, aber sie haben mir geholfen, zuhause die Kleider für die Filmwoche zusammenzustellen: weiche, weisse Wollkleider unter einer Jeansbluse und einem weiten, überlangen Jeansrock. Noch während ich vor dem Spiegel die Kleider anprobiert habe, ist mir «Yentl» von Barbra Streisand eingefallen. Ich*

könnte vielleicht mit meiner Rolle dort anfangen, wo der Film «Yentl» aufhört, dort, wo die jüdische Intellektuelle ihre Männerverkleidung aufgibt und wieder zur Frau wird, dort, wo sie aus der strengen patriarchalischen Gesellschaft auswandert nach Amerika, dem Land der Verheissung, dort, wo sie ihre idealisierten Vater-Bilder etwas loslässt und auf die Suche geht nach ihrer eigenen Autonomie . . .

**Exposition**
In einer Eröffnungsrunde erzählen wir von unseren Rollenentwürfen. Wir, das heisst alle andern, denn ich kann nichts sagen. Ich brauche Zeit. Zur «Einstimmung» zeigt uns Heinrich – er leitet die Woche, macht die ganze Regie-Arbeit und die Videoaufnahmen – zwei Videofilme: «Winnetou I» und «River of no return».

*Ich sehe «Winnetou I» und bin erschüttert. Dafür habe ich mich als Mädchen begeistert? Männer auf Eroberung, Schlägereien, Schiessereien, Explosionen, Männer, Pferde und nochmals Männer, emotionale Kargheit bis zum Unerträglichen. Gegen Ende des Films die erste und einzige Frauenrolle, Winnetous Schwester, schön, aber wie der Film klarmacht, mit einem bedauerlich irrationalen Innenleben: sie liebt, wo Liebe verboten ist, sie vertraut, wo alle andern Lüge sehen. Ihr Vertrauen erweist sich am Ende als richtig, aber völlig überflüssig, denn die Helden haben die Entscheidung bereits unter sich ausgefochten. Und das Rollenangebot in «River of no return»? Marilyn Monroe als Traum-Lust-Objekt in einem Saloon voll rauher, grölender Goldgräber, die andächtig still werden, wenn sie singt, dann Szenen, in denen Marilyn einen süsslichen Muttersatz spielt. Das schöne Schwesterchen des Helden, die Männerunterhalterin und die süssliche, sexy Mama . . . sind das nicht von Männern ausgedachte Frauenrollen? Ist der Wilde Westen vielleicht eine einzige Verdichtung von Männerträumen, Männerphantasien und Männerwerten? Leiden am Ende nicht Männer und Frauen an diesen extremen Spielregeln des Wilden Westens? Ich bin gereizt, trotzig auch, ich will dem allem etwas entgegenhalten. Aber was . . . und wie?*
*Bei der Diskussion über die Raffinessen der Dramaturgie und die Regiearbeit in diesen beiden Filmen kann ich nicht mithalten, ich habe diese Dinge nicht beachtet, sondern die Filme aus ganz anderer Sicht gesehen. Doch meine Subjektivität ist mir im Moment gerade recht. Während des zweiten Films bin ich sogar weggelaufen, ich habe genug zu tun gehabt mit mir selber, ich habe mich draussen in der Nacht an ein offenes Feuer gesetzt und gespürt, wie es in mir glüht.*

Am nächsten Morgen, dem zweiten Arbeitstag, versuchen wir durch Bewegung in unsere Rollen hineinzuwachsen, allmählich die anderen anwesenden Spieler in ihren Rollen wahrzunehmen und mit ihnen in Kontakt zu kommen. Siehe da: unser Theologe hat sich in einen versoffenen Goldgräber verwandelt, die Familienfrau in eine geschäftstüchtige Saloonbesitzerin, der Psychologe in einen Bösewicht, die Sozialarbeiterin wird zur «Hängerin», die sich durch die Tage schwemmen lässt, aus der Gewerbelehrerin wird eine alte Indianerin, die irgendwelche Geheimnisse hütet, der Reallehrer wird zu einem klebrigen Coiffeur, die Heilpädagogin stimmt sich ein in die Rolle einer Irren . . . erste Gehversuche machen wir, in unseren noch wachsweichen und formbaren Rollen.
Zu zweit spielen wir dann kurze Episoden zum Thema: «Einer will unbedingt etwas, was der andere unter keinen Umständen will.» «Sprengsituation» nennt Heinrich das und: «Widerstand treibt die Handlung voran,» kommentiert er. Nachdem wir die Szenen einander vorgespielt haben, schälen wir Figuren heraus, Schauplätze, mögliche Verbindungen zwischen einzelnen Szenen und langsam kristallisiert sich der Anfang des Videofilms heraus.

*Noch immer habe ich Mühe mit meiner Rolle. Inzwischen nenne ich mich Hannah O'Brian – seit Woody Allen's Film «Hannah and her sisters» hat «Hannah» für mich einen sehr feinen, warmen Klang. Die Hannah O'Brian meiner Vorstellung ist eine Intellektuelle, schreibt Geschichten und leitet die Dorfbibliothek. Nach der «Sprengsituation», die ich mit der alten Indianerin gespielt habe, wird mir klar, dass ich mich im Spiel jünger gemacht habe, als ich sein will. Diese Hannah will einfach nicht geboren werden und schon gar nicht erwachsen sein! Geduld brauche ich, Geduld mit mir selber.*

Dann steht die erste Szene: 50-Seelen-Dorf, Begräbnis des Rosshändlers, die Witwe am offenen Grab, der (inzwischen eindeutig homosexuelle) Coiffeur hält die Abdankungsrede. Alle, die sich zur Szene zugehörig fühlen, versammeln sich am Grab und nehmen mit einem «lauten Gedanken» Abschied vom Verstorbenen.

*Und siehe da, Hannah nimmt Abschied vom Rosshändler als «einem treuen Leser des lokalen Blattes.» Damit ist am Grabe des Rosshändlers meine Rolle geboren: ich bin Hannah O'Brian, die als Zeitungsschreiberin in einem kleinen Dorf lebt, einem Dorf, bevölkert mit all den seltsamen Gestalten, in die sich die anderen Gruppenmitglieder immer deutlicher und fassbarer verwandeln.*

**Intrigen**
Die Rollen beginnen sich ineinander zu verweben, zu verzahnen. Die Witwe will von der Saloonbesitzerin finanzielle Unterstützung, bekommt sie aber nicht. Sie trifft im Saloon auf den Bösewicht, der seinen Anspruch auf ihr Grundstück geltend macht – der Verstorbene habe es kurz vor seinem Tod an ihn verspielt. Nun verlangt der Böse, dass die Witwe ihr Haus bis zum anderen Mittag verlasse. Ein Kaufinteressent hat sich bereits in der Gestalt eines zwielichtigen italienischen Emigranten gefunden. Die Zeitungsfrau bringt das herzlose Ultimatum ins «Blatt». Aufruhr im Dorf, Lynchstimmung an einer ausserordentlichen Gemeindeversammlung. Man will dem Bösewicht das Handwerk legen.

*Die Ereignisse scheinen sich zu überstürzen. Nachdem die Begräbnisszene gedreht ist, werden die Saloonszene und die Dorfversammlung besprochen, die Dreharbeiten auf den nächsten Morgen, den dritten Arbeitstag angesetzt. Spätabends sitze ich am Tisch und bastle an meiner «Intrige», dem Zeitungsartikel, der den Dorfaufruhr auslösen soll. Vorsichtig formuliere ich, wende mich gegen den herzlosen Umgang mit Witwen, schreibe von «ortsunüblichem Vorgehen», das Ruhe und Ordnung in Frage stelle, fordere Frauen auf zusammenzustehen, für ihre Rechte zu kämpfen, ermahne auch Männer, sich für rechtmässige Abwicklung von Liegenschaftsgeschäften einzusetzen. Vorsichtig suche ich die Worte zusammen, denn ich will nicht kurz nach Erscheinen des Morgenblattes der Rache des Bösewichts ausgeliefert sein, und als erste Theaterleiche vorzeitig enden.*
*Die Dorfversammlung am nächsten Morgen wächst sich aus zur gruppendynamischen Mammutübung. Zwar spornen wir uns gegenseitig an in unserer Entrüstung. Ein jeder weiss etwas gegen den Bösewicht vorzubringen und beteuert, dass er unschädlich gemacht werden müsse, aber jedwelcher Vorschlag über das «Wie» wird von irgendeinem Gruppenmitglied entkräftet, verrissen, zunichte gemacht. Die Bürgermeisterin hat einen schweren Stand, die Sheriffa (unser weiblicher Sheriff) will nur bei einer gesetzmässigen Verhaftung mitmachen, nicht bei einem Lynchkommando, Verhandlungsvorschläge mit dem Bösewicht oder etwa der gemeinsame Erwerb des Grundstücks der Witwe werden als naiv und blauäugig abgetan, der alkoholisierte Goldgräber verlegt sich auf's Pöbeln, der Klempner erklärt sich zum vornherein zum Mitläufer und will keine Verantwortung übernehmen, der Coiffeur zieht sich zurück . . . nichts geht mehr. Weitab, am Rande der Szenerie sitzt der Bösewicht und befürchtet, das ganze Projekt werde sich in Luft auflösen und er werde niemals die Rolle des Bösen zu Ende spielen können. Dann endlich zündet eine Idee, die Idee mit der bezahlten Verführerin. Man will den Bösen – von einer Verführerin hinterhältig in ein Liebesnest gelockt – im Bett überraschen. Dafür können sich nun wirklich alle erwärmen. Nur die Sheriffa distanziert sich vom Vorhaben, denn sie befürch-*

*tet unrechtmässige Selbstjustiz. Und Hannah? Hannah ist zum Pöbel gegangen und pöbelt mit. Sie hat ihren Spass daran und gleichzeitig ein undefinierbares Unbehagen . . . sie will am Geschehen teilhaben, unbedingt. Soll sie bei der Beseitigung des Bösewichts mitagieren oder zusehen, und nachher in der Zeitung darüber schreiben? Beide Varianten sind ihr zuwider. Inzwischen durchleidet Hannah die nicht endenwollende Gemeindeversammlung und registriert beiläufig, woher die eher ungewissen, unentschlossenen Voten kommen und woher die lähmenden Kommentare: Unentschlossenheit eher bei einigen Frauen, aktive Bremsmanöver von seiten des Goldgräbers, des Klempners und des Coiffeurs.*

**Katastrophe**
Die Sheriffa hat sich von der Gemeindeversammlung abgesetzt: sie will nicht lynchen. Sie ist jetzt bereit zu einer Einzeltat und will versuchen, den Bösewicht im Alleingang festzunehmen. Von einigen Mitspielern wird sie nicht ernst genommen, ihre Absichten werden belächelt oder als selbstmörderisch abgewertet. In einer Szenenbesprechung solidarisiere ich mich mit ihr. Wir machen aus, wir wollen dem Mob zuvorkommen, den Bösewicht unschädlich machen, ohne ihn gleich umzubringen. Wir suchen Verbündete. Eine ältere, verwitwete Farmerin, die Rechtsvertreterin und die Bürgermeisterin lassen sich gewinnen. (Hat sich das nicht schon bei der Dorfversammlung angebahnt?) Eine Frauenaktion planen wir. Wir setzen uns ab von der Gruppe und besprechen uns unten am Fluss.

*Doch, bestimmt, fünf Frauen können einen Mann zu Boden drücken, auch wenn er sich aus Leibeskräften wehrt, auch wenn er stark ist und 80 Kilo wiegt, auch wenn er gewarnt ist, auch wenn er skrupellos um sich schiesst. Wir können, wir wollen, wir tun. Üben wir! Eine sechste Frau stellt sich zur Verfügung als Bösewicht. Auf Kommando stürzen wir uns auf sie, trotz unserer Röcke, Schals und Hüte . . . packen sie an Armen und Beinen, stürzen mit ihr zu Boden, ihren Revolver weg, Fesseln her! Viermal üben wir mit Ernst, mit Kraft, mit Konzentration. Wieviel Entschlossenheit es braucht, die Muskelspannung aufrecht zu erhalten, die Ängste und Bedenken zu zerstreuen, die Entschlossenheit beizubehalten, gemeinsam das Gleiche zu wollen, und . . . uns durch die Lächerlichkeit des Bildes nicht entkräften zu lassen.*

Die von der Gemeindeversammlung bezahlte Verführerin ist also bereit, den Bösen in einen Hinterhalt zu locken. Wiederum gegen Bezahlung erzählt sie ihm aber auf dem gemeinsamen Lager von den Absichten der Gemeindeversammlung. Die Saloonbesitzerin ersticht darauf die Verräterin.

Der Bösewicht aber ist gewarnt und noch immer auf freiem Fuss. Er weiss inzwischen, dass wir fünf Frauen etwas gegen ihn im Schilde führen. Er spielt mit uns die Szene «Bösewicht trifft im Saloon auf fünf Frauen», ohne vorher abzusprechen, was geschehen wird. Wir haben ihn um eine Improvisation gebeten und er lässt sich tatsächlich darauf ein. Ist er sich seiner so sicher?

*Wir erwarten ihn mit Herzklopfen im Saloon. Nah zusammen stehen wir. Sogar das Stand-Halten haben wir geübt. Er kommt herein, lächelt maliziös, zieht blitzschnell den Revolver und sagt gedehnt: «Ladies?» «Jetzt!» ruft die Sheriffa, flink und entschlossen werfen wir uns auf ihn. Der Coup gelingt. Ich erinnere mich an mein Hochgefühl. Wir Frauen liegen uns in den Armen, der Bösewicht am Boden interessiert uns im Moment nicht. Erst als er seltsam lange regungslos liegen bleibt, neige ich mich zu ihm hinunter. Haben wir ihm wehgetan? Nein, er ist nur völlig überwältigt, mit unserem plötzlichen Körpereinsatz hat er nicht gerechnet. Wir spielen die Szene nochmal, dann wird sie gefilmt, das Herzklopfen lässt nach.*
*Katastrophenstimmung bei einigen Mitgliedern der Filmgruppe, vor allem bei drei Männern. Der Bösewicht habe sich nicht wirklich gewehrt, werfen sie ihm vor. Das sei doch nicht möglich, dass diese Weiber ihn festgenommen hätten. Das sei überhaupt kein richtiger Western mehr. Und warum sie, die Männer, nicht zu einer Gemeinschaftsaktion gekommen seien, fragen sie sich. Sie fühlen sich ausgeschaltet und überrumpelt. Diese verdammten Weiber, haben die es doch gewagt, den Bann des starken, bösen Mannes zu brechen.*
*Ich fühle mich ruhig und sicher nach all dem, ich habe meine Zaghaftigkeit überwunden und mich mit einigen Frauen verschwestert. Ich geniesse die Wärme und Nähe, die ich zu den verbündeten Frauen empfinde und – zum Bösewicht. Es gibt Kämpfe, die mehr verbinden als auseinanderbringen.*
*Zugegeben, ich empfinde auch Gefühle von Triumph, allerdings kaum gegenüber dem besiegten Bösewicht, sondern gegenüber jenen drei Männern, die so verstört und wütend auf die «Frauenaktion» reagiert haben. Wenn ich über diese Triumphgefühle nachdenke, merke ich, wie tief das Denken in Kategorien von Sieg und Niederlage, Macht und Ohnmacht, Kraft und Schwachheit auch in mir steckt. Wie riesig meine Angst ist, ohnmächtig, wehrlos, unterlegen zu sein (wenn ich es nicht will, versteht sich). Vermutlich ist es genau diese Angst, die unerwartet in Macht- und Dominanzgelüste umschlagen kann, und in Triumphgefühle. Der Wilde Westen ist überall.*

**Katharsis**
Nun, da der Bösewicht gefangen ist, entsteht ein offener Konflikt zwischen «Lynchern» und «Justizlern». Die drei Männer und die Witwe des Rosshändlers versammeln sich mit Stricken vor dem Gefängnis und wollen den Bösewicht aufknüpfen. Die Bürgermeisterin, die Rechtsvertreterin, die Sheriffa, die verwitwete Farmerin und Hannah kämpfen für einen Prozess und versuchen durchzusetzen, dass juristische Regeln eingehalten werden. Während der lautstarken Auseinandersetzung auf dem Dorfplatz wird der Bösewicht im Gefängnis – mit Hilfe einer List – durch die Saloonbesitzerin erstochen oder schwer verletzt (das bleibt unklar). Hier ist der Film zu Ende.
Am letzten Arbeitstag besehen wir uns genüsslich unser Werk, formulieren gemeinsam die Fabel des Videofilms, besprechen den dramaturgischen Aufbau und beginnen mit der Suche nach eigenen, persönlichen Themen, die wir im Film symbolisiert haben, und mit der Suche nach Themen der Gesamtgruppe. Was gibt dieser Film zu reden! Gesprächsstoff für Tage . . .

*Ich bin zufrieden mit der Woche, zufrieden mit dem Videofilm, mit dieser Hannah und ihren Schwestern. Ich habe viel Spass gehabt und vieles erlebt, dass mich zum Nachdenken anregt. Eine wichtige Erfahrung ist für mich die Selbstverständlichkeit, mit der ich an eine nicht nur mannshohe, sondern haushohe, männliche Überlegenheit, bzw. weibliche Unterlegenheit bei einem körperlichen Kräftemessen glaube. Fünf Frauen müssen es sein, bis ich mich getraue, als eine von ihnen den Bösewicht zu packen. Karate- und Judokämpferinnen, Ihr werdet lachen, aber Ihr seid die Ausnahme. In der Regel glauben doch Frauen, fast jedem Mann körperlich unterlegen zu sein (ausser wenn sie sich mit dem Mute der Verzweiflung wehren müssen, vielleicht?). Umgekehrt glaubt doch jeder Mann, fast jeder Frau körperlich den Meister zeigen zu können, wenn er das möchte. Ausnahmen von dieser «Kräfte-Norm» bekommen nicht selten Schimpfnamen: Xanthippe, Mann-Weib, Schwächling, Memme. Das heisst, zur Strafe wird ihnen, sowohl den Frauen als auch den Männern, eine eindeutige, oder zumindest eine positive Geschlechtsidentität abgesprochen. Indem ich den Kampf mit meiner eigenen körperlichen Zaghaftigkeit erlebte und die ungläubigen Reaktionen bzw. das verletzte Selbstwertgefühl einiger Männer auf den körperlichen Sieg der Frauen spürte, begann ich zu ahnen, wie sehr diese «Kräfte-Norm» im sozialen Alltag wirksam sein könnte.*

Lothar Kunst

***Im Rahmen meiner Lehrtätigkeit an der Uni Frankfurt bot ich im Wintersemester 82/83 ein TZT-Seminar «nur für Männer» an. Die Zielgruppe waren Diplom-Pädagogen und Studenten der Sonder- und Heilpädagogik.* Lothar Kunst, *ein Teilnehmer, berichtet:***

# *Männersache?*

## Barfuss mit wunden Fussohlen

«Ein Mann geht seinen Weg» – steht in dummer Ignoranz gerade auf den Fahnen jener Männer, die blindlings im wuchtigen Gleichtakt ihrer schweren Knobelbecher auf scheinbar gut befestigten Alleen der Katastrophe entgegenmarschieren. Keiner dieser Männer hat sich den Weg ausgesucht, doch alle meinen, es wäre der ihre.
Ich stehe barfuss am Strassenrand und beobachte diesen Zug der Lemminge mit gemischten Gefühlen. Viel zu lange bin ich hinterhergeschlichen, habe nie Schritt halten können und will es auch nicht mehr. Es ist nicht mein Weg – er ist langweilig und gleichzeitig gefährlich, er verheisst mit das Leben und enthält es mir gleichzeitig vor. Abseits der moschen Allee ist es beschwerlicher zu gehen. Aber spitze Steine und Geröll wechseln sich ab mit warmem, weichem Sand. Die Hoffnung wächst!
Mit wunden Fussohlen erreiche ich am Dienstag morgen neben Martin etwas verspätet die TZT-Männergruppe.

**Heinrich Werthmüller**
Mein pochendes Herz signalisiert Aufregung. Zaghaft drücke ich den Klingelknopf. Niemand öffnet. Nach einem zweiten Versuch erscheint Heinrich Werthmüller und leitet uns hinein.
Ich bin überrascht. Nach Schilderungen von Frauen war das Bild eines grossen, kräftigen Mannes – eines Frauentyps – in mir entstanden, und nun steht ein eher schmächtiger, ca. Vierzigjähriger mit scharf geschnittenem Gesicht, klugen und wachen Augen und einem leicht verunglückten Zwirbelbart vor mir.
Auch meine Erwartungen oder Befürchtungen eines ungeschickt dominierenden Gruppenleiters werden durch Heinrich Werthmüllers Verhalten schnell relativiert. Ich erlebe Heinrich als sensiblen Gruppenleiter, der in der Tat – wie er es selber nennt – mit einer Gruppe in Dialog tritt und sie behutsam auf ihr Gruppenthema zusteuern lässt. Heinrich bestätigt jede Gefühlsäusserung mit seinem aufmerksamen Zuhören und Nicken, als wolle er

sagen: «Traue immer zuerst dem, was du selbst empfindest!» Ich fühle mich wohltuend von ihm angenommen. Heinricht ist jemand, den ich als Autorität anerkenne, ohne meine Kräfte an ihm messen zu müssen.
Den anderen scheint es ähnlich zu gehen, jedenfalls äussert keiner Vorbehalte gegen eine Übung oder Spielszene.

**Die Männer**
Martin, Volker, Bodo und Gerhard kenne ich seit langem – an einige Gesichter erinnere ich mich aus Seminaren –, ein paar sehe ich zum erstenmal. Zwei Extreme:
Claus, der «weiblichste» Mann der Gruppe: Lange Locken, bartlos, weite rosa Hose, weiche Züge, Claus spricht von sich, gesteht ohne Mühe Schwächen ein. Durch seine Offenheit ist er ein Träger der Gruppe. Frank ist dagegen äusserlich ein härterer Typ: Stahlblaue Augen, blonde Haare, Schnurrbart, Lederjacke. Frank spielt problemlos Männerrollen, aber er bringt sich wenig ein. Ich halte ihn für jemanden, der sein Verhalten noch nicht problematisieren und verändern will. Allerdings erkenne ich hinter den Überbetonungen seiner Männlichkeit auch andere klare Signale:
In diesen drei Tagen arbeiten wir nach «klassischer» TZT-Manier am Thema «Ich gestehe mir Schwächen zu und lasse andere daran teilhaben». Durch behutsame Einstiegsspiele, durch die «Verfremdung» der angebotenen Situationen erwacht in uns allen der Mut, uns diesem Thema immer mehr zu nähern und uns der Herausforderung zu stellen:
Hinter dieser Maskerade verbirgt sich männliches Leiden.
Wir spielen und besprechen mehrmals die Relativität von Stärke und Schwäche:
- Ist es denn nicht stark, ein Verhalten zu zeigen, da von anderen als Schwäche ausgelegt werden kann? Gehört dazu nicht ein hohes Mass persönlicher Integrität?
- Und erkennen wir nicht hochgradige persönliche Unfreiheit hinter dem Zwang des Mannes, keine Gefühle zuzulassen? Kann dieser Unfreie stark sein?

Heinrich macht den Vorschlag, unsichtbares Theater im Turm der Uni zu spielen: Weinende Männer sollen mit den Aufzügen vom 33. Stock zum Erdgeschoss hinunterfahren. Ich bin zunächst erschrocken von diesem Gedanken. Kaum eine alltägliche Situation ist unerträglicher, als das Fahren mit den Fahrstühlen im Turm: Gespräche verstummen – dichtgedrängte Einsamkeit. Der starre Blick auf die Stockwerksanzeige, auf das Flugblatt oder die Schulter des Vordermannes. Und in dieser Situation schwach sein als Mann weinen? – Die Vorstellung macht mir feuchte Hände.
Unser Meinungsbildungsprozess dauert drei Tage. Während niemand dem Vorschlag Heinrichs spontan zugestimmt hatte, sind am Freitag alle dafür, die Aktion durchzuführen.

## Tränen im Turm (5. Tag)

Vier Männer erklären sich bereit, in den Aufzügen zu weinen. Ich bin einer von ihnen.
Heinrich hält es für wichtig, die Aktion genauestens zu planen, um die Situation für die Weinenden möglichst sicher zu machen: im 33. Stock sollen die weinenden Männer in die Aufzüge steigen, einige Stockwerke tiefer ein weiterer Mann aus unserer Gruppe als Beobachter. Im Erdgeschoss wird jeder weindende Mann von einem anderen Mann in Empfang genommen, wobei der Eindruck entstehen soll, als träfen sich beide zufällig.
Auf dem Weg zum Turm ergibt sich ein dichtes und ehrliches Gespräch zwischen Volker und mir, das uns betroffen macht, fast als wollten wir uns ernsthaft zum Weinen bringen.
Die Toilette im 33. Stock dient als Garderobe. Vier Männer stehen vor den Spiegeln. Ich sehe erbärmlich verheult aus – dicke, rote, tränende Augen. Mein eigenes verweintes Gesicht fasziniert mich eigenartig. In ihm steht das Leiden, das sonst mein Herz verpanzert und mich kalt und abweisend macht. Ich versuche einige Schluchzer – sie klingen echt. Bei diesem Gesicht würde man wahrscheinlich sogar Lachen als Weinen auslegen. Wir vier sprechen kaum miteinander, jeder ist mit sich selbst beschäftigt – die Tränen laufen . . .
Ich betrete den Aufzug, stolpere an einem älteren, grau gekleideten Herrn vorbei und drücke mich schluchzend in die hintere Ecke. «Hast du irgendetwas? Kann ich etwas für dich tun?» klingen die wohlmeinenden Fragen des Herrn. Ich schüttle den Kopf und presse, ohne ihn anzusehen, ein «Nichts» zwischen den Zähnen hervor. Einige Stockwerke tiefer steigt Martin zu. Mit ihm ein weiterer grauer Herr. Er nimmt mich wahr – so berichtet Martin später – und kehrt mir sofort den Rücken zu. Der starre Blick auf die Stockwerksanzeige soll ihn retten. Einmal schaut er sichtlich irritiert über die Schulter auf den schluchzenden Mann hinten in der Ecke. Der Aufzug wird leer. Ich bin so sehr in meiner Rolle gefangen, dass ich zu spät registriere, dass wir im Erdgeschoss sind. Ich taumele auf die Tür zu und stosse gegen die beiden Flügel, die sich bereits schliessen. Die Tür öffnet sich erneut. Eine Menschentraube steht vor dem Aufzug. Keiner ist eingestiegen – sie hätten mich alleine und weinend wieder hochfahren lassen. Nun wird ein Spalier gebildet. Gerhard nimmt mich etwas zu selbstverständlich in die Arme und führt mich in den hinteren Teil des Foyers. – Ich bin nicht völlig abgeschmettert worden, sondern hatte die Möglichkeit, auf das Hilfsangebot des ersteren Herrn einzugehen.
Um Claus hat sich sogar ein Mädchen gekümmert, ihm sanft über Hals und Haar gestrichen. Über Volker dagegen hat sich ein Student lustig gemacht, sein Weinen mit einem Grinsen quittiert. Auch Rüdiger bekam keine Hilfe.

## Von Kopf . . . (2. Tag)

Nachdem einige Männer eine Szene aus dem Western «12 Uhr mittags» gespielt haben, sprechen wir über die Bedeutung, die Fernsehen und Kino für uns haben: Leinwandhelden übernehmen die Aufgaben, die wir eigentlich erledigen müssten. Sie gehen den aufrechten Gang, kämpfen gegen die Ungerechtigkeit in der Welt, beschützen die Schwachen. Sie behalten trotz aller Kränkungen den Mut, den wir bräuchten, um unseren Alltag mit geradem Rückgrat und gutem Gewissen zu bestehen. – Wir haben Stellvertreter, die uns das Handeln abnehmen, wir haben «Abnehmer», die stellvertretend für uns denken und fühlen. «Wir müssen nur auf zehn bis zwölf Namen schwören. Das ganze Leben nehmen sie uns dann ab.» So heisst es in einem Gedicht von Erich Fried.
«Man müsste mal . . ., ich würde, wenn . . ., hätte ich das bloss nicht . . ., die sollten endlich . . .» Das «Leben im Konjunktiv» – wie Heinrich es nennt – ist ein Leben im Kopf.

## . . . und Bauch (3. Tag)

Ich liege mit geschlossenen Augen nach einer Entspannungsübung auf dem Teppichboden und werde gestreichelt. Die Finger wandern geschickt mit langsam an- und abschwellendem Druck in kreisenden Bewegungen von meinen Füssen aus nach oben. Die Aussen- und Innenseite meiner Beine entlang, über das Becken, den Unterleib, immer höher. Ich geniesse es. Die Finger bewegen sich sicher, verraten keine Unruhe oder Bedenken des Akteurs. Es müssen die Finger von jemandem sein, der mich mag. In mir auftauchende Zweifel, ob es mir recht wäre, von jedem Mann aus der Gruppe gestreichelt zu werden, bleiben schwach. Als die Finger beim Kopf angelangt sind, behutsam über Schläfen und Wangen streichen, werde ich unruhig. Die Nähe ist mir unheimlich, ich muss tief atmen. Die sensiblen Finger bemerken es, eine Hand wandert auf meinen Bauch und verharrt dort. Ihre Wärme strömt in mein Sonnengeflecht. Ich werde wieder ruhig. Als ich die Augen öffne, kniet Rüdiger vor mir. Wir lachen uns an.

## Was bleibt?

Am Abend nach Schluss der Männertheatergruppe rasierte ich meinen Bart ab. Ich konnte mich wieder zu meinen weichen Seiten bekennen. Ganz aufgebrochen bin ich nicht – das Weinen habe ich nicht wiedergefunden wenngleich mir seit der Theatergruppe häufiger als vorher Tränen in den Augen stehen. Es war meine bisher beste Gruppenerfahrung. Ich habe gemerkt, dass ich eine Gruppe aktiv mitgestalten, sogar vorantreiben kann, und das alleine mit meiner Person – ohne besonderes Können oder Wissen. Es machte mir keine Mühe, mich mitzuteilen. Weder im Spielen noch im Sprechen.

Doris Knödler-Bunte
Gisela Kreie

***Gute Gruppenleiter wollen wissen, was bei ihren Teilnehmern läuft. Wer als Teilnehmer oder Teilnehmerin in einer Gruppe mitmacht, möchte gewiss auch manchmal wissen, was denn «so bei der Leitung läuft.»*** **Dr. Gisela Kreie,** ***selber ausgebildete TZT-Leiterin, befragte dazu*** **Doris Knödler-Bunte,** ***Lehrerin und TZT-Leiterin in Frankfurt. Das Gespräch erlaubt einen interessanten***

# *Blick in die Kulissen*

**G:** Seit wann bist Du TZT-Leiterin?
**D:** *1984 habe ich den Abschluss gemacht und das Zertifikat als TZT-Leiterin erhalten.*
**G:** Und wie bist Du dazu gekommen, diese TZT-Leiterinnen-Ausbildung zu machen? Wie war der Entscheidungsprozess, kannst Du dazu etwas sagen?
**D:** *Ich wollte zu meiner Gesprächstherapie-Ausbildung gern noch etwas anderes haben, was mehr mit dem Körper zu tun hat. Ich habe daraufhin nach anderen Formen gesucht, Psychodrama und Gestalt ausprobiert und bin in dem Zusammenhang auf TZT gestossen, auf ein Seminar, das Heinrich Werthmüller im Rahmen der Uni angeboten hat. Ich fand diese Tage so faszinierend und habe in der einen Woche so viel über mich erfahren, viel mehr als bei Psychodrama und bei Gestalt, dass ich mich – da kurz darauf eine Ausbildungsgruppe begann – sofort dafür angemeldet habe.*
**G:** Du hast gesagt, dass Du dich mit verschiedenen Methoden vorher vertraut gemacht hast. Kannst Du zusammenfassen, was letztlich der Grund war, Dich für das TZT zu entscheiden?
**D:** *Neben dem beruflichen Ergänzungsaspekt gab es noch einen persönlichen Punkt. Im Rahmen einer Frauengruppe wurde deutlich, dass ich bei einem Spiel, in dem es darum ging, Aufgaben verbal, künstlerisch oder körperlich zu lösen, am liebsten die verbale Möglichkeit wählte und mich am unsichersten bei der körperbezogenen fühlte, und dies trotz früher intensiver Sport-, Ballett- und Reiterfahrungen. Nach diesem Erlebnis suchte ich nach einer Möglichkeit, diesen Schwachpunkt anzugehen. Und die habe ich im TZT gefunden.*
**G:** Mehr als in anderen Bereichen?
**D:** *Ja.*
**G:** Wenn Du zurückdenkst an die Ausbildung, was waren die bedeutendsten Phasen für Dich?
**D:** *Also erstmal fand ich die Ausbildung hart.*
**G:** Das kann ja auch bedeutend sein.

**D:** *Ich fand sie hart und bedeutend, weil ich mir diesen Bereich ausgesucht hatte, der mir ganz offensichtlich schwer gefallen war, und weil ich lange Zeit fürchterliche Angst vorm Spielen hatte, Angst, mich körperlich zu exponieren.*
**G:** Wann war der Durchbruch für Dich, dass Du nicht mehr diese Angst hattest?
**D:** *In der zweiten Hälfte des zweiten Jahres, als parallel zur Ausbildung die TZT-Arbeit in eigenen Gruppen eine Rolle spielte und die Supervision begann. Dadurch habe ich mich mehr beteiligt gefühlt, nicht nur als Lernende, sondern auch als Eingreifende und Erkennende. Indem ich selbst Seminare zu planen und Blöcke aufzubauen hatte, konnte ich Schwierigkeiten eher wahrnehmen und TZT-Aufbau besser begreifen.*
**G:** Kann es auch so gewesen sein, dass Du gemerkt hast, wie wichtig diese Selbsterfahrung im Spiel ist, um aufbauen zu können und um nachempfinden zu können, wie es den Teilnehmerinnen und Teilnehmern geht?
**D:** *Erst wenn ich diese Selbsterfahrung gemacht habe und immer wieder mache, kann ich nachvollziehen, was bei den Teilnehmerinnen und Teilnehmern jeweils passiert, was an Ängsten existiert und an Bedenken.*
**G:** Vielleicht auch zu spüren, was Positives im Spiel ist? Ich denke an die andere Seite: Was kann es Befreiendes haben, wenn ich spiele? Hast Du so befreiende Erlebnisse auch gehabt?
**D:** *Ja. Als ich im Spiel von einer Medizinstudentin zur Hexe wurde oder werden wollte und das eine Woche lang mir nicht gelungen ist. Erst ganz am Ende der Woche kam endlich der grosse Durchbruch und ich wirklich in Kontakt mit meiner Aggression und Wut, also mit meinen negativen Seiten. Es war für mich etwas ganz Bedeutendes, diese jetzt mehr zu sehen, zu kennen und somit auch anders damit umgehen zu können: Klarer, bewusster, begriffener.*
**G:** Das bezieht sich jetzt auf die sogenannte Selbsterfahrung. Es geht in einer Ausbildung ja auch um «Handwerkszeug». Kannst Du Dich da vielleicht an bedeutende Dinge erinnern? Wo Du so das Gefühl hattest «Ah ja, jetzt habe ich was gelernt» oder «Das kann wichtig sein»?
**D:** *Ich fand zum Beispiel ganz wichtig, zu erfahren und mir bewusst zu machen, dass bei allen bedeutenden Bereichen im Leben Einstiege eine wichtige Rolle spielen und auch Ausstiege. Sei es beim Essen (Vorspeise, Nachtisch) oder im Gottesdienst, aber auch in der Schule in der Arbeit mit Kindern oder sonst in der Arbeit mit Erwachsenen. Es ist mir klar und bewusst geworden, dass ich alles behutsam angehen und einführen muss. Und auch wieder herausführen muss, wenn es gut gelungen und abgerundet sein soll.*
**G:** Also so, dass Du die Bedeutung von Einstiegsspielen und Ausstiegsspielen, die im TZT eine grosse Rolle spielen, für Dich neu kennengelernt hast?
**D:** *Ja, genau, einen grösseren Bezug zur Realität dadurch bekommen habe.*
**G:** Hat sich durch die TZT-Erfahrung Dein Verhalten in Deinen beruflichen Zusammenhängen verändert?

**D:** *Es hat sich sehr stark bei mir ausgewirkt in der Arbeit mit Erwachsenen. So vom Theoretisieren, von Geistesakrobatik ein Stück wegzurücken und neu zu entdecken, wie wichtig die zwei anderen Bestandteile sind, Körper und Gefühl. Und so habe ich selbst immer grössere Probleme bekommen, in Seminaren, in denen ich Teilnehmerin war, nur zu sitzen und zu konsumieren.*
*Auch meine Arbeit in der Schule mit den Kindern und deren Eltern hat sich verändert. Denn TZT bedeutet: «Menschlich lernen». Das heisst für mich in der Schule kindgerechter, also spielerisch, sensibel, kommunikativ und «handgreiflich». Zum Beispiel fällt es Erstklässlern in der Regel viel schwerer, die Subtraktion zu erlernen als die Addition. Wenn sie durch Spiele, Szenen und Gespräche das dahinter verborgene Thema des «Nicht-weggeben-Wollens» angehen können, fällt ihnen diese Rechenart leichter. Auch in der Elternarbeit hat TZT seine Bedeutung bekommen. Es bewirkt eine offenere und freiere Kommunikation untereinander.*
**G:** Du hast in einer späteren Phase der TZT-Entwicklung Deine Ausbildung gemacht als ich. Hast Du auch die Leiterinnenrolle reflektiert während dieser Zeit? Kannst Du Dich daran erinnern?
**D:** *Ja, ich kann mich besonders an ein Wochenende erinnern, als es darum ging, unsere Rolle als TZT-Leiter/in zu reflektieren. Wir haben in TZT-Form verschiedene Aspekte erarbeitet, zum Beispiel die Frage der Verantwortung und Sensibilität, das Problem der «Verweigerung» einzelner Teilnehmer/innen und die Frage der Macht.*
**G:** Inzwischen hast Du schon lange eigene Erfahrung im Leiten von TZT-Gruppen. Was sind Deiner Einschätzung nach besonders typische Merkmale der Leitung im TZT?
**D:** *Ich weiss nicht, ob ich von den typischen Merkmalen sprechen kann. Ich kann eher sagen, was mir wichtig ist. Wichtig ist für mich zunächst, dass es mir Spass macht. Wenn mir selbst etwas Spass macht, kann ich es auch viel überzeugender vermitteln. Und zum anderen, dass ich mich sicher fühle. Ich habe inzwischen so viel Erfahrung, dass ich nicht befürchten muss, ich wüsste an irgendeiner Stelle nicht weiter. Und schliesslich will ich nicht irgend etwas machen mit den Teilnehmerinnen und Teilnehmern, sondern es geht mir wirklich um sie, um ihre Erfahrungen, um ihr Erleben. Ich möchte sie verantwortlich ein Stück begleiten bei ihren Erlebnissen, Erfahrungen und ihren Entwicklungen. Denn in einem Seminar, das die Person als Ganzes anspricht, geht es um mehr als intellektuelle Prozesse.*
**G:** Ich will die Frage nach den typischen Merkmalen nochmal anders stellen. Du hast vorher schon mit Gruppen gearbeitet. Was hat sich denn jetzt geändert durch das TZT? Die Dinge, die Du jetzt gesagt hast, gelten meiner Meinung nach im Grunde für andere Gruppenverfahren auch, sind allgemeine Voraussetzungen für das Leiten.

**D:** *Sie sind mir hier vielleicht noch bewusster geworden, gerade weil es im TZT nicht nur um Intellektuelles geht; ich initiiere hier ganzheitlich, was die Person mehr ergreift, auch betrifft. Das Erleben und Erfahren ist so vielfältig durch die breite Palette von Spielanlagen, dass ich das Gefühl habe, besonders behutsam sein zu müssen. Ausserdem geht es auch darum, genau zu beachten, welches Thema sich in der Gruppe entwickelt, um darauf wieder aufbauen und weiterarbeiten zu können. Also nicht über die Personen hinweg, sondern jeweils mit den Personen.*

**G:** Ist für Dich die TZT-Leiterrolle sehr zentral, sehr dominant, oder wie schätzt Du das ein?

**D:** *Ich habe sie von Anfang an als sehr zentral empfunden und habe selbst auch eine sehr zentrale Rolle in den Anfangsjahren als Leiterin eingenommen. Das hat sich dann aber im Laufe der Zeit für mich auch ein wenig geändert. Zu Beginn hatte ich das Gefühl, ich müsste sehr viel diskutieren, Gesehenes müsste verbalisiert werden, müsste analysiert werden.*

**G:** War das während der Ausbildung oder nachher auch noch?

**D:** *Während der Ausbildung und auch während meiner eigenen Funktion als Leiterin. Aber das hat sich mehr dahingehend gewandelt, dass ich nicht mehr alles zu «wissen» brauche. Im Spiel ist so viel schon zu sehen. Von daher neige ich dazu, Nachbesprechungen von Szenen und anderen Spiel-Erlebnissen weniger in der gesamten Gruppe als in Kleingruppen erfolgen zu lassen. Und ich muss nicht mehr erfahren, was dort diskutiert worden ist, denn ich weiss inzwischen, dass ganz Entscheidendes besprochen, erkannt und nacherlebt wird. Sicher ist es bisweilen auch wichtig, in der Grossgruppe Aspekte des Themas, des Verlaufs oder auch aufgekommene Probleme miteinander zu besprechen. Aber das Erleben der Teilnehmerinnen und Teilnehmer spielt die grössere Rolle, die Selbsterfahrung und das Wahrnehmen der anderen. Ich sage zum Beispiel oft zu Beginn eines Seminares einer neuen Gruppe: «Nutzt die Zeit, auf Euch zu achten und Eure Körpersymptome wahrzunehmen, zum Beispiel wann Ihr Herzklopfen habt, wann Euch heiss wird, wann Eure Hände feucht werden, wann Ihr Angst habt, mit wem Ihr besonders gerne spielt oder wo es Euch Probleme macht, was Euch leicht und eher schwer fällt.» Das finde ich wichtig.*

**G:** Du legst also am Anfang nicht so sehr auf Diskussionen Wert, sondern darauf, dass die Teilnehmer sich selber mehr wahrnehmen können?

**D:** *Ja. Und in ihrem Umgang mit den anderen.*

**G:** Hast Du eine solche Entwicklung auch bei Dir gesehen? Du sagtest ja schon, wie Du dieses Zentriertsein als Leiterin verändert hast – zu verändern versuchst.

**D:** *Es bleibt natürlich zentriert, denn ich als Leiterin initiiere die einzelnen Schritte jeweils. Danach hat zwar jede Person wieder ganz grossen Freiraum, zu planen, sich auszudrücken und auszuprobieren, aber die Leiterin, der Leiter gibt erstmal den Anstoss. Erst in fortgeschrittenen Gruppen, wenn es mehr und mehr möglich ist, dass eine Kleingruppe für die andere das*

*Thema einer Szene erkennt und dann die nächste Anlage eingibt, also ein Stück der Leitung übernimmt, kann ich mich mehr und mehr herausnehmen. Ich finde es sehr schön, mit einer Gruppe einen solchen Stand zu erreichen.*

**G:** Das ist auch ein Punkt, der mir wichtig ist. Welche Unterschiede gibt es mit den Zielgruppen, die Du gehabt hast, die Du hast? Es gibt Gruppen, mit denen Du nur einmal zusammen bist, und Gruppen, mit denen Du länger arbeitest. Ich weiss, dass du Studenten hast, mit Eltern manchmal TZT machst, in Deiner Klasse es anwendest, um nur einige zu nennen. Vielleicht kannst Du zu den verschiedenen Zielgruppen etwas sagen.

**D:** *Ich kann so grosse Unterschiede bei Erwachsenen nicht feststellen. Ich erlebe immer wieder, dass die Erwachsenen, mit denen ich gearbeitet habe, eine ganz grosse Bereitschaft mitbringen, sich auf diese neuen Prozesse einzulassen.*

**G:** Keine grossen Unterschiede also zwischen Studenten, Eltern, Lehrern oder anderen aus der pädagogischen Praxis?

**D:** *Ich sehe den Unterschied eher darin, ob Leute in der Gruppe zusammentreffen, die sich nicht kennen, oder ob sie innerhalb einer Institution zusammen arbeiten. Bei ihnen sind die Vorsicht und die Angst, etwas zu zeigen, was man im Arbeitsprozess lieber draussen hält, grösser. Und es dauert bei ihnen etwas länger, offener und freier zu werden und zu merken, dass es entlastend sein kann, auch andere Sachen ein Stück zu zeigen, die man sonst eher zurückhalten möchte oder zurückgehalten hat.*

**G:** Das ist eine Erfahrung, die man ja in anderen Zusammenhängen auch hat, z.B. bei Supervisionen.

**D:** *Oder eben auch in Bereichen, wo zunächst etwas anderes erwartet wird, wie am Elternabend. Man erwartet und kennt es, auf dem Stuhl zu sitzen, zu reden und zuzuhören. Hier ist mit kleinen Schritten vorzugehen beim Einführen anderer Formen.*

**G:** Kannst Du bei Dir Vorlieben feststellen für bestimmte Gruppen? Etwa für solche, die nur einmal zusammenkommen, oder für solche, die sich mehrmals oder über einen längeren Zeitraum treffen.

**D:** *Mir macht beides viel Spass. Bei Kurzgruppen, wie an einem Wochenende, ist sehr viel Emotionalität, sehr viel Begeisterung, sich und andere anders zu erleben als sonst. Wenn Leute kurz zusammen sind, gehen sie in der Regel nachsichtiger miteinander um, heben eher Positives hervor, als dass sie sich gegenseitig kritisieren. Arbeiten Gruppen über einen längeren Zeitraum miteinander, nimmt die Dynamik zu, wird vielfältiger und realitätsgerechter.*

**G:** Was bedeutet es für die Vorbereitung, eine Gruppe zu kennen oder nicht zu kennen? Wie gehst Du überhaupt bei der Vorbereitung vor?

**D:** *Bei einer Anfangsgruppe ist das erste Thema Kennenlernen. Dann werde ich zwar je nach Gruppe andere Schritte wählen. Aber es geht im Prinzip erstmal ums Kennenlernen, während in einer Gruppe, die sich schon kennt und die mir auch bekannt ist, bald ein anderes Thema erlebt werden kann.*

*Während der Einstiege beginnt das Beobachten, das Schauen: Was ist hier in der Gruppe an Potential, was entwickelt sich als Thema? Und so geht das dann weiter in der Vorbereitung. Ich kann also nicht mit einem fertigen Konzept ein Seminar beginnen, weil die Arbeit themenzentriert ist und es darum geht, wie bei Ruth Cohn in der Themenzentrierten Interaktion einen Einklang von Einzelpersonen, Gruppe und Thema zu finden.*

**G:** Hat sich da etwas verändert in Deiner Laufbahn als TZT-Leiterin? Hast Du anfangs anders gearbeitet?

**D:** *Ich habe mir vorher viel mehr überlegt, was alles kommen könnte zu einem Thema beziehungsweise zum Stoff, um jeweils auf das Überlegte zurückgreifen zu können. Inzwischen gehe ich ruhiger in die Seminare. Was nicht heisst, dass ich nicht auch Beklemmungen und Herzklopfen habe und es immer wieder ganz spannend ist. Aber ich denke, dass das auch ein Motor ist für die Kreativität.*

**G:** So ein bisschen Herzklopfen gehört immer auch noch dazu.

**D:** *Ja, das Lampenfieber.*

**G:** Und wie ist es mit den Nachbereitungen bei Gruppen, die Du nur einmal hast, in welcher Form machst Du das?

**D:** *Zunächst bin ich ganz erfüllt von dem Erlebten. Mir stehen Situationen, Szenen, Sätze und Gespräche vor Augen. Erst nach längerer Zeit kann ich systematischer vorgehen, mich hinsetzen und mir überlegen: Wie war der Verlauf, wo ist der rote Faden, wie hat sich die Arbeit entwickelt? Hätte ich an irgendeiner Stelle etwas anders machen können? Da es immer mehrere Themen in einer Gruppe gibt, versuche ich mir nochmals darüber klar zu werden, ob ich das wichtigste Thema aufgegriffen haben, obwohl das eigentlich schon während des Seminarverlaufs deutlich wird. Seit einiger Zeit mache ich gute Erfahrungen mit einem Nachtreffen besonders bei Studenten/Studentinnen wenige Tage nach dem Seminar. Wir beginnen mit Einstiegsspielen, um an das gemeinsam Erlebte anzuknüpfen, berichten uns über die Eindrücke, die geblieben sind, und versuchen dann, den Verlauf noch einmal zu rekonstruieren. So werden den einzelnen im Nachhinein TZT-Strukturen transparenter. Bei längerfristigen Gruppen geschieht die Nachbereitung im Hinblick auf das nächste Treffen verbunden mit den Fragen: Wo stehen wir, welches Thema bietet sich für das nächste Mal an? Was aber nicht heisst, dass dieses Thema beim nächsten Treffen wirklich für die Gruppe noch relevant ist.*

**G:** Du hast ja jetzt schon viele Gruppen allein geleitet und auch zu zweit, in Kooperation zum Beispiel mit mir. Ich fände es spannend, auf Unterschiede zu schauen, die sich beim Leiten mit oder ohne Kooperationspartner/in ergeben. So unter dem Aspekt, was ist belastend und was ist erleichternd und bereichernd, wenn Du allein oder zu zweit bist?

**D:** *Ich arbeite gern mit jemandem, speziell mit Dir, zusammen. Meine Erfahrung ist, dass es besonders fruchtbar ist, wenn Ergänzungen da sind und auch ein gutes Einverständnis miteinander. Wenn diese Bedingungen er-*

*füllt sind, macht es Spass zusammen. Es gibt auch ein Stück Sicherheit und Gelassenheit, weil ich weiss, zwei Augenpaare verfolgen die Prozesse in der Gruppe. Und in jeder Pause ist die Möglichkeit, sich auszutauschen, nach dem Thema zu schauen, das sich in der Gruppe herauskristallisiert hat, und miteinander zu überlegen, wie es weitergehen könnte. Das ist ein Prozess, der sonst im Alleingang vor sich gehen muss. Dann brauche ich mich zwar mit der oder dem anderen nicht zu einigen, insofern kann es auch erleichternd sein. Aber ich finde es entlastend und auch viel kommunikativer, in den Pausen gemeinsam zu überlegen, wie es weitergehen könnte.*

**G:** Wenn sich im Gruppenprozess etwas ergibt, was nicht vorherzusehen ist, wie kreativ und flexibel kannst Du dann sein?

**D:** *Wenn ich ein gutes Einverständnis mit der Partnerin oder dem Partner habe, dann weiss ich, ich kann mir die Freiheit nehmen, jetzt meine spontane Idee einzubringen. Und genauso sicher bin ich in Bezug auf die zweite Leitungsperson und deren spontanes Verhalten. In der Regel wechseln wir uns in der Leitung ab, von Block zu Block oder auch innerhalb eines Blocks. An Diskussionen beteiligen wir uns beide. Allerdings übernimmt eine/einer die Verantwortung und setzt somit klar den Anfang und den Schluss.*

**G:** Hast Du bei Leitung in Kooperation für Dich Schwerpunkte entdeckt, gerade auch bezogen auf unsere Zusammenarbeit? Wo Du merkst, da sind Deine Stärken. Dies kann ja bei der Verteilung der Blöcke vielleicht auch eine Rolle spielen.

**D:** *Ich mache gern am Anfang die Einstiege, zum Beispiel in Form von Entspannungs- und Atemübungen, weil das für mich was ganz Zentrales ist. Dieser Übergang von dem Aussen, von dem mehr Kopfgeleiteten, Zerfahrenen, Zerfransten zum Innen, zum Aufmerksam-werden auf das Gefühl, auf den Körper. Bewusstes Atmen heisst dabei mich füllen, um so bereichert auf andere zugehen zu können. Und da das für mich etwas erlebt Entscheidendes ist, leite ich es auch gern an.*

**G:** Gibt es noch etwas, was Dir bei der Aufteilung immer wieder auffällt?

**D:** *Ideen, die ich bei der Vorbereitung eingebracht habe, besonders solche, die ich am liebsten selbst im Spiel umsetze, leite ich gern an. Ich merke auch, dass ich nach wie vor viel Spass daran habe, das Besprechen von Szenen, wenn es stattfindet, zu übernehmen. Obwohl es auch eine Phase gab, in der ich es gern Dir überlassen habe. Wie die Einstiege leite ich gern die Ausstiege an, da ich sie als etwas Wichtiges erkannt habe, als etwas, das eine Sache ausklingen lässt, abschliesst, um wieder Raum zu geben für Neues.*

**G:** Immer wieder taucht im Rahmen von kooperativer Leitung die Frage auf: Ist es sinnvoll, dass eine Leiterin mitspielt, besonders wenn zum Beispiel für Zweier-Gruppen eine Person fehlt?

**D:** *Ja, dann finde ich es sinnvoll. Weil ja immer noch diejenige, die nicht ins Spiel involviert ist, beobachten kann. Andererseits ist es in Szenen manchmal auch ganz spannend, wenn dann eine Dreier-Situation dabei ist, also eine Rolle noch zu besetzen ist, die in der Spielanlage nicht vorhanden war.*
**G:** Hast Du schon in Gruppen als Leiterin mitgespielt?
**D:** *Ja, schon öfter. Mitunter hat es die Gruppe, besonders bei Teilnehmerinnen und Teilnehmern, die in einer Institution zusammenarbeiten, einfach erwartet und gefordert, wenn wir zu zweit leiteten. Und das fand ich dann auch gut, und es hat ein Stück zusätzliche Nähe gebracht.*
**G:** Gibt es ausserhalb der Arbeit in Deinem Verhältnis zur Gruppe Unterschiede, wenn Du allein leitest und wenn Du zu zweit bist?
**D:** *Wenn ich alleine bin, begebe ich mich viel mehr in die Gruppe. Wenn wir zu zweit leiten, gibt es so viel zu berichten, zu besprechen und zu überlegen, dass mein Bedürfnis, mich in die Gruppe zu integrieren, ein Stück gemindert ist.*
**G:** Wirkt es sich Deiner Meinung nach auf die Gesamtarbeit aus, wie stark sich Leiter/innen in der Freizeit noch in die Gruppe hineinbegeben?
**D:** *Da bin ich gespalten. Ich denke, und das haben wir vor kurzem auch in einer Gruppe diskutiert, dass es zu Rollenverwirrungen kommen kann. Dort wurde meinem männlichen Mitleiter gesagt: «Auf der einen Seite bist Du Leiter, auf der anderen Seite bist Du Teilnehmer. Du bist weder das eine wirklich für uns noch das andere.» Das kann ich auch gut nachvollziehen, und von daher finde ich es in Ordnung, mich ein Stück herauszunehmen und klarer die Rolle für mich zu definieren, obwohl mitunter das Bedürfnis artikuliert wird, mich umfassender zu erleben.*
**G:** Ich gehe jetzt einmal davon aus, dass, wenn Du alleine bist und Dich vorbereitest, es auch nicht so lange dauert.
**D:** *Das kann ich nicht sagen, dass ich weniger lange brauche, weil ich es mir dann manchmal mit den Entscheidungen schwerer mache.*
**G:** Die Entscheidung kannst Du aber auch, wenn Du in einer Gruppe sitzt, mit Dir herumtragen, abwägen, treffen.
**D:** *Ich gehe oft lieber erst in die Gruppe, wenn ich meine Arbeit beendet habe, damit ich unbelastet bin. Manchmal ist der Prozess der Vorbereitung ein sehr kurzer, und manchmal tue ich mich schwer, den weiteren Schritt zu bestimmen, weil ich verschiedene Alternativen sehe. Und das sind mitunter Prozesse, die Zeit brauchen. Gerade bei Entscheidungen, die den nächsten Tag betreffen, ist es manchmal für mich gut, die Nacht noch zu haben, das Problem zu überdenken.*
**G:** Du arbeitest alleine und zu zweit. Was für eine Bedeutung hat die Parallelität? Gibt es Befruchtendes, das von der einen Leitungssituation in die andere übergeht?

**D:** *Ich finde es wichtig, mich nicht auf eine Form festzulegen, da es auch nicht meiner Realität entspricht, entweder immer nur allein oder zu zweit Gruppen zu leiten. Wenn ich allein mit einer Gruppe gearbeitet habe, ergeben sich Ideen, die ich in die Zweisamkeit reinbringen kann und umgekehrt, beides ist bereichernd.*

**G:** Würdest Du sagen, beides zu tun ist ideal?

**D:** *Ja. Und dann ist es für mich noch ganz wichtig, auch an anderen Seminaren teilzunehmen, wie z.B Feldenkrais, Thai chi, Themenzentrierte Interaktion, Transaktionsanalyse und auch Leiter- und Leiterinnen-Weiterbildungen im TZT. Weil ich da wieder Neues erlebe, was mich selbst und dadurch auch meine TZT-Seminare bereichert.*

**G:** Gibt es sonst noch Impulse, die Dich in dieser Richtung beeinflussen?

**D:** *Ja. Ein mir bedeutender Freund zum Beispiel, Wilfried Reifarth*, hat sich als Fortbildner lange mit Gruppenprozessen beschäftigt und nennt als die zentralen Faktoren: Angst, Humor, Liebe, Macht, Ordnung und Zeit. Von ihren Anfangsbuchstaben her ergibt sich daraus sein «A$^{H}$ LMOZ-Prinzip». Das H für Humor hat er hochgesetzt, weil der Humor im Gruppenprozess für ihn zentrale Bedeutung als heilsame und verbindende Grösse hat. Auch in TZT-Gruppen sind diese Faktoren von hoher Bedeutung. Sie scheinen mir geeignete Kriterien zu sein, um den Stand der Gruppe und die Ausgewogenheit des Gruppenprozesses bewusst wahrzunehmen.*

**G:** Hast Du denn auch manchmal Gruppen, die Du nicht mit TZT leitest?

**D:** *Es gibt inzwischen keine Arbeit mit Gruppen mehr, in die TZT nicht einfliesst.*

**Wilfried Reifarth:*
*Grenzüberschreitung. Zur Praxis und Theorie selbsterfahrungsbezogener Lernprozesse. Frankfurt 1988*

Menschlich lernen

***Mit TZT lehren heisst, einen Stoff so aufzubereiten, dass er für die Gruppe erlebbar ist. Dafür werden Gefässe entwickelt und eingesetzt, die durch ihre Regeln dem Lernenden einen sicheren Rahmen geben und ihn andererseits durch ihre Offenheit auch dazu einladen, sie mit dem zu füllen, wozu er in der Lage ist – und Lust hat. Alle diese Gefässe, im TZT nennen wir sie Spielanlagen, werden aus dem aktuellen Thema heraus entwickelt. Die grundsätzliche Unterteilung dieser Spielanlagen in fünf Strukturen hat einen***

# *methodisch-didaktischen Hintergrund*

Am Anfang jeder Arbeit stehen die Einbettung des Einzelnen in die Gruppe und seine Hinführung zum Thema im Mittelpunkt. Um beides zu leisten, ist es nötig, **Einstiege** zu gestalten, die jedem Gruppenmitglied die Möglichkeit geben, sich sowohl an die andern in einer Gruppe als auch an das Thema heranzutasten.

Der Begriff «herantasten» ist hier sowohl wörtlich als auch im übertragenen Sinn aufzufassen. Viele Einstiege werden körperlich gestaltet. Entspannung, sinnliche Wahrnehmung und kleine Interaktionen untereinander sind Grundelemente der Einstiegsgestaltung. Durch die Tatsache, dass sich jeder und jede ersteinmal versuchen kann, schaffen wir langsam aber sicher ein Vertrauen zu uns selber und zu den andern der Gruppe. Der Anforderungsgrad dieser Anlagen wird sich nach den vorhandenen Fähigkeiten der Gruppe richten; so holen wir die Gruppe dort ab, wo sie ist, bauen auf dem auf, was sie kann und weiss – und leiten sie dann auf dem Hintergrund ihres Selbstvertrauens zum Neuen.

Der Weg dorthin führt uns zu einer weiteren Struktur. Wir nennen sie **Situation:** Das ist eine themenzentrierte Ausgangslage zum szenischen Spiel. Ausdrücklich im Schutzraum des Spiels und der Fiktion macht sich die Gruppe an erste Anwendungen und Erprobungen der mit dem Thema verbundenen Probleme und deren Lösungen. Im Gegensatz zu den Einstiegen wird hier schon «gezeigt», was ich mit dem Thema anfange; die Szenen werden von kleinen Gruppen der ganzen Gruppe vorgespielt: Die Zuschauer (alle sind einmal Zuschauer und einmal Vorspieler) beziehen sich durch Rückmeldungen und aus eigener Betroffenheit in den Lernprozess ein. Der Schritt vom «Sein» (Einstieg) zum ausdrücklichen «Ausprobieren und Zeigen» (Situation) darf in seiner Schwierigkeit nicht unterschätzt werden und muss deshalb wohlüberlegt und behutsam getan werden.

Die Erfahrungen, die wir in fiktiven Anlagen gesammelt haben, befähigen uns, eine nächste Hürde im Lernprozess wohlvorbereitet anzugehen: die Anwendung vom Gelernten in der Realität. Die Struktur dazu nennen wir **Realie**; es sind wirklichkeitsbetreffende Aufgaben. Den Fundus dazu finden wir in unserem Alltag und in unseren Kulturtechniken.
Auch die Realien werden themenzentriert eingebracht – und auch zwischen ihnen und der vorangegangenen Situation ist wieder ein beachtenswerter Schritt vorwärts zu leisten. Deshalb muss der Boden dafür auch wieder besonders gut vorbereitet werden. Es ist nämlich eine grosse Sache, sein inneres Wissen in sichtbares Verhalten umzuwandeln! In welchem Mass das gut gelingt, wird auch vom Vertrauen abhängen, das im Einstieg und in der Situation erwachsen konnte.

Durch einen sinnvollen Aufbau vergrössert sich dieses Vertrauen allmählich, genauso wie das gesamte Können der Gruppe. Immer mehr wächst sie in den Lehrstoff hinein – und wird fähig, ihr Können nicht nur im didaktisch aufbereiteten «Regelwerk» einzusetzen, sondern vielmehr aus dem vollen Können zu schöpfen und damit zu improvisieren. Das Thema ist erst dann wirklich verarbeitet, wenn es uns gelingt, unsere neu erworbenen Fähigkeiten trotz «anderer Ausgangslage» vollumfänglich einzusetzen; so richtig virtuos in unserem Können sind wir dann, wenn wir sogar noch die eigentlichen Problemstellungen selbst erkennen können, um so zu entscheiden, mit welchem Teil unseres Könnens die erfolgsversprechendste Lösung angepeilt werden kann. Die Struktur, die dazu besonders einlädt, nennen wir **Improvisation**. Unvorhergesehenes und Unerwartetes zu bewältigen und aus verschiedenen Einzelteilen ein neues Ganzes zu komponieren ist ihre Herausforderung. Sie ist die Krönung im Umgang mit der eigenen Phantasie, mit den Ansprüchen der andern und im Umgang mit der Aufgabe. Wie die Situation wird die Improvisation im Schutzraum der Fiktion angelegt, es werden Szenen erfunden und gespielt. So kann jede und jeder der eigenen Phantasie ohne «Wenn und Aber» freien Lauf lassen. Dieser Phantasiefluss und die damit erquickten Erlebnisse tragen wiederum dazu bei, mich auszuprobieren und die Teile, bei denen ich mich wohlfühle, immer mehr in mein reales Verhalten hineinrieseln zu lassen. Bei den Aspekten, die mir eher Mühe bereiten, kann ich mich mit den Zuschauern austauschen, auch von ihrem Vorspiel zehren – und mich damit entsprechend auseinandersetzen – in dem Mass, in dem ich es will und ertrage. So wird mein Lernen verhaltenswirksam, ohne dass es mich überfordert.

Ebenso themenzentriert wie Einstieg, Situation, Realie und Improvisation ist die letzte Struktur anzulegen. Sie heisst **Ausstieg**: Loslassen und Abschied nehmen vom Thema und von den andern sind die Grundmotive des Ausstiegs. Wie beim Einstieg liegt der Schwerpunkt wiederum darin, dass alle Mitglieder der Gruppe gleichzeitig und zusammen etwas machen. Abklingende Bewegung, Entspannung, verbaler oder körperlicher Rückblick sind die Wege zum Ziel dieser Phase: dem In-Sich-Ruhn.

Die Aufreihung der Strukturen geschieht hier bewusst sehr systematisch. In der Praxis werden sie natürlich nicht einfach der Reihe nach «durchgenommen». Es sind somit keine «Kampfbahnen», über die die Gruppe gehetzt und getrietzt wird, sondern wohlabgestimmte Angebote, bei denen – bei aller Arbeit – selbstverständlich die Lust und der Spass nicht ins Hintertreffen geraten dürfen. . .

Für mich ist jede dieser Strukturen nicht mehr und nicht weniger als ein Grundton. Wie der Komponist aus der virtuosen Variation von Tönen seine Musik komponiert, komponiere ich aus den Variationen dieser Strukturen die Angebote an eine Gruppe; das gilt sowohl für den inhaltlichen Aspekt als auch für die Reihenfolge, in denen diese Töne eingesetzt werden. Bestimmend dafür ist immer die Eigenart der Gruppe und die Art der Aufgabe, mit der sie sich auseinandersetzen will.
Auf den folgenden Farbseiten finden Sie zu jeder Struktur eine Fülle von Anregungen und Beispielen, die Sie wahlweise in Ihrem Schaffen einsetzen können; dabei werden Sie immer mehr in das System hineinwachsen, Sie selber werden viele Anlagen erfinden und entwickeln. So werden Sie für Ihre Gruppe und ihr jeweiliges Anliegen massgeschneiderte Anlagen kreieren; geschöpft aus dem Thema, gestaltet durch Ihre Phantasie und erlebt von der ganzen Gruppe wird sich daraus ein «perpetuum mobile» von unendlicher Vielfalt und allseitiger Befriedigung entwickeln.

Menschlich lernen

***Wann immer ich etwas im Schilde führe oder verwirklichen will, stellt sich mir fast automatisch die Frage, ob ich es allein oder mit anderen verwirkliche. Heisst die Antwort «mit anderen», erwächst daraus die neue Frage: «mit welchen anderen?» Die Antwort darauf hängt natürlich auch von der Art meines Vorhabens ab: wenn ich bauen will, werde ich mich erstmal um einen Architekten kümmern. Davon gibt es aber einige – ich werde also versuchen herauszufinden, welcher für mein Bauvorhaben der Geeignetste ist. Ich nehme Kontakt mit ihm auf, schaue mir an, was er schon gebaut hat – und dann kommt in den meisten Fällen ein Faktor dazu, der nicht messbar, wohl aber spürbar ist; die Frage nämlich: «Kann der mit mir und ich mit ihm?» Obwohl sie nicht abschliessend beantwortet werden kann, wird sie meine Partnerwahl entscheidend beeinflussen . . .***
***Dieses Auswahlverfahren begegnet uns im Alltag häufig. Wenn ich im Sinn habe, mich für meine Gesundheit mit einem Arzt «zusammen zu tun» – er ist dann mein Partner, werde ich ebenso versuchen, einen bestimmten auszuwählen, wie ich den Bäcker auswähle, der zwar etwas weiter als ein anderer seinen Laden aufgeschlagen hat, aber für mich eben das bessere Brot und die freundlichere Bedienung hat.***
***Beispiele, die mir persönlich noch näher gehen, machen ebenfalls keine Mühe angeführt zu werden: ich wähle mir Bekannte, Freunde, meine Partnerin oder meinen Lebensgefährten; allerdings ist es ja nicht so, dass nur ich wähle, sondern oft werde ich gewählt – oder auch nicht. Schliesslich habe ich auch mit vielen Menschen zu tun, bei denen keiner von beiden «gewählt» hat: am Arbeitsplatz, in der Nachbarschaft usw. Dabei ist es zwar nicht mein Bestreben, mit möglichst «allen lieb und nett» zu sein, aber dennoch bin ich bemüht, mit ihnen auszukommen. Im sozialen Lernen erworbene Kompetenz wird mich diesen Wunsch leichter erfüllen lassen.***
***All diese Facetten des sozialen Zusmmenlebens beeinflussen unser Tun und unsere Befindlichkeit im Alltag. Genauso stellt sich deshalb auch in einer sinnvollen Arbeit mit Gruppen die Frage:***

# ***«Wer mit wem?»***

Die Antwort darauf ist brisanter als auf Anhieb vielleicht ersichtlich. Denn oftmals hängt das Gelingen oder Misslingen einer Aufgabenlösung davon ab, mit wem ich sie angehe. Meine Vorliebe für jemanden kann mich beflügeln, meine Antipathie zu jemandem kann mich hemmen – und umgekehrt. Im ersten Fall kann ich mich verleiten lassen, alles, was ansteht, nur noch mit den mir sympathischen (aus welchen Gründen auch immer) Personen

zu verrichten, im zweiten Fall weiche ich diesen Personen immer mehr aus; je grösser der Bogen wird, den ich um sie mache, desto fremder werden sie mir – und desto weniger Möglichkeit ergibt sich, mit ihnen jemals wieder in Kontakt zu gelangen. Eine Entwicklung, die in Gruppen immer mehr zu abgesonderten Untergruppen führen kann – und damit zum Verlust von vielen wertvollen Erfahrungen und Herausforderungen mit- und untereinander.
Auf eine solche Entwicklung lässt sich sinnvoll Einfluss nehmen. Die Notwendigkeit der Einflussnahme begründe ich folgendermassen: Untergruppen haben viele gute Eigenschaften, wie z.B. solidarisches Verhlaten mit denen, die dazugehören, dadurch auch Stützfunktion für Leute, die – allein auf sich gestellt – in der Gesamtgruppe untergingen, Mittragen von persönlichen «Geheimnissen» und daraus erhöhtes Verständnis für ihren Träger usw.
Altbekannt ist die Einsicht, dass jede Medaille zwei Seiten hat. Neueren Datums entspringt Watzlawicks Gedanke «über das Schlechte vom Guten». Schauen wir uns deshalb bewusst einige negativen Seiten der Untergruppe an: sie kann sich verfestigen, wird undurchlässig für neue Impulse und Erfahrungen, sie kann ihre Mitglieder gängeln – im Verhalten ebenso wie in der Meinungsbildung – sie kann unmerklich sektiererisch werden. Also «nieder mit allen Untergruppen?»
Keineswegs. Das Gute fördern und das Schlechte abbauen ist auch hier Wahlspruch für die TZT-Arbeit: wir arbeiten deshalb mit verschiedenen Gruppenbildungsstrukturen, von denen jede den Teilnehmern einmal mehr, einmal weniger Freiraum und Verantwortung einräumt oder auch – «aufbürdet.» Dadurch gelingt es, eine lebendige Durchmischung der Kontakte jedes Einzelnen mit allen andern zu fördern.

## 1. Die objektive Gruppenbildung

Wie der Name sagt, geschieht das Zusammenführen der Partner nach objektiven Kriterien, meistens sind das äusserliche Merkmale. Sie sind in der Gruppe entweder schon vorhanden (je gleichviele Teilnehmer einer Gruppe wohnen in der gleichen Stadt) – oder, was sicher viel häufiger ist, das objektiv messbare Merkmal muss den Teilnehmern erst zugeführt werden. Wie? Ganz einfach: jedes Gruppenmitglied zieht verdeckt eine Spielkarte. So viele Spielkarten, wie ich die Gruppengrösse haben will, zeigen das gleiche Bild. Alle Träger der gleichen Spielkarte kommen zusammen in eine Gruppe. Hier wird folgendes deutlich: die Teilnehmer ziehen ihre Karte verdeckt; dadurch weiss niemand, welche Karte sein Wunsch- oder Alptraumpartner hat. Wenn die Karten aufgedeckt werden, ist niemand verantwortlich für seine «Wahl»; es ist eigentlich gar keine, also ist der Wahlfreiraum auch gleich null.

Einige werden ob des Resultats dieser Lotterie enttäuscht sein, manchen ist es einerlei – und einige werden ganz glücklich sein, weil ihnen dieses Glücksspiel jemanden beschert hat, mit dem sie zwar schon lange zusammensein wollten, aber nie so recht wussten, ob dieser Wunsch auch erwidert würde ... Für sie kann die kommende Phase eine bewusste Herausforderung sein – ebenso wie für die Enttäuschten.

## 2. Die imperative Gruppenbildung

Sie ist dazu angetan, die Leitung in Frage zu stellen; sie läuft nämlich so, dass die Leiterin oder der Leiter bestimmt, wer zusammen in der Gruppe ist. Die Gründe dafür liegen auf der Hand: bestimmten Teilnehmern die Chance geben, miteinander etwas auszufechten (es ist ja nie ein Zwang) – oder auch Unerledigtes nochmal aufzunehmen usw. Natürlich werden sich einige Teilnehmer fragen, warum sie mit dieser oder jenem zusammenkommen sollen. Daraus entstehen auch Fragen an die Leitung, denn sie trägt ja die erste Verantwortung für diese gezielte Gruppenzusammensetzung. Eine gute Gelegenheit auch für die Leitung, Rückmeldungen zu den eigenen Wahrnehmungen zu geben und in Frage stellen zu lassen.
Weit harmloser – aber trotzdem noch imperativ – ist die Gruppenbildung, mit der ich in der Praxis auch öfters arbeite: sie nimmt «Gruppenkonstellationen« auf, wie sie sich darbieten: eine ganze Gruppe steht vor Beginn z.B. scheinbar unorganisiert im Raum – in angeregtem Gespräch in Untergruppen. Bei genauem Hinsehen ist durchaus eine Organisation erkennbar; hier unterhalten sich zwei über eine private Sache, da bewundert jemand den Halsschmuck eines Teilnehmers usw. Solche Zeichen nehme ich natürlich auf und «pflücke» diesen Ausdruck der inneren Beziehungen, indem ich diese Untergruppen einlade, gleich zusammenzubleiben. Vordergründig hat allerdings der Teilnehmer auch hier keine Verantwortung für seine Wahl.
Schon bei der nächsten Struktur ändert sich das:

## 3. Die spontane Gruppenbildung

Das Fremdwort «spontan» wird deutsch verschiedenartig umschrieben: «von selbst», «freiwillig» und «aus eigenem plötzlichen Antrieb». In meinem Sprachempfinden heisst spontan auch «ohne langes hin und her, ohne wenn und aber.» Ebenso gehört zu einem Spontanentscheid auch, dass er «jetzt gerade» gefällt wird. Dementsprechend gestaltet sich auch die spontane Gruppenbildung. Sie erwächst meistens aus einer Aktion heraus, bei der alle Teilnehmer in Bewegung sind und deshalb die Gesamtübersicht gar nicht vorhanden ist, sich lange zu überlegen, wer jetzt überhaupt zur Wahl

stünde und warum gerade die oder der. Der eigentliche Impuls der Leitung heisst denn auch ganz schlicht: «Ergreif (einfach) eine Partnerin oder einen Partner an der Hand.»
Aber aufgepasst: allein der Umstand, dass, wer nicht selber greift, halt ergriffen wird, macht diesen Impuls weniger harmlos, als er klingt. Wenigstens für die aktiven Greifer ist die «Verantwortungslosigkeit» für ihre Wahl vorbei . . . Allerdings – und das ist wichtig: spontane Entscheidungen unterliegen immer auch einem allgemeinen Verständnis, das besagt, dass dieser Entscheid nicht bis ins letzte Glied durchdacht und überlegt worden ist; spontan, gewählt zu haben, beinhaltet deshalb auch immer eine «Entschuldigung», falls sich die Wahl als nicht sehr glücklich herausstellen würde . . . Dadurch vermindert sich der Verantwortungsaspekt auf eine umkomplizierte, unmittelbare – eben spontane Weise.

## 4. Die komparative oder komplementäre Gruppenbildung

Zu ihrem Verstehen hilft der Volksmund: Er spricht «Gleich und gleich gesellt sich gern» ebenso gelassen aus wie «Gegensätze ziehen sich an.» Ausgangslage für diese Art der Gruppenbildung sind wiederum bestimmte Kriterien; im Gegensatz zur objektiven Gruppenbildung sind diese Kriterien jedoch viel breiter interpretierbar: ich arbeite z.B. an einer Tagung über Energieprobleme mit lauter Energiefachleuten. Die Aufgabe an die zukünftigen Untergruppen wird sein, ein (vorläufig utopisches) Szenarium bezüglich neuer Energiequellen zu entwickeln. Um die Gruppe bereits jetzt darauf einzustimmen, fordere ich die Teilnehmer auf, für sich eine bekannte Energiequelle auszudenken und allen andern mitzuteilen. Windräder, Wasserkraft, Kohle, Solarenergie, Erdöl, Erdgas, Biogas, Umweltwärme, Kernspaltung, Kernfusion usw. sind die Begriffe der Teilnehmer. Die Auffoderung, auf Grund dieser Begriffe Dreiergruppen zu bilden, wird sicher erstmal die Frage aller aufwerfen, «nach welchen Kriterien denn?» Genau hier liegt der Witz dieser Gruppenbildungsart: die Kriterien sind nicht gesetzt, nicht objektiv, sondern sie können subjektiv entwickelt – um nicht zu sagen – erfunden werden.
Ein Teilnehmer – er hat «Solarenergie» gewählt, geht auf die Trägerin der Windräder zu und sagt: «Wir passen zusammen, wir sind beide sanfte, umweltschonende Energien.» «Ja», sagt diese, «jetzt brauchen wir noch den Dritten im Bunde. Wer ist auch noch umweltschonend? Vielleicht die Frau mit dem Biogas.» Von dieser bekommen sie aber erstmal einen Korb. Sie hat sich nämlich schon lange mit Herrn «Erdgas» zusammengetan. Gas ist schliesslich Gas. Dass es nicht in erster Linie ums «Gas ist Gas» geht, ist beiden klar, und muss deshalb auch nicht explizit ausgesprochen werden.

Die zwei Gasleute schreiten munter voran: beide haben sie es auf den Kohle-Träger abgesehen; das Argument ist einfach: auch aus Kohle lässt sich Gas gewinnen. Der Kohleträger findet seine neuen Partner angenehm und akzeptiert die Begründung ohne weiteres. Die Dreiergruppe hat sich gefunden.
Die zwei mit der sanften Energie haben es schwerer: die Frau mit der Wasserkraft ist bereits in einer ganzen Gruppe (mit «Holz» und «Erdöl», nach dem Kriterium «soviel Feuer braucht dringlich auch Wasser . . .»); frei ist nur noch der «Kernspalter». «Du bist die aggressivste Energie, wir die sanfteste – kann auch spannend werden» kommt ihm Herr Solar entegen. Wohl oder übel, der Kernspalter findet das auch und ist dabei.
Wer nun glaubte, das ganze sei ein grosses Gemogel oder doch wenigstens eine Kinderei, hat wohl seine Ohren im Alltag nur selten dabei; oder haben Sie etwa noch nie erlebt, nach welch hahnebüchernen Kriterien vor einem Auto vier, fünf Leute die «Sitzordnung» verteilen. Wer sagt denn schon: ich will neben Susi sitzen (Susi steuert). Wer lange Beine hat und dort sitzen will, sagt eben, dass er lange Beine hat, die viel Platz brauchen. Wer kurze Beine hat, dem wird, wenn er hinten sitzt, eben meistens schlecht, und wäre jemand bekannt für seine gesunde Natur, so bleibt ihm immer noch die Aussage: «In so einem tollen Auto bin ich noch nie vorne mitgefahren . . .» Auch das gehört zum Leben.
Mehr als die vier vorangegangenen Gruppenbildungsarten lebt diese von der Phantasie von Kriterien und Scheinkriterien – und damit auch von der Akzeptanz dieser Kriterien durch mögliche Partner. Der eigene Anteil an der Wahlentscheidung wächst und damit die Verantwortung und der Freiraum dafür. Allerdings: letzteren gilt es auch zu nutzen.

## 5. Die subjektive Gruppenbildung

In ihr kommt zum tragen, wofür wir im Alltag nur selten Gelegenheit haben: Zeit-, Sach- und auch moralische Zwänge verhindern oft, Wahlangebote klar auszusprechen und zu begründen. Ebenso fällt es den meisten von uns schwer, jemandem ehrlich einen Korb zu geben (Termine, so viel zu tun . . . ruf doch wieder mal an . . . usw.).
Diese Art der Gruppenbildung braucht Zeit, Mut und Bewusstsein. Die Einladung dazu klingt wiederum recht harmlos: «Für unsere nächste Aufgabe braucht es Gruppen von der und der Grösse.» (Wobei sogar auch die Grösse noch weggelassen werden kann).
Wie im Alltag werden unerfahrene Gruppen diese Aufforderung blitzschnell so lösen, dass sie sich – unbewusst – mit einer der obgenannten Gruppenbildungs-Techniken behelfen: zwei, die gerade beieinander sitzen, werden spontan zugreifen, für andere, die sich «schon kennen», ist die Zusammenarbeit auch eine klare Sache, weitere wohnen in der gleichen Gegend – ein

objektiver Grund – und dann sind noch die, die übrig bleiben und halt deshalb zusammen gehen. Vor allem für die letzteren – aber nicht nur – hat diese Gruppenbildungsart, wenn sie nicht ausgetragen wird – grosse Nachteile: wer nicht schnell genug ist, bleibt «übrig», wer sich schon kennt, bleibt zusammen, dadurch kann er die Durchlässigkeit zur Gesamtgruppe «schwänzen», Erfahrungen mit verschiedensten Leuten der Gruppe gehen verloren.
Trotzdem wird sie in vielen Gruppen in Ermangelung der oben vorgeschlagenen Möglichkeiten und Ideen immer wieder angewendet. Nicht so im TZT: diese Aufforderung zur gelebten subjektiven Gruppenbildung wird erst mit der Zeit einer Gruppe vorgeschlagen, dann nämlich, wenn die Gruppe auch fähig ist zur Offenheit und zur Ausdauer, die nötig ist, um zu verhandeln; fähig auch, mit Angeboten und widerfahrener Ablehnung sensibel umzugehen, ebenso wie sich selbst anzubieten und andere abzulehnen und schliesslich zur eigenen Unzufriedenheit oder zum grossen Glück zu stehen.
Allenfalls taucht jetzt, nachdem die Strukturen durchleuchtet sind, die Frage auf, ob eine davon besonders für diese oder jene Gruppenkonstellation geeignet sei.
Grundsätzlich empfinde ich meine Strukturen als vergleichbar mit den Grundtönen einer Tonleiter. Jede Struktur hat ihren eigenen Klang. Ich habe das DO noch nie als besser empfunden als das MI. Kein Musiker wird das tun. Dementsprechend ist die eine Struktur auch nicht grundsätzlich sinnvoller als die andere. Genauso wie ein Komponist die Töne virtuos miteinander kombiniert, versuche ich in der Praxis mit diesen Strukturen so zu arbeiten, dass die Mitglieder einer Gruppe sich selber optimal zum klingen bringen können.
Damit ich das kann, muss ich mich mit der Gruppe auseinandersetzen, muss ihre internen Gruppenstrukturen wahrnehmen, muss Wünsche und Widerstände spüren und aufnehmen. Dabei setze ich selbstverständlich auch die Gruppenbildungsart nicht unabhängig von der darauffolgenden Aufgabe fest: wenn ich merke, dass sich in einer Gruppe gewisse Untergruppen sehr verfestigt haben, überlasse ich für eine aufwendige, schwierige Aufgabe die Gruppenbildung kaum dem Zufall (objektiv), sondern viel eher entscheide ich mich dann für die komparativ-komplementäre, die den Untergruppen die Möglichkeit gibt, zusammenzubleiben – oder falls erwünscht auch nicht. Bei kleinen, kürzeren Aufgaben kann genau das Gegenteil sinnvoll sein: objektiv oder sogar imperativ schaffe ich allen Teilnehmern einen neuen Zugang zu Gruppenmitgliedern, mit denen sie sonst kaum etwas zu tun haben; schon die kleinste Erfahrung untereinander ist wertvoll – mein Empfinden des Partners drückt ja nicht nur etwas über ihn, sondern auch über mich aus – und das wiederum sind ja besonders wertvolle Informationen . . .

Weitere Beispiele:

**Objektiv**

1. Jeder erhält einen Gegenstand (Jasskarte, Farbstift, Münze usf.), wobei jeder Gegenstand doppelt oder mehrfach – je nach gewünschter Gruppengrösse – vorhanden ist. Die Besitzer aller identischen Gegenstände bilden zusammen eine Gruppe (die zwei roten Farbstifte, die zwei grünen Farstifte usw.).
2. Die ganze Gruppe stellt sich in einer logischen Reihenfolge, die sich aus einem bestimmten Kriterium ergibt (z.B. Geburtsmonat, Anfangsbuchstabe des Vornamens, Buchstabenmenge des Nachnamens usw.), auf. Danach werden einfach ab Reihenanfang die zwei nebeneinander Stehenden zu einer Zweiergruppe.

Ist die Mitgliederzahl ungerade, können abwechselnd von beiden Enden her die Zweiergruppen gebildet werden. In der Mitte gibt es eine Dreiergruppe.

**Imperativ**

1. Die Leitung stellt ad hoc Gruppen zusammen: «Du, Du und Du!»
2. Die Leitung nimmt Konstellationen auf, die sich bereits abgezeichnet haben: «Wer in der Pause zusammen war, kann gleich zusammenbleiben.»

**Spontan**

1. Während alle einzeln im Raum herumgehen, läuft Musik. Sobald die Musik abklingt, versucht jeder möglichst schnell jemand andern zu berühren (mit der Hand eine andere fassen, sich mit seinem Rücken an einen andern Rücken lehnen, mit dem eigenen Knie ein anderes Knie berühren usw.). Die beiden, die miteinander Körperkontakt haben, sind in einer Zweiergruppe.
2. Eine Hälfte der Gruppe ist im Raum verteilt. Die andere Hälfte wartet einen Augenblick draussen. Sobald sie hereinkommt, gesellt sich jemand von denen, die drinnen waren zu jemandem, der von aussen kommt.
3. Auf grossem Papier an der Wand oder der Wandtafel sind soviele Kreise gezeichnet, wie Gruppen vorgesehen sind; in jeden Kreis dürfen sich soviele eintragen, wie es der gewünschten Gruppengrösse entspricht. Am Schluss sind alle Kreise mit Namen gefüllt und die Gruppen gebildet.

**Komparativ. . .**

1. Jeder sucht nach einem vorgeschlagenen Kriterium (ähnliche Augenfarbe wie Du, etwa gleich grosse Hände wie Du usw.) den entsprechenden Partner oder mehrere (je nach gewünschter Gruppengrösse) aus der Gruppe.

**. . . komplementär**

2. Jeder erdenkt sich einen Begriff aus einem bestimmten Rahmen (Speisen, Möbel, Blumen usw.). Aus den Speisen soll eine passende Mahlzeit zusammengestellt werden – Forelle, Salzkartoffeln und Zitronensorbet z.B. – aber nicht Reis, Polenta und Teigwaren. . . Mit den Möbeln lässt sich ein Zimmer sinnvoll einrichten. Je nachdem kann die Gruppengrösse festgelegt werden – oder auch nicht.

**Subjektiv**

1. Die nachfolgende Aufgabe wird skizziert und die Gruppenbildung der Gruppe überlassen. Zeitangaben zwischen zehn Minuten und einer Stunde sind empfehlenswert.
2. Jedes Gruppenmitglied stellt sich zuerst allein auf Papier seine Traumgruppe zusammen; danach wird zusammengetragen und ausgehandelt.
3. Die Gruppengrösse ist gesetzt; die Zusammenstellung der Gruppen geschieht im Plenum durch Diskussion. Als Variante: die Gruppenbildung findet nonverbal statt. . .

***In etwas Neues, Fremdes will ich nicht hineingeworfen werden. Ich will mich absichernd herantasten, will herangeführt werden, mich dazu (ver-)führen lassen. Deshalb heisst es im TZT anfänglich immer: langsam***

# *Einsteigen bitte!*

«Einstieg» heisst die erste TZT-Spielstruktur. Wir begegnen dieser Struktur täglich in unserem Leben: «Guten Tag, wie geht's?» heisst der ritualisierte Einstieg mit jemandem, dem ich dadurch signalisiere, dass ich grundsätzlich zu mehr Interaktion bereit bin. Kurzfristige Einstieg(spiele) wechseln sich ab mit langfristigen: das Ankommen zweier Menschen vor dem Traualtar hat vielleicht begonnen mit der Frage: «Wollen wir zusammen einen Kaffee trinken gehen?» Es ist nicht so wichtig, ob bei diesem Einstieg das Fernziel schon bewusst war oder nicht. Wichtig ist vielmehr, dass mich die langsame Art, mich mit jemandem oder mit etwas vertrauter zu machen, in die Lage versetzt, meinen Verhaltensfreiraum in jeder Richtung abzuschreiten – ohne mich oder mein Gegenüber dadurch völlig zu frustrieren, weil es meine Absichten falsch eingeschätzt hat. Es geht in dieser Phase also auch um ein sachtes Einpendeln der gemeinsamen Absichten. Und es geht dabei auch darum, dass sich keiner allzusehr auf die Äste hinauswagt und sich dadurch – angstbesetzt – exponiert.
Diesen Mechanismen trägt das TZT im Aufbau seiner Einstiege folgendermassen Rechnung: Einstiege sind immer so angelegt, dass alle Spieler einer Lerngruppe gleichzeitig etwas Ähnliches machen. Dadurch kann sich jeder im fremden, neuen Lehrstoff ausprobieren, ohne dass er sich ob seiner «Fehler» ausgestellt vorkommen müsste. Selbstredend geht es in dieser Phase auch nie um eine Bewertung der Aktionen des einzelnen. Vielmehr steht im Mittelpunkt, dem Spieler den Schutzraum zu bieten, in dem er einzelne und anfänglich auch einfache oder gar schon bekannte Elemente des Stoffes sinnlich und handelnd, denkend und fühlend wahrnehmen kann (vgl. Einstieg in die Division). Ebenso will der Einstieg den Lernenden dazu auffordern und ermutigen, sein Vorwissen auszudrücken, um damit den neuen Lernprozess gestärkter angehen zu können. Ausser dem ersten Kontakt zum neuen Stoff haben Einstiege noch eine wichtige Aufgabe: sie sollen helfen, eine angstabbauende Atmosphäre zwischen den einzelnen Mitgliedern der Gruppe zu schaffen. Das soziale Lernen rückt hier in den Vordergrund. Wo diese Atmosphäre fehlt, ist lebendiges Lernen unmöglich. Die Angst vor den «andern» beraubt den Lernenden seiner Möglichkeit, sich im Stoff auszuprobieren, sich von den Mitschülern befruchten zu lassen.

Um eine kooperative Atmosphäre aufzubauen ist es nötig, die Einstiege so zu wählen, dass jeder in der Gruppe «mitmachen und mitkommen kann». Dazu sind anfänglich engere Strukturen notwendig (anfänglich: «wollen wir zusammen einen Kaffee trinken?» später: «wollen wir am Wochenende etwas zusammen machen?»), während mit der Zeit diese Strukturen eine breitere Öffnung ertragen, weil die Sozialisation in der Gruppe und die Vertrautheit mit dem Stoff bereits soweit fortgeschritten sind, dass der Lernende bestimmte Entscheidungen – die offene Strukturen vermehrt notwendig machen – eigenständig treffen kann. Zuerst in Untergruppen, später sogar in der ganzen Gruppe. Diese Vorarbeit ist unbedingt zu leisten.

**Einstiege im Alltag:** Geboren werden, wachsen, antreffen, begrüssen, anschauen, wahrnehmen, ansprechen, einfühlen, anfangen, einlassen, eintreten, einrichten, ankommen, anzetteln, anrichten, Überblick verschaffen und so weiter.
Daraus geschöpft ist der TZT-Einstieg.
**Gefühl:** Einstiege im TZT lassen vertrauter werden mit neuer Umgebung und neuen Menschen, helfen Befürchtungen abbauen und Erwartungen miteinander abstimmen. Sie lassen «die Seele an den Ort nachkommen», wo der Körper schon ist.
**Körper:** Einstiege im TZT lassen den Körper sich am neuen Ort einrichten, lassen körperliche Kontakte zum neuen Ort und zu den neuen Menschen finden und bauen Energie auf, um das Neue anzupacken.
**Verstand:** Einstiege im TZT lassen Vereinbarungen erkennen (Zeit, Ziel, Weg), laden ein, andere Anwesende bewusst wahrzunehmen, lassen die Dimension der Aufgabe abstecken und den eigenen Bezug zum Thema vergegenwärtigen.

## Musikspiel E1

Wer? Alle Altersstufen
Ganze Gruppe

Wo? Gruppenraum

Wie lange? 8′

Was? Während der Spielleiter Musik laufen lässt, bewegen sich die Spieler frei im Raum. Plötzlich stoppt die Musik und die Spieler erhalten die Aufgabe, einen Gegenstand, den sie im Raum sehen, zu benennen. Zuerst rufen alle gleichzeitig, danach ruft der Spielleiter die Spieler auf und erhält vom jeweiligen Spieler Antwort. Zuletzt versuchen wir das «Nacheinander» ohne Namenaufrufen des Spielleiters. Zwischen den Spielen bewegen sich die Spieler immer wieder zur Musik.

Womit? Tonband oder Plattenspieler, rhythmische Musik

Wozu? Dieses Basisspiel soll den Spieler durch Musik und Bewegung, durch Benennen und Berühren einerseits lokkern und andrerseits Mitspieler und Raum erkunden lassen.

Beobachtungskriterien Wie bewegen sich die Spieler?
Benennen sie auch weniger naheliegende Gegenstände?
Nehmen die Spieler Kontakt zueinander auf? Welche?

## Raum ertasten E2

Wer? Alle Altersstufen
Ganze Gruppe

Wo? Gruppenraum

Wie lange? 4′

Was? Alle sind blind. Zu sanfter Musik gehen alle langsam im Raum umher. Wenn die Musik leiser wird und ganz verklingt, betasten sie Dinge im Raum: die Beschaffenheit der Mauer, den Boden, die Kälte der Glasfenster usw. Sobald die Musik einsetzt, wieder weitergehen. Noch zwei-, dreimal wiederholen. Danach die Augen öffnen und an den jeweiligen Ausgangsort zurück und versuchen, mit offenen Augen den Weg an den betasteten Gegenständen vorbei nochmal zurückzulegen.

Womit? Kassettengerät mit (für die Zielgruppe) passender Musik.

Wozu? Konzentrierte Wahrnehmung der nächsten Umgebung.

## Was klingt so? E3

Wer? Alle Altersstufen
Ganze Gruppe

Wo? Gruppenraum

Wie lange? 5′

Was? Die ganze Gruppe bildet am Boden sitzend einen Kreis. In der Mitte unter einer Decke befinden sich alle möglichen Gegenstände, mit denen sich Geräusche machen lassen: eine Schere, ein Kugelschreiber mit Minendruckknopf, ein Wecker, Papier, ein Streichholz mit Reibfläche usw.
Die Spieler schliessen die Augen, der Spielleiter geht in den Kreis und macht mit einem der Gegenstände ein Geräusch, bis jemand herausgefunden hat, welcher Gegenstand dieses Geräusch verursacht. Sobald jemand den Gegenstand bezeichnet hat, dürfen alle die Augen öffnen, den Gegenstand anschauen und betasten. Danach wieder die Augen schliessen und einen nächsten Gegenstand anhören usw. Nach einigen Dingen kann, wer den Gegenstand erkennt, selber in die Mitte und dort ein Geräusch machen. Jeder kann aber nur einmal in die Mitte gehen, allerdings bleibt er dort solange, bis ein Gegenstand, den er zu klingen bringt, erkannt wird.

Womit? Verschiedene Gebrauchsgegenstände

Wozu? Konzentriert auf etwas hören, dabei akustische Erinnerung und optische Assoziationen beleben.

## Tastspiel E4

| | |
|---|---|
| Wer? | Alle Altersstufen<br>Ganze Gruppe |
| Wo? | Schulzimmer |
| Wie lange? | 8′ |
| Was? | Die ganze Gruppe schlendert den Zimmerwänden entlang. Auf einen Impuls des Spielleiters lässt jedermann einen Gegenstand aus dem Zimmer bei sich verschwinden. Sobald alle einen Gegenstand haben, den sie vor den Kameraden versteckt halten, bilden alle auf dem Boden sitzend einen Kreis, schliessen die Augen und befühlen ihren Gegenstand. Auf ein Zeichen des Spielleiters geben alle ihren Gegenstand an ihren Kameraden rechts ab, das Ganze mit geschlossenen Augen. Ungefähr nach dem sechsten Wechsel können die Spieler am Gegenstand riechen, später ihn ans Ohr halten und «hineinhören» und mit ihm über das eigene Gesicht fahren. Sobald der eigene Gegenstand wieder bei sich ankommt, legen ihn alle in die Mitte und die Augen können geöffnet werden. Die Gegenstände werden angeschaut und danach von ihren «Besitzern» wieder an den Herkunftsort getragen. |
| Wozu? | Durch das blinde Betasten der Gegenstände ergibt sich eine neue Art der Auseinandersetzung mit verschiedensten Materialien.<br>Bei der Weitergabe der Gegenstände an den Kameraden entsteht eine erste Kontaktaufnahme durch das blinde Erfühlen der Partnerhand. |
| Beobachtungskriterien | Wer vermag sich voll auf die Gegenstände zu konzentrieren?<br>Wer blinzelt zeitweilig?<br>Wer hat Schwierigkeiten, den Gegenstand weiterzugeben? |

## Namenspiel E5

| | |
|---|---|
| Wer? | Alle Altersstufen<br>Ganze Gruppe |
| Wo? | Gruppenraum |
| Wie lange? | 7′ |
| Was? | Während der Spielleiter Musik laufen lässt, bewegen sich die Spieler frei im Raum. Plötzlich stoppt die Musik, die Spieler erhalten die Aufgabe, ihren Vornamen zu rufen. Zuerst rufen alle gleichzeitig, dann nochmal alle zusammen viel lauter, jetzt jeder einzeln seinen Namen. Danach das ganze nochmal, aber jetzt ruft jeder Spieler den Namen eines Kameraden – wieder zuerst gleichzeitig, dann nacheinander! |
| Womit? | Musik, Namensliste. |
| Wozu? | Lockerung wird durch Musik und Bewegung erreicht, durch das Namenrufen wird der Spieler einerseits auf sein «Ich» in der Gruppe, andererseits zur Bezugnahme zu seinen Spielpartnern geführt. |
| Beobachtungs-kriterien | Wie ruft jeder Spieler seinen Namen?<br>Wessen Name wird von den Mitspielern häufig genannt? |

## Geräuschwegweiser E6

| | |
|---|---|
| Wer? | Alle Altersstufen<br>Ganze Gruppe in Paaren |
| Wo? | Gruppenraum |
| Wie lange? | 5′ |
| Was? | Alle Paare sprechen sich kurz ab, dass sie ein gemeinsames Tonsignal abgeben. Danach üben alle zusammen kurz dieses Signal. Nun verteilen sich alle im ganzen Raum und schliessen die Augen. Auf «los» soll nun jeder sein Tonsignal solange abgeben, bis er seinen ehemaligen Partner wieder gefunden hat, ihn an den Händen neh- |

men kann und danach die Augen öffnet und verstummt, so dass die, welche sich bis jetzt nicht gefunden haben, es leichter haben.

Wozu? Gleichzeitig Signale empfangen und aussenden als eine Grundstruktur der Interaktion.

## Tastspiel II E7

Wer? Alle Altersstufen
Ganze Gruppe

Wo? Gruppenraum

Wie lange? 6′

Was? Auf einem Tisch sind unter einem Tuch vorerst verborgen gleich viele Gegenstände, wie Spieler in der Gruppe sind, wobei immer zwei Gegenstände identisch sind (Löffel, Bleistifte, Gummi usw.). Die Spieler bilden eine Schlange, schliessen die Augen, jetzt zieht die Schlange am Pult vorbei, jeder nimmt einen Gegenstand, befühlt ihn, die Schlange hat sich aufgelöst, nun versucht jeder seinen Partner zu finden, indem einer nach dem andern seinen Gegenstand bezeichnet, solange, bis der Partner mit demselben Gegenstand reagiert, sich die beiden finden und ihren Gegenstand gegenseitig austauschen. So können auch Zweiergruppen für die Situationen gebildet werden. Wenn alle ihren Partner gefunden haben, öffnen alle die Augen und legen ihre Gegenstände zum Tisch zurück.

Womit? Verschiedene kleine Gebrauchsgegenstände

Wozu? Die Auseinandersetzung mit dem Gegenstand ist jetzt darauf ausgerichtet, mit einem Partner zusammenzukommen, dessen «Erfahrung» mit dem Gegenstand man teilt.

Beobachtungskriterien Wer beschreibt seinen Gegenstand selber, wer lässt sich «abholen»?
Wem gelingt es nicht, seinen Partner zu finden, warum?
Nehmen die einzelnen Rücksicht aufeinander, oder versuchen sie nur möglichst schnell ihren Partner zu finden?

## Gegenstände ordnen E8

Wie lange? 7′

Was? Alle in Fünfergruppen. Jede Untergruppe erhält, nachdem sie die Augen geschlossen hält, fünf Gegenstände und die Aufgabe, diese fünf Gegenstände von links nach rechts der Grösse nach zu ordnen. Ist dies allen gelungen, öffnen wir die Augen, ordnen die Gegenstände nach Gewicht (vorher hat jede Gruppe ihre Gegenstände mit einer andern gewechselt), wobei jetzt alles stumm abgehandelt werden muss. Als dritte Möglichkeit: Ordnen der Gegenstände nach Farbhelligkeit. Dazu darf diskutiert werden.

Womit? Versch. Gegenstände: Münzen, Steinchen, Nüsse, Gummi, Schere usw.

Wozu? Erfahren der subjektiven Wahrnehmung der einzelnen Spieler.

## Gegenstände ertasten E9

Was? Unter einer grossen Decke am Boden befinden sich gleich viele Gegenstände, wie Spieler in der Gruppe sind, wobei je fünf einem bestimmten Themenkreis angehören. (Küche, Garten, Badezimmer usw. – auf der Unterstufe können Sie diese Oberbegriffe bekanntgeben, Grössere können ihn selber herausfinden.)
Jeder Spieler nimmt jetzt blind einen Gegenstand, findet heraus, worum es sich handelt und versucht jetzt die Spieler herauszufinden, die thematisch gleiche Gegenstände gezogen haben. Sobald sich die Gruppen gefunden haben, bilden sie einen Kreis und lassen die Gegenstände untereinander kreisen. Wenn alle Gruppen damit fertig sind, können die Augen geöffnet werden, und die Gruppe kann zu ihrem Themenbereich eine Improvisation besprechen (nur als Möglichkeit der Weiterführung gedacht).

Womit? Verschiedene kleine Gebrauchsgegenstände

Wozu? Die Auseinandersetzung mit dem Gegenstand erhält jetzt themenzentrierten Charakter und fordert dabei den einzelnen nicht nur zum Vergleich mit einem andern auf, sondern zu einer übergeordneteren Gemeinsamkeit, die es gilt herauszufinden.

Beobachtungskriterien Findet sich die Gruppe?
Was geschieht, wenn einer nicht dazu passt?

## Labyrinth E10

Was? Zwei Spieler werden kurz weggeschickt. Alle andern bauen – aus sich selber – im Raum ein Labyrinth mit zwei Ausgängen. Nun wird an jeden Ein(Aus)gang einer der Spieler gestellt, die draussen gewartet haben. Sie haben die Augen geschlossen und sollen versuchen, sich im Labyrinth zu treffen, dabei dürfen sie ein ausgemachtes Tonsignal verwenden, um sich gegenseitig zu orientieren.

Wozu? Wahrnehmung durch tasten und hören

## Familie Bauer E11

Was? Jeder in der Gruppe erhält vom Spielleiter einen Zettel, auf dem «Mutter», «Vater» oder «Sohn» steht. Im ganzen sollen jeweils gleich viele Mütter, Söhne usw. verteilt werden. Im Raum werden dann so viele Stühle aufgestellt, wie es «ganze Familien» (V, M, T, S) gibt. Jetzt bewegen sich alle nach einer Musik frei im Raum. Sobald die Musik vom Spielleiter unterbrochen wird, muss jeder Spieler schnellstens in eine Familie huschen, und zwar so, dass jede Familie auf einem Stuhl Platz hat. Zusätzlich kann noch die Sitzordnung vorgegeben werden (z.B. zuunterst der Vater, auf ihn die Mutter, darauf die Kinder). Nachdem beim erstenmal alle Familien sich gefunden haben, kann ein Stuhl weggenommen werden. Wer beim nächstenmal keine Familie auf dem Stuhl bilden kann, scheidet aus. Das Spiel kann solange gemacht werden, bis nur noch ein Stuhl zur Verfügung steht. (Zusatzregel: die Spieler, die Familien bilden, dürfen in der nächsten Runde als Familie nicht einfach zusammenkleben). Von der zweiten Runde ab können die Ausgeschiedenen das Musikmachen übernehmen.

Womit? Zettel, Tonband, evtl. verschiedene Instrumente aus dem Orff-Instrumentarium, aber auch selbstgemachte Rasselbüchsen usw.

Wozu? Dynamik durch die Bewegung, Körperkontakt, Reaktion und Übersicht.

## Familie Wander, Brander, Grander E12

Was? Für jeden Spieler gibt es einen Zettel, auf dem der Familienname und die «Rolle» in der Familie steht: Mutter Wander usw. Je nach dem lassen sich so 2er (Vater + Mutter« eer (V + M + ein Kind) oder grössere Gruppen bilden. Wichtig ist, dass sich alle Familiennamen reimen. Nachdem sich alle Spieler ihren Zettel, den sie niemandem gezeigt haben, gut gemerkt haben, sollen alle ihre Familie suchen, indem sie auf ein bestimmtes Zeichen des Spielleiters gleichzeitig ihren Namen so laut als möglich ausrufen. Sobald sich jemand gefunden hat, der zur selben Familie gehört, nehmen sich diese bei der Hand und suchen nach weiteren Angehörigen.
Variation: Statt den Namen zu rufen, wird er stumm dargestellt. Namen zum Darstellen: Familie Stark, Familie Schmutz, Familie Fröhlich

Womit? Namenzettel

Wozu? Wahrnehmung und Ausdruck in einer Aktion

## Verändern E13

Was? Zweiergruppen bilden. Die Partner einer Gruppe stellen sich im Raum einander gegenüber stehend auf und schauen sich gegenseitig an. Nach kurzer Zeit drehen sich beide voneinander ab und verändern drei Dinge an ihren Kleidern. Sobald alle etwas verändert haben, drehen sie sich wieder zueinander, und die jeweiligen Partner sollen mündlich beschreiben, was der andere verändert hat. Wenn alle wieder restauriert sind, schauen sich

die selben Paare nochmal an. Danach wieder verändern dreier Äusserlichkeiten. Jetzt werden die Veränderungen aber nicht mündlich erwähnt, sondern jeder Spieler legt bei seinem Partner Hand an und bringt die Veränderungen wieder in Ordnung.
Die letzte Runde: Jeder verändert nur eine Sache. Wenn sich die Partner zueinanderdrehen, sind ihre Augen geschlossen. Durch Tasten sollen sie herausfinden, was verändert wurde, und dies auch gleich wieder in Ordnung bringen.

Wozu? Beobachtung und Körperkontakt

## Taschenlampen E14

Was? Alle Spieler erhalten eine kleine Taschenlampe. Das Hauptlicht wird gelöscht. Zuerst untersucht jeder mit seiner Taschenlampe den Raum, leuchtet hier eine Ecke aus und betrachtet sich dort etwas bei Lichte genauer. Danach löschen alle ihre Lampen aus. Alle sind stumm. Jemand darf nun beginnen, Morsezeichen zu senden (Lampe aufleuchten lassen und löschen usw.), solange bis ein anderer Spieler diese Zeichen erwidert und die beiden eine Zweiergruppe bilden. Danach morst eine andere usw., bis lauter Zweiergruppen vorhanden sind. In der Zweiergruppe wird jetzt gegenseitig der Partner ausgeleuchtet, wer davon genug hat, geht als Paar zu einem andern und leuchtet sich dieses aus.

Womit? Kleine Taschenlampen

Wozu? Aktives Sehen durch Ausklammern der ganzen Umgebung

## Riechspiel E15

Was? Hinter einem aufgehängten Tuch versteckt stehen auf einem Pult fünf kleine Gefässe, in dem fünf verschiedene Essenzen sind: Essig, Kirschwasser, Kölnischwasser, Knoblauchsaft und Zitronensaft (oder andere). Der Spielleiter steht hinter diesem Tisch, ein Spieler nach dem andern kommt hinter das Tuch zum Tisch. Der Reihe nach tunkt der Spielleiter den Zeigefinger eines jeden Spielers in eines der Gefässe. Wenn alle vorbei sind, soll nun das grosse Riechen untereinander beginnen. Jeder, der einen findet, der denselben Saft am Finger hat wie er selber, muss mit diesem eine Gruppe bilden. Am Schluss des Spiels sollten, wenn alles klappt, fünf ungefähr gleich grosse Gruppen entstanden sein.

Womit? Verschiedene starkriechende Essenzen

Wozu? Der Ausspruch «Ich kann dich (nicht) riechen» wird als Aufhänger zu diesem Spiel verwendet, das über einen Geruchstoff zur Auseinandersetzung mit den jeweiligen Partnern führt.

Beobachtungskriterien Wer riecht selber viel, wer lässt sich eher beschnuppern? Gelingt es allen, sich in der Gruppe zusammenzufinden? Entstehen Diskussionen «Du hast gar nicht . . .» usw.

## Lockern E16

Was? 1 Alle verteilen sich frei im Raum und lockern ihren Rumpf und ihre Gliedmassen durch folgende Übungen:
- rechten Unterarm anwinkeln, mit linkem Handteller rechten Ellbogen stützen, mit rechter flacher Hand Achsel, Schulterblätter abklatschen (umgekehrt)
- mit rechter Faust linke Ober- und Unterarmmuskeln aktivieren (vice versa)
- 2er-Gruppen: Ein Spieler beugt Oberkörper vorn über, lässt Arme schlaff hängen; Partner klatscht Rücken ab (Wechsel).

dazwischen Hüpfübungen als Auflockerung

2 Alle gehen frei im Raum, auf ein Zeichen des Spielleiters
- nimmt ein Spieler mit einem anderen Blickkontakt auf, die beiden gehen aufeinander zu, gehen schliesslich miteinander (mit Arm und Achsel Körperkontakt)
- nimmt ein Spieler mit einem anderen Blickkontakt auf, erstarren beide in gleicher Körperhaltung (Spieler sollen sich nonverbal auf Distanz auf eine Haltung einigen), nähern sich auf ein zweites Zeichen und gehen wieder Seite an Seite.

3 Alle legen sich rücklings auf den Boden, atmen tief und geben Laute von sich (Zischlaute). Zwei Spieler (2er-Gruppen wie oben) setzen sich Rücken an Rücken, atmen tief ein und aus, stehen auf.

Wozu? Diese Übungen ativieren die Spieler, konzentrieren und lockern sie.

## Kartoffelstafette E17

Was? Die Gruppe teilen. Jede Gruppe stellt sich hintereinander auf. Der vorderste jeder Gruppe erhält einen Löffel in die Hand und darauf eine Kartoffel. Auf «los» dürfen beide ersten der Gruppen loslaufen bis zu einer ausgemachten Wendemarke, danach zur Gruppe zurück, wo der zweite den Löffel samt Kartoffel übernimmt und seinerseits losläuft usw.
Die Strecke kann durch Hindernisse usw. schwieriger und damit langsamer gemacht werden. Wenn die Kartoffel runterfällt, darf sie nur mit dem Löffel aufgenommen werden. Ausserdem muss der Löffel vom Körper abgewendet getragen werden.

Womit? Zwei kleine Löffel, zwei Kartoffeln, Äpfel oder Bananen usw.

Wozu? Körperbeherrschung auch unter dem Druck der Schnelligkeit

## Atom-Spiel E18

Was? Alle gehen im Raum umher. Jeder für sich allein. Der Spielleiter ruft eine Zahl, z.B. «zwei». Alle Spieler bilden Zweiergruppen. Danach lösen sich alle wieder auf, vom Spielleiter kommt die nächste Zahl: «vier» – jeweils vier Spieler nehmen sich an den Händen – Vierergruppen. Der Spielleiter: «Drei Ellbogen (oder Kopf, Rücken usw.)», je drei Spieler bilden eine Gruppe, indem sie sich gegenseitig den Ellbogen berühren.

Wozu? Spontane Gruppenbildung mit Körperkontakt

## Wanderreise E19

Was? In einer Reihe werden ein Stuhl weniger aufgestellt, als Spieler mitmachen, und zwar so, dass jeweils eine Stuhllehne nach rechts und eine nach links gerichtet ist. Nun geht die ganze Gruppe um diese Stuhlreihe herum auf die Reise. Dabei singt sie ein allen geläufiges Lied. Die Wanderer können in der Vorstellung schwer beladen sein. Plötzlich ruft der Spielleiter: «Pause!» Alle Spieler müssen sich nun einen Stuhl ergattern. Wer keinen mehr findet, scheidet aus. Das Spiel kann solange wiederholt werden, wie es noch Spass macht, bei jeder Runde muss ein weiterer Stuhl weggenommen werden, oder bis nur noch ein Wanderer übrigbleibt.

Womit? Gleich viele Stühle wie Spieler minus eins

Wozu? Reaktionsschnelligkeit, Aufteilung: Mitsingen und einen Platz ergattern

## Gehen E20

Was? Alle Spieler stehen im Raum. Der Spielleiter regt an: alle gehen im Raum umher, lassen die Arme locker hängen, nehmen keinen Kontakt zu andern auf. Es wird nichts gesprochen. Der Spielleiter: grössere Schritte machen, kleinere, ganz kleine, gehen in Zeitlupe, gehen wie eine Katze, hüpfen wie ein Frosch usw.

Wozu? Verschiedene Gangarten bewusst ausprobieren

## Hindernis E21

Was? Auf dem Boden haben wir eine Art Hindernisbahn eingerichtet: umgekippte Stühle, zwei Seile nebeneinander (wie eine Schiene), drei Wolldecken aufeinander, zerknüllte Zeitungen, von einem Pult zum andern gespannte Schnüre zum Übersteigen und Untendurchgehen usw. Nun gehen alle in Einerkolonne durch diese Strecke, erst ganz langsam, dann immer schneller.

Womit? s. Was?

Wozu? Durch das Gehen auf verschiedenen Unterlagen erfahren wir verschiedene Arten des Gehens und Laufens.

Beobachtungskriterien Wie intensiv setzen sich die Spieler mit den Unterlagen auseinander?
Werden alle betreten oder auch einige umgangen?
Was ändert sich bei einer Tempoverschärfung?

## Laufflächen E22

Was? Alle stehen im Raum ohne Schuhe. Nun gehen alle ganz gewöhnlich im Raum herum. Durch eine «Art Zauber» (auf der Oberstufe wahrscheinlich faulen Zauber) tragen jetzt alle schwere Skischuhe und stapfen durch hohen Schnee, tragen plötzlich hohe Stöckelschuhe, Schlittschuhe usw. Nachdem wir verschiedenes Schuhwerk ausprobiert haben, tragen wir in der Vorstellung wieder unsere eigenen Schuhe, gehen zuerst auf einer Asphaltstrasse, durch eine Wiese mit hohem Gras, über einen Bach, indem wir von Stein zu Stein springen, durch einen Sumpf usw.

Wozu? In diesem Spiel versuchen wir durch eigene Vorstellung unseren Körper zu verschiedenen Bewegungen anzuregen.

Beobachtungskriterien Wem gelingt es, das verschiedene Schuhwerk voll auszuspielen?
Wer hat Mühe, sich die verschiedenen Orte vorzustellen?
Wer hat Mühe, sich nahtlos von einer Unterlage zur andern umzustellen?

## Bewegungen E23

Was? Die Spieler bewegen sich frei im Raum zur Musik. Um die Bewegungen bewusster zu machen, benutzen sie eine Kreppapierschlange. Diese wird zuerst in der Hand gehalten, dann an verschiedenen Körperstellen festgebunden (Ellbogen, Knie usw.).
Alle bemalen symbolisch eine Wand im Raum, dann die Decke und den Boden. Dies alles mit sehr grosszügigen Pinselstrichen.

Womit?
Papierschlange

Wozu?
Bewusstes Erleben von Bewegungen

Beobachtungskriterien
Wie bewegen sich die Spieler?
Sind ihnen die Bänder eine Hilfe, oder wirken sie hemmend?
Wie wird gestrichen, gross- oder kleinräumig?

## Glieder fehlen E24

Was?
Alle bewegen sich frei im Raum. Wir versuchen, über Anweisungen die Spieler auf bestimmte Bewegungsabläufe zu konzentrieren:
Arme fallen aus Beine fallen aus. (Die Spieler bewegen sich so, als ob ihr rechtes Bein, dann ihr rechtes Bein und linker Arm «amputiert» wären.) Spieler bewegen wieder alle Gliedmassen Alle bewegen sich auf dem Rücken vorwärts und rückwärts (Extremitäten dürfen zur Fortbewegung benutzt werden). Arme werden über der Brust verschränkt Beine werden angezogen, frei bewegen.

Wozu?
Durch die Ausfälle gewisser Glieder in der Bewegung erfahren die Spieler die anderen Körperteile intensiver, üben differenziertere Bewegungen ein.

Beobachtungskriterien
Kann sich der Spieler konzentrieren (auf den Bewegungsausfall seiner Glieder)?
Ist sein Körper trotzdem gelöst und nachgiebig?
Vermag er die anderen, «gesunden» Körperteile in Bewegung zu bringen?
Ist er lockerer in der freien Bewegung?

## Spielräume E25

Was?
Die Spieler bewegen sich frei im Raum. Bei Musikunterbrechung gehen sie auf der Bahnhofstrasse
in einer Quartierstrasse
auf einem Trottoir
auf dem Weg zum Fussballstadion
in eine Zuschauerreihe des Stadions.

Die Spieler als Zuschauer reagieren auf die imaginären Spielszenen der Fussballer: Ein Spieler erhält vorher die Anweisung, die Zuschauer auf diese Spielaktionen verbal aufmerksam zu machen (Mannschaften laufen ins Stadion ein / eigene Mannschaft, Gegner im Angriff / Foulspiel / Goal der eigenen Mannschaft / Schlusspfiff). Die Zuschauer verlassen dann das Stadion.

Womit? Musik

Wozu? Sich in verschiedenen «Umwelten» breitmachen.

## Roboter E26

Was? Die ganze Gruppe steht regungslos frei im Raum. Auf einen Schlag des Spielleiters auf ein Schlaginstrument bewegt sich vorerst nur ein Bein (eine Bewegung), auf den nächsten Schlag das andere Bein, nachher die Arme, die Hände, der Kopf, später lassen wir es frei, welcher Körperteil bewegt werden soll. Anfangs folgen die einzelnen Schläge langsam aufeinander, später werden sie immer schneller und schneller.
Durch die Verwendung verschiedener Instrumente ist es möglich, der Bewegung eine andere Eigenart zu geben.

Womit? Holzlöffel auf Pfannendeckel, eine kurze, trockene Bewegung – Holzlöffel auf einen aufgehängten Gong, eine langsame, ausklingende Bewegung usw.

Wozu? Aufnehmen und Umsetzen eines äusseren Rhythmus in eigene Bewegungen.

Beobachtungskriterien: Wie werden die Bewegungen auf den Rhythmus abgestimmt?
Wem gelingt es, sogar verschiedene Instrumente bewegungsmässig umzusetzen?

## Berührungsspiel E27

Was?

Während der Spielleiter Musik laufen lässt, bewegen sich die Spieler frei im Raum. Plötzlich stoppt die Musik, die Spieler erhalten die Aufgabe, sich mit der Hand einen Fuss zu berühren, solange (10–15″), bis die Musik wieder läuft. Danach das Knie, den Bauch, den Rücken, den Kopf, die Nase usw. Zwischen jeder Berührungsphase läuft die Musik.
Im weiteren Spielverlauf berührt jeder Spieler in gleicher Weise einen Kameraden. Zuerst in Zweiergruppen, später in Dreier-, Vierer- und noch grösseren Gruppen.

Womit?

Musik

Wozu?

Die Spieler erfühlen ihren Körper und werden dadurch auf die zweite Phase, in der sie einen Spielpartner berühren, vorbereitet.

Beobachtungskriterien

Wie intensiv sind die Berührungen?
Welche Gruppenbildungen treten immer wieder auf?

## Verwirrte Schlange E28

Was?

Die ganze Gruppe bildet eine Schlange, indem sie sich an den Händen hält und die Augen schliesst. Der Spielleiter nimmt den «Kopf der Schlange» seinerseits an der Hand und führt diesen so durch den «Rest» der Schlange, dass darauf ein grosses Gewirr entsteht. Sobald die Schlange völlig verschlungen ist, dürfen alle die Augen öffnen und müssen jetzt gemeinsam versuchen, sich, ohne die Hände loszulassen, zu entwirren, bis kein einziger Knoten mehr in der Schlange sitzt.

Wozu?

Körperkontakt verbunden mit Entscheidungsprozessen

## Kreisspiel I E29

Was?

Die Gruppe steht, Augen gegen das Zentrum, in einem Kreis. Auch der Spielleiter steht in diesem Kreis. Nun macht der Spielleiter aus einer neutralen Grätschstellung heraus eine Bewegung (z.B. streckt er einen Arm her-

aus), alle Spieler machen dieselbe Bewegung, sobald alle Spieler in dieser Stellung sind, kommt die nächste Bewegung, am Anfang eher langsam, dann etwas schneller, grosse Bewegungen, kleine – kaum sichtbare Bewegungen. Nach dieser ersten Runde darf ein Spieler aus dem Kreis die Bewegungsimpulse geben.
Später können gleichzeitig zwei Spieler, die aber immer noch bestimmt sind, als Impulsgeber wirken.
In einer letzten Phase wird der Impulsgeber nicht mehr bestimmt, sondern jeder, der im Kreis steht, kann eine Bewegung, die von den andern «abgenommen» werden soll, beisteuern.

Wozu? In der ersten Phase des Spiels beschränkt sich die Aktion der Spieler auf das möglichst genaue Kopieren einer Bewegung, die über die Augen wahrgenommen, mit dem eigenen Körper umgesetzt werden soll, in der letzten Phase (Impulsgeber nicht bestimmt) wird zusätzlich grosse Aufmerksamkeit betreffend die «Dinge, die um einen herum ablaufen», verlangt.

Beobachtungskriterien: Wer hat Mühe, zu kopieren?
Wer bringt Impulse in die Gruppe?

## Blindenspiel E30

Was? Nachdem Vierergruppen gebildet sind, wählt jede Gruppe einen «Lokführer», der sich an die Spitze der Eisenbahn (Schlange) stellt. Die drei andern fassen jeweils ihren Vordermann um den Leib und schliessen die Augen. Jetzt führt der Vorderste die ganze Gruppe langsam im Raum herum. Nach einer Runde kann ein anderer die Gruppe führen usw.

Wozu? Durch die Tatsache, dass die «Blinden» dem Führer mehr oder weniger ausgeliefert sind, entsteht rückwirkend für den Führer die Situation, dass er Verantwortung für die drei anderen zu tragen hat und diese auch übernimmt.

| | |
|---|---|
| Beobachtungskriterien | Können sich die Gruppen schnell auf einen ersten Führer einigen?<br>Wird während des Rundgangs viel geblinzelt?<br>Wie erfüllen die jeweiligen Führer ihre Aufgabe?<br>Wird viel gesprochen, gelacht? |

## Ballonspiel E31

**Was?**
Jeder Spieler erhält einen Ballon, den er aufbläst und danach zuschnürt. Wenn alle soweit sind, stupsen alle den Ballon mit der offenen Hand in die Luft und versuchen ihn wieder aufzufangen. Danach versuchen es alle mit dem Ellbogen und weiter mit den verschiedensten Körperteilen.
In Zweiergruppen darf ein Ballon zum Platzen gebracht werden, mit dem andern spielen alle wie vorher: ein Spieler stupst den Ballon seinem Partner zu, dieser fängt ihn auf, spielt ihn zurück usw., wieder mit verschiedenen Körperteilen.

**Womit?**
Ballone, auf der Unterstufe Schnüre zum Zubinden.

**Wozu?**
In diesem Basisspiel setzt sich der Spieler intensiv mit einem Ding aus seiner Umwelt auseinander. Der Ballon spielt mit und löst Reaktionen aus. Das Spiel verlangt Konzentration und subtiles Einfühlen in die andern der Gruppe.

**Beobachtungskriterien**
Wer hat Mühe, sich über längere Zeit zu konzentrieren?
Wird der ganze Körper ins Spiel einbezogen oder bleiben die Bewegungen auf die jeweilig bezeichneten Körperteile beschränkt?

## Ballonspiel II E32

**Was?**
Die Gruppe teilt sich in Dreiergruppen auf. Jede Gruppe erhält einen Ballon. In der Gruppe wird entschieden, ob einer den Ballon aufbläst oder ob sich jedes Gruppenmitglied abwechslungsweise am Aufblasen beteiligt. Einmal aufgeblasen und verschnürt, wird der Ballon von der Gruppe durch Blasen möglichst lange in der Luft gehalten. Nachdem jede Gruppe einigermassen eingespielt ist,

darf sie sich nach Absprache mit den andern Gruppen mit Kreide ein Feld auf den Boden zeichnen. Jedesmal, wenn ein Spieler über den Spielfeldrand tritt, muss der Ballon aufgefangen werden. (Das Spiel kann mit Zeitmessung auch wettbewerbsmässig durchgeführt werden: eine Gruppe spielt, die andern schauen, ob der Feldrand überschritten wird.)

Womit? Ballons

Wozu? Erstmals werden eigentliche Gruppenentscheide getroffen.
Je besser die Zusammenarbeit, desto befriedigender fällt für alle das Resultat aus.

Beobachtungskriterien Von wem wird der Ballon aufgeblasen?
Wie spielt die Gruppe zusammen?
Wie werden die Felder abgesteckt?

## Dosenspiel E33

Was? Die ganze Gruppe in drei Untergruppen aufteilen. Jede Gruppe erhält drei Dosen. Nachdem sich jede Gruppe hinter der Startlinie gesammelt hat, dürfen die ersten jeder Gruppe auf die kleine Rundstrecke, aber: die Füsse dürfen jeweils nur auf die Dosen gestellt werden. Sobald ein Spieler zurück ist, darf der nächste auf die Reise. Fällt ein Spieler von der Dose, muss er wieder am Start anfangen.

Womit? Drei grössere Dosen oder, einfacher für die Spieler: drei kleinere Eimer

Wozu? Geschicklichkeit, Gleichgewicht in rascher Bewegung

## Leintuchspiel E34

Was? Die Spieler bewegen sich nach einer Musik. Sobald die Musik aufhört, gibt der Spielleiter Leintücher ab (eines für ca. 10 Spieler), auf ein neues Zeichen hin legen sich alle Kinder auf ein Leintuch. Kein Körperteil darf daneben sein. Nachher wiederholen wir das Spiel: die Musik hört auf, alle stürzen sich auf das Tuch, aber alles geschieht völlig wortlos. Später noch eine Wiederholung, nur wird der Weg zum Tuch jetzt erschwert: er ist vereist, es ist Sumpfgelände oder sogar ein Balancierseil.

Womit? Bettlaken, Musik

Wozu? Körperliche Kontaktaufnahme als Einzelerfahrung und Gruppenbewusstsein durch gemeinsame Aktion

Beobachtungskriterien
Wer nimmt Rücksicht auf den Kameraden?
Wer wird aggressiv?
Wer fühlt sich wohl bzw. nicht wohl beim Körperkontakt?
Wer spricht, warum?
Welche Gruppen bilden sich?

## Leintuchspiel II E35

Was? Die Spieler bewegen sich nach einer Musik. Sobald die Musik aufhört, wirft der Spielleiter Leintücher in den Raum (eines für ca. 10 Spieler), blitzschnell sollen alle Spieler unter einem der Tücher verschwinden, kein Körperteil darf hervorschauen. Alles ohne Worte. Jetzt bewegt sich die Gruppe unter dem Tuch langsam kriechend, bis sie an eine Wand anstösst, selbstverständlich alles, ohne unter dem Tuch hervorzugucken. Am Anfang darf die Richtung verbal festgelegt werden. Später fühlt jeder, wohin die Gruppe will.

Womit? Bettlaken

Wozu? Körperliche Kontaktaufnahmemöglichkeit. Körperliche Sensibilisierung auf die Absichten der Mitspieler.

Beobachtungskriterien
Wie einigt sich die Gruppe auf eine Richtung?
Wie wird der Weg zurückgelegt?

## Leintuchspiel III E36

Was? Die ganze Gruppe teilt sich auf in Zweiergruppen. Alle Spieler bewegen sich nach einer Musik. Sobald die Musik aufhört, erhält jede Gruppe ein numeriertes Tuch. Immer zwei Tücher haben die gleiche Nummer. Alle Paare verschwinden unter dem Tuch und haben sich vorher ihre Nummer gemerkt. Jetzt ruft der Spielleiter eine der Tuchnummern auf: alle andern Gruppen sind ruhig und stehen still. Durch ein bestimmtes Geräusch machen sich die beiden Gruppen gegenseitig bemerkbar, solange, bis sie sich getroffen haben und fusionieren. Später können aus diesen Vierergruppen Achter- und grössere Gruppen gebaut werden.

Womit? Numerierte Tücher

Wozu? Körperliche Kontaktaufnahme, durch die Zweiergruppe verringert sich der Anonymaspekt.

Beobachtungskriterien
Welche Gruppen werden gebildet?
Lässt sich eine Gruppe nur suchen, oder ist sie selbst sehr aktiv?
Wie gestaltet sich die Begegnung?

## Katzen E37

Was? Alle sind schlafende Katzen. Sie erwachen und strecken sich nach Katzenart. Dann schleichen sie wie Katzen herum, bis sie vor ein Mausloch kommen, gespannt warten und nach kurzer Zeit auf die imaginäre Maus springen.

Wozu? In diesem Spiel wird versucht, sich bewegungsmässig in ein anderes Wesen einzufühlen und dies umzusetzen.

Beobachtungskriterien
Wie intensiv sind die Bewegungen?
Wie hoch ist die Konzentration vor dem Sprung?
Erwischen alle eine Maus?

## Hunde E38

Was? Alle sind schlafende Hunde, plötzlich riechen sie einen Fremden, erwachen und beginnen zu bellen, zerren an der Kette, bis sie erschöpft sind.

Wozu? In diesem Spiel kommt zur Identifikation mit einem Hund auch noch die Vorstellung einer Gegenkraft (die Kette). Ebenso wird der akustische Ausdruck ermöglicht.

Beobachtungskriterien
Wie stark ist die Identifikation?
Wie klappt die Vorstellung der Kette?
Haben sie sich einen Fremden genauer vorgestellt?
Reisst eine Kette?

## Spielräume II E39

Was? Alle Spieler laufen hastig im Raum herum, ohne die anderen wahrzunehmen, sie befinden sich in einem Warenhaus und suchen sich einige Weihnachtsgeschenke zusammen. Plötzlich treffen sich alle bei einer Sonderangebotskiste, einer Wühltruhe. Alle wühlen, streiten, suchen. Dann gehen wieder alle im Raum umher, die Einkäufe sind erledigt, die Leute werden ruhiger und beginnen sich nun genauer wahrzunehmen, sie betrachten den Raum und auch die Leute, die an ihnen vorbeigehen. Der Spielleiter fordert die Spieler auf, die folgenden Sprichworte wörtlich zu nehmen:
jemanden an der Nase herumführen
jemandem die kalte Schulter zeigen
jemandem den Kopf waschen
jemanden auf den Arm nehmen
jemandem den Mund stopfen usw.
Nun gehen wieder alle frei im Raum umher. Wenn man nun an jemandem vorbeikommt, berührt man sich an einer ganz üblichen Stelle, später an einer eher unüblichen Stelle. Dann versuchen, das ganze Spiel in Zeitlupe zu spielen, dann wieder ganz schnell, je nach Anweisung des Spielleiters.

Wozu? Situation vorstellen

## Gangart E40

Was?

a) Zettel verteilen: schleichen, stampfen, hüpfen, hinken, kriechen, tanzen, rennen, spazieren, galoppieren.
b) Alle bewegen sich gleichzeitig in ihrer Gangart durch den Raum.
c) Jeder Spieler bewegt sich einzeln in der Art, wie es auf seinem Zettel gefordert ist, quer durch den Raum. Der Spielleiter gibt ein akustisches Zeichen für Anfang und Ende. Die andern erraten das, WAS auf seinem Zettel steht.

Womit?

Zettel

Wozu?

Differenzierte Bewegungen ausführen. Der Spieler muss sich in einen gegebenen Begriff hineindenken.
Wieweit gelingt den einzelnen die genaue Ausführung resp. das Erkennen der Gangart?

## Missgeschick E41

Was?

a) An verschiedenen Stellen im Raum sind Zettel angeheftet, die ein Unglück resp. Missgeschick beschreiben (z.B. Portemonnaie verloren, Schuhbändel zerrissen, Velopneu platt usw.). Wer bei einem Zettel vorbeikommt, liest dessen Inhalt und beginnt entsprechend zu schimpfen.
b) Auf ein Zeichen jemandem begegnen und sich bei ihm über die Missgeschicke zu beklagen.
c) Wut durch entsprechende Gangart ausdrücken, auf ein Zeichen schimpfen alle gemeinsam.

Womit?

Zettel

Wozu?

Sich eine Situation vorstellen und die entsprechende Stimmung herbeizuführen versuchen.

## Was war's? E42

Was?

Im Kreis sitzend mit geschlossenen Augen wählt sich jeder eines der Missgeschicke, die er vorher gelesen hat, aus und stellt dieses nachher ohne Worte der Gruppe dar, diese errät.

Wozu?

Das Wegfallen der Worte bedingt genaue Bewegungsabläufe. Fantasievolles Darstellen einer Situation.

## Tierscharade E43

Was?

Jeder Spieler zieht eine Karte, auf der ein Tier aufgeführt ist (schriftlich oder zeichnerisch), wobei immer zwei Spieler (oder mehr) dasselbe Tier auf ihrer Karte haben. Alle gleichzeitig beginnen nun, Bewegungen des Tieres nachzuahmen, solange bis jedes Tier seinen Partner gefunden hat. Danach geht ein erstes Paar als Tiere durch den Raum, die andern schauen zu und erkennen, welche Tiere es sind. Danach ein anderes Paar usw.
Nachher verteilen wir die Karten neu. Jetzt macht jeder die Laute, die das Tier, das er gezogen hat, macht, und sucht sich in dieser «Tiermusik» seinen Partner.

Womit?

Tierkarten

Wozu?

Eine Gestalt ausdrücken und gleichzeitig den andern wahrnehmen.

## Redewendungen E44

Was?

In Zweiergruppen sollen Redewendungen zu einem bestimmten Thema dargestellt werden: z.B. Oberbegriff Hände
von der Hand in den Mund leben
die Hände in Unschuld waschen
eine Hand wäscht die andere
die linke (Hand) weiss nicht, was die rechte (H.) tut usw.
Die Redewendungen sollten von den Spielern selbst ausgesucht werden. Bei jüngeren Spielern ist es nützlich, solche Redewendungen zuerst gemeinsam zu sammeln und dabei für alle herauszufinden, was sie bedeuten. Da-

nach spielen alle Gruppen ihre Redewendungen den andern vor, welche herausfinden, welche Redewendung damit gemeint ist.

Wozu? Deutlich machen, was sich hinter diesen Sprachwendungen verbirgt.

## Sprichworte E45

Was? Jede Zweiergruppe, die gebildet wurde, erhält eine Karte, auf der ein bekanntes Sprichwort steht, das sie so darstellen soll, dass die andern in der Lage sind, es zu erkennen:
Morgenstund hat Gold im Mund
Der Krug geht zum Brunnen, bis er bricht
Wer andern eine Grube gräbt, fällt selbst hinein
Lügen haben kurze Beine
Während der Hund scheisst, hoppelt der Hase ins Gebüsch usw.
Nach kurzer Vorbereitung spielen die einzelnen Gruppen ihr Sprichwort der Gruppe vor, die erkennen soll, wie es heisst
In einer zweiten Runde können alle Spieler in Zweiergruppen ihr Sprichwort, das sie darstellen wollen, selbst auswählen

Womit? Karten mit Sprichwörtern

Wozu? Sprachbilder optisch umsetzen.

## Berufsscharade E46

Was? Jeder Spieler denkt sich einen Beruf aus. Sobald alle einen haben, beginnen sie für sich, diesen Beruf auszuüben. Die Hälfte der Gruppe bleibt jetzt ruhig und schaut zu, die andere übt ihren Beruf weiter aus. Die Zuschauer sollen erkennen, welche Berufe gespielt werden. Danach Wechsel.

Wozu? Ausdruck und Wahrnehmung einer Tätigkeit, die «man schon gesehen hat».

## Ortsscharade E47

Was?

Ganze Gruppe in Zweiergruppen aufteilen. Jede Gruppe erhält eine Karte mit einer Ortsbezeichnung:
Schwimmbad
Operationssaal
Beichtstuhl
Kino
Strassenbahn
Tennisplatz
Autobahn
Nordpol
usw.
Die Karten sind numeriert. In der Nummernfolge spielen jetzt die Gruppen – praktisch ohne Vorbereitung – den andern diesen Ort möglichst plastisch vor. Jeder Zuschauer kann den Ort rufen, sobald er glaubt, ihn zu erkennen. Die Gruppe spielt solange, bis jemand herausgefunden hat, wo es ist.

Womit?

Karten mit Ortsbezeichnungen

Wozu?

Durch bestimmte Aktionen beim Zuschauer möglichst schnell die Assoziationen zum Ort erreichen.

## Sportscharade E48

Was?

Nachdem die ganze Gruppe in Zweiergruppen unterteilt wird, folgende Aufgaben stellen: einer ist ein Sportler, der andere ein Reporter. Der Reporter soll die Aktionen des Sportlers kommentieren, ohne dass der Name der Sportart dabei fallen darf. Nach kurzer Vorbereitung spielen alle Gruppen ihre Sportart der Gruppe vor, die, sobald sie erkannt hat, um welche Sportart es sich handelt, sich dazu gesellt und ebenso diesen Sport betreibt, solange, bis alle mitspielen.

Wozu?

Information durch die Sprache, Information durch den Körper in eigene Aktion umsetzen.

## Aktionsscharade E49

Was? Alle Spieler in Zweiergruppen erhalten die Aufgabe, für sich einen kleinen Ausschnitt aus einem Film oder einer Fernsehserie nachzuspielen. Nachdem sich alle Gruppen etwas ausgesucht haben, können sie es auch gleich spielen. An Ort und Stelle können nun jeweils alle ausser einer Gruppe zuschauen, und es soll herausgefunden werden, aus welchem Film hier etwas gespielt wird. Danach spielt eine andere Gruppe usw.

Wozu? Erkennen einer «Ganzheit» aufgrund eines kleinen Ausschnitts.

## Pantomimisch etwas darstellen E50

Was? Umhergehen zu Musik, ein Stab wird umhergereicht, jeweils wenn die Musik leiser wird, muss er weitergegeben werden. Wenn die Musik aufhört, führt derjenige, der den Stab in der Hand hat, pantomimisch eine Tätigkeit vor, die er ohne Partner ausführt (z.B. waschen, malen, essen etc.). Die andern ahmen ihn möglichst genau nach. Derjenige, der nun den Stab erhält, benennt die eben ausgeführte Tätigkeit. Die Musik geht weiter usw.

Womit? Kassettengerät, ein Holzstab

Wozu? Dadurch, dass die Spieler erraten müssen, was die Bewegung beinhaltet, wird der einzelne gezwungen, genau darzustellen. Er erfährt sich in der bestimmenden wie auch in der nachahmenden Rolle und kann von der einen Schlüsse für die andere ziehen. Auch schüchterne Spieler haben hier die Möglichkeit, die Gruppe zu bestimmen.

## Statuen E51

Was? Die Hälfte der Gruppe wird hinausgeschickt. Der Rest bekommt die Aufgabe, einzeln eine Statue darzustellen, die entweder «fröhlich», «hochmütig» oder «nachdenklich» ausdrückt. Gemeinsam wird noch ein wenig ausprobiert, dann hat sich jeder Spieler für einen Ausdruck entschieden.

Jetzt wird die Gruppe von draussen hereingelassen, alle haben schon draussen die Augen geschlossen. Sie sollen durch Abtasten der Statuen herausfinden, welche Statue was ausdrückt. Die Begriffe «fröhlich» usw. werden den Tastern mitgeteilt. Hat ein Spieler eine Statue erkannt, kann er ihr den Begriff ins Ohr flüstern. Stimmt er, bestätigt dies die Statue, wenn nicht, soll der Spieler nochmal besser tasten. Danach kann er zu einer nächsten Statue.

Wozu? Wahrnehmung eines Gefühlsausdrucks durch das Abtasten der Körperhaltung.

## Hüte machen Leute E52

Was? In einer Kiste befinden sich gleich viele Hüte wie Spieler. Jeder Spieler geht an dieser Kiste vorbei und greift sich einen Hut, den er auflegt – und ist ab sofort die Person, die der Hut symbolisiert, was er seinerseits vorläufig nur durch die Bewegungs- und Gangart ausdrückt: Bergsteiger, Fotomodell, Mönch, Marktfrau usw. Nachdem alle ihre Figur ein wenig kennengelernt haben, können sich einzelne treffen, begrüssen sich in ihrer Rolle, wechseln den Hut und verabschieden sich in der neuen Rolle. Nach einiger Zeit bilden alle Spieler einen grossen Kreis. Einer aus dem Kreis legt jetzt seinen Hut ab und geht im Innern des Kreises in der Rolle, die ihm sein erster Hut vorgeschrieben hat. Sobald er an dem Spieler vorbeikommt, der den Hut jetzt hat, sollte ihm dieser auf den Kopf gesetzt werden. Ist es der falsche, geht der Spieler einfach weiter und streift sich den falschen Hut vom Kopf. Solange, bis jeder seinen ursprünglichen Hut wieder hat.

Womit? Hüte (Brockenhaus oder Flohmarkt)

Wozu? Durch ein äusseres Zeichen einer Verkleidung der Versuch, sich in eine Rolle hineinzudenken.

## Der Papst hat das Besteck zu spät. . . E53

Was? Alle sitzen in einem Kreis. Folgende Sätze sollen so schnell wie möglich die Runde machen:
Sieben dicke Riesen sitzen in den Wiesen, weil die Winde bliesen, kriegen sie das Niesen.
Der Kottbuser Postkutscher putzt den Kottbuser Postkutschkasten, damit der Kasten auf der Kottbuser Postkutsche glänzt.
Mariechen sprach zu Mariechen: Lass mich mal riechen, Mariechen. Da liess Mariechen mal riechen.
Essig alleine ess ich nicht, ess ich Essig, ess ich Essig mit Salat.
Der Papst hat das Besteck zu spät bestellt.
Ein Spieler beginnt mit einem Spruch. Kommt er fehlerfrei durch, versucht's der nächste mit einem andern, sonst mit demselben, bis der Spruch gelungen ist. Jeder darf zweimal ansetzen.

Womit? Evtl. Karten mit den verschiedenen Sätzen

Wozu? Sprechübung

## Grossmutters Papagei frisst Sardinen E54

Was? Die ganze Gruppe sitzt im Kreis. Ein Spieler erfindet einen Satz. Z.B. «Grossmutters Papagei frisst Sardinen». Der nächste neben dem Satzerfinder darf jetzt wünschen, wie dieser Satz gesagt werden soll: geheimnisvoll, weinerlich, kühl, fröhlich – für eine Art muss er sich entscheiden. Der nächste soll danach diesen Satz so aussprechen, wie es sein Nebenspieler gewünscht hat. Danach erfindet der nächste einen Satz usw.

Wozu? Einen gewünschten Ausdruck zu erreichen suchen.

## Masken weitergeben E55

Was? Die ganze Gruppe in Siebnergruppen aufteilen und diese am Boden einen Kreis bilden lassen. Gesicht zur Mitte. Einer in der Gruppe beginnt: er «setzt» sich einen Gesichtsausdruck, eine Maske auf, schaut damit seinen Nebenspieler an, der versucht dieselbe Maske in sein Gesicht zu übernehmen. Jeder behält die gebildete Maske solange, bis sie im Kreis herum ist. Danach darf ein anderer eine neue Maske hineingeben.

Wozu? Erkennen und Übernehmen eines Ausdrucks vom Spielpartner.

## Blickpunkt E56

Was? Die Gruppe ist geteilt und steht sich in zwei Reihen gegenüber. Der Spielleiter (später auch einer der Spieler) ruft einen Begriff, den es darzustellen gilt. Vorläufig nur als Gesichtsausdruck, z.B. fröhlich, gespannt, wütend, nachdenklich. Sobald das Wort gefallen ist, drehen sich alle Spieler um, damit sie unbeobachtet den Gesichtsausdruck erreichen können. Auf ein weiteres Zeichen drehen sie sich wiederum der Reihe gegenüber zu, so dass sich alle anschauen können. In einer zweiten Phase kann mit dem ganzen Körper dargestellt werden: z.B. hochmütig, abgekämpft usw.

Wozu? Erfahrung mimisch etwas ausdrücken und dabei andern zusehen können.

## Weg bereiten E57

Was? Jeder Spieler zieht eine Karte, worauf ein Zustand, eine Aktion usw. steht: z.B. Schweiss abwischen, trinken, sich waschen, rufen, «au!» schreien, erstarren, lachen usf. Nachdem die Gruppe einen Kreis gebildet hat, kann ein Spieler in die Mitte, woher er den andern seine Karte zeigt. Die Spieler im Kreis sollen jetzt möglichst schnell die Umstände hervorbringen, die es dem Spieler in der Mitte erlauben, so zu reagieren, wie es ihm die Karte vorschreibt.

Womit? Karten mit entsprechenden Begriffen

Wozu? Jemandem etwas gemeinsam so einrichten, wie er es braucht.

## Kreisspiel II E58

Was?

Die Gruppe steht, Augen zum Zentrum, aber geschlossen, mit Spielleiter in einem Kreis. Alle nehmen sich bei den Händen. Auf ein Zeichen vom Spielleiter gibt dieser nach rechts einen Impuls zur Hand des Nachbars (z.B. leichter Handdruck), der Impuls muss jetzt auf die Reise geschickt werden, so dass er nach einiger Zeit wieder beim Spielleiter ankommt. Danach geht ein neuer Impuls auf die Reise – in anderer Richtung. Später kann sich aus dem Kreis jemand melden, der einen Impuls senden will, wichtig dabei ist, dass bevor etwas auf die Reise geht, alle andern Impulse neutralisiert sind.

Wozu?

Durch das Händehalten übernehmen wir in diesem Spiel die Impulse nicht mehr durch die Augen, sondern sind körperlich unmittelbar aktiv, indem wir durch den Körper aufnehmen und weitergeben.

Beobachtungskriterien

Welche Impulse gehen verloren?
Welche Impulse, die ankommen, sind wie verändert?
Wer sendet welche Impulse aus?

## Kreisspiel III E59

Was?

Die Gruppe steht, Augen zum Zentrum und geschlossen, mit Spielleiter im Kreis. Der Spielleiter berührt mit der Hand seinen rechten Nachbarn an einer Körperstelle (z.B. auf dem Kopf). Der Nachbar berührt nun seinerseits seinen Nebenmann in gleicher Weise. Sobald der Spielleiter seine Berührung «zurückhält», lässt er – ohne den alten Kontakt aufzulösen – eine nächste Berührung starten usw., bis alle in der Gruppe so verschachtelt sind (Arme und Beine), dass keine weiteren Bewegungen mehr möglich sind; dann versuchen wir ganz langsam, ohne die Berührungen aufzulösen, uns zu setzen.

Wozu?

Eine Spielvariation, die bereits intensiven Körperkontakt bewirkt, verbunden mit den Kopieraspekten aus den vorgenannten Spielen.

Beobachtungskriterien

Wie werden Berührungen aufgenommen und weitergegeben?
Gelingt es der Gruppe, sich zu setzen?

## Rückenzeichnen E60

Was?

Die Gruppe sitzt im Kreis, nicht neben-, sondern hintereinander, so dass jeder mit seiner Hand bequem auf dem Rücken des Vordermannes zeichnen kann. Einer beginnt – mit einfachen Sachen (z.B. einer Zahl zwischen 1 und 10 oder grossen Buchstaben, vor dem oder knapp am Lesealter kann es ein Strich oder ein Kreis sein), die er seinem Vordermann auf den Rücken malt. Die Augen sind dabei natürlich geschlossen.

Wozu?

Das Aufnehmen der Zeichnungen über den Rücken bewirkt und bedingt hohe Konzentration und führt dazu noch zum Ausloten eines an sich sonst nicht sehr «lebendigen» Körperteils.

Beobachtungskriterien

Wie intensiv sind die Berührungen?
Können sie abgenommen und weitergegeben werden?
Werden die Zeichen simultan weitergegeben?

## Blindenspiel II E61

Was?

Die ganze Gruppe schlendert im Zimmer den Wänden entlang, nach ein, zwei Runden merkt sich jeder einen Gegenstand, den er im Zimmer angetroffen hat. Jetzt bildet die Klasse Zweiergruppen. Danach erklärt in der Gruppe der eine dem andern, was für einen Gegenstand er sich gemerkt hat, ohne zu sagen, wo sich dieser befindet. Sobald dies geklärt ist, schliesst der erste die Augen und wird vom Kameraden solange im Raum herumgeführt, bis beide vor dem Gegenstand stehen, den sich der Blinde gemerkt hatte. Jetzt darf er die Augen öffnen und bestätigen, dass es sich um den Gegenstand handelt, wenn nicht, geht das Spiel einfach weiter.
Danach wird gewechselt.
Anmerkung: Der Führer steht und geht jetzt hinter dem Blinden, umfasst diesen an den Schultern.

Wozu?

Zwischen den Partnern entwickelt sich eine Spannung, die durch Vertrauensentwicklung abgebaut werden kann, wobei die Tatsache, dass der Blinde zu einem Gegenstand seiner Wahl geführt wird, eine vermehrte Bezugnahme des Führers auf den Blinden bewirkt.

Beobachtungskriterien

Welche Gegenstände werden angesprochen?
Gelingt es den Führern, diese Gegenstände anzupeilen?
Sprechen die Partner während der Suche miteinander?
Machen sich einige Blinde durch Blinzeln mehr oder weniger selbständig?
Wer gibt am Schluss zu, geblinzelt zu haben – weiss er vielleicht auch wann genau und warum?

## Blindenspiel III E62

Was?

Die Hälfte der Gruppe wird vor die Türe geschickt, um dort ganz kurz zu warten. Der Rest baut im Schulzimmer mit Stühlen und Bänken einen Hindernislauf: beim erstenmal kann die Strecke ganz einfach sein (z.B. zuerst ein Stuhl zum Übersteigen, danach ein Pult zum Untendurchgehen, dann auf den Boden gelegt ein paar Springseile, über die man geht, wieder ein Stuhl als Vorstufe zum zweiten Pult, auf das man steigt, und schliesslich zum Heruntersteigen nach dem Pult der dritte Stuhl und ganz zuletzt so viele Stühle, wie die Hälfte der Klasse zahlenmässig ausmacht). Sobald die Strecke aufgebaut ist, geht der Spielleiter schnell hinaus, bittet die Wartenden, die Augen zu schliessen. Jetzt kommen die andern heraus, jeder nimmt einen der «Blinden» und versucht, ihn möglichst sicher über diesen Hindernislauf zu führen. Beim erstenmal darf der Führer dem Blinden noch sprechend Anweisungen geben, später sollte versucht werden, die Strecke ohne Gespräch sicher zu überwinden.

Womit?

Übliches Mobiliar

Wozu?

Das Erlebnis des Aufeinander-angewiesen-Seins für den Blinden, erfahren von Unsicherheit, und andrerseits die Verantwortungsübernahme des Führers.

Beobachtungskriterien

Wer verkrampft sich unterwegs?
Wie sachte wird geführt?
Wird viel gesprochen?
Welche Führungsarten kommen vor?

## Anschreien E63

Was?
Zwei Reihen stehen einander mit Abstand gegenüber, je zwei Spieler sehen einander an. Auf ein Zeichen beginnen sie einander anzuschimpfen, so laut sie können. Langsam nähern sie sich einander. Je näher sie sich sind, desto leiser reden sie, bis sie nur noch flüstern.

Wozu?
Zielgerichtete Aggression, die eingeschränkt wird. Gleichzeitig Aggressionsäusserung abgeben und empfangen.

Beobachtungskriterien
Hat jemand Hemmungen, laut zu schreien?
Wird jemand eingeschüchtert?
Wer geniesst es?

## Spiegeln E64

Was?
Die Gruppe wird geteilt. Eine Gruppe erhält die Aufgabe, sich im Raum zu verteilen und hinzuliegen, sich zu setzen oder auch stehen zu bleiben, wo und wie es ihr am wohlsten ist. Sobald alle ihre Stellung gefunden haben, soll die zweite Gruppe versuchen, sich jeweils einzeln spiegelbildlich zu einem Partner hinzustellen. Sobald alle ihren Spiegel haben, verharren die Spieler noch kurze Zeit darin, können danach auflösen und zu zweit darüber reden, welche Stimmungen, Gedanken, Einschränkungen die jeweilige Stellung bei ihnen ausgelöst hat.

Wozu?
Sich in einen andern hineinfühlen, indem ich seine Körperhaltung erfahre.

## Überrollspiel E65

Was?
Die Spieler liegen auf dem Rücken am Boden (alle gleiche Blickrichtung) und atmen ein und aus. Spieler liegen in Vierergruppen zusammen, erster Spieler überrollt andere Spieler und fügt sich als letzter an die Gruppe an usw.

| | |
|---|---|
| Wozu? | Dieses Spiel soll den Kontakt unter den Spielern verbessern, die Gruppenqualität steigern. |
| Beobachtungskriterien | Wer zögert, wer hält mit Körperkontakten zurück? Wie überrollt der Spieler die anderen (rücksichtslos / nachsichtig / plump / ungeschickt / feinfühlig / geschickt)? |

## Grössenordnung E66

| | |
|---|---|
| Was? | Die Gruppe erhält die Aufgabe, sich stumm der Grösse nach in einer Reihe zu ordnen. Sobald das geschehen ist, lösen wir wieder auf und versuchen es nochmal, aber jetzt mit geschlossenen Augen und auch stumm. |
| Wozu? | In einer Grossgruppe sich zurechtfinden. |

## Körper berühren E67

| | |
|---|---|
| Was? | Alle Spieler bewegen sich frei nach Musik im Raum. Bei Musikunterbrechung schieben sie folgende Körperteile vor und berühren sich anschliessend gleichzeitig und gegenseitig mit eben diesen Körperteilen:<br>rechter Ellbogen<br>linkes Knie<br>Bauch<br>rechte Ferse (rückwärts)<br>Nase<br>linker Zeigefinger<br>Hinterteil |
| Womit? | Musik |
| Wozu? | Umsetzung von Musik in Bewegung / Ausprobieren verschiedener Bewegungsarten / gegenseitige Rücksichtnahme / Körperkontakt |
| Beobachtungskriterien | Gesprächshinweise:<br>Vermögen die Spieler, die verlangten Bewegungen spontan umzusetzen?<br>Bleiben sie gelöst, locker?<br>Wie vollzieht sich der Gruppenzusammenzug?<br>Was empfinden die Spieler bei diesen Übungen? |

## Hände E68

Was?

Die Spieler setzen sich an einen Tisch, schliessen die Augen, legen ihre Handrücken flach auf die Tischplatte. Während sie ihre linke Hand liegen lassen, tasten sie mit der rechten den linken Handteller des rechten Nachbars ab (Wechsel).
Nach dem Nachfahren der Handlinien berühren sich die Spieler gegenseitig Fingerglieder, -beeren, -spitzen, lassen schliesslich Fingerbeeren auf Fingerbeeren ruhen, stehen auf und versuchen in einer Richtung um den Tisch zu gehen.
Die Gruppe bleibt stehen, bückt sich nach vorn und streckt die Arme gegen die Tischmitte vor. Mit immer noch geschlossenen Augen suchen sie andere Hände und legen wieder die Fingerbeeren aufeinander. Die Partner versuchen sich aus dem Gewirr zu befreien (meistens gelingt dies nicht, weil der einzelne Spieler mit zwei verschiedenen Partnern Handkontakt hat. Der Spielleiter kann nach einer gewissen Zeit die Augen öffnen lassen und die «Laokoon»-Gruppe «bestaunen» lassen.)

Wozu?

Konzentration, Sensibilisierung, Schärfung des Tastsinns

## Geschenke E69

Was?

Alle sitzen im Kreis. Ein Spieler beginnt damit, seinem Nebenmann rechts ins Ohr zu flüstern, was er ihm gerne schenken möchte. Darauf dieser seinem Nachbarn ein anderes Geschenk usw., bis alle etwas erhalten haben. Danach flüstern alle ihrem Nebenmann links von ihnen, was sie mit dem Geschenk, das sie ja nicht kennen, anstellen sollen.
Jeder erzählt danach der Gruppe, was er mit seinem Geschenk tun sollte.

Wozu?

Nur aus Spass

## Begrüssung E70

Was? Die ganze Gruppe ist geteilt und steht sich gegenüber. Jeder hat in der andern Gruppe einen Partner. Gleichzeitig gehen alle auf ihren Partner zu und begrüssen ihn in verschiedensten Formen:
als Graf mit Handkuss
als alter Schulfreund
als politischer Gegner
als Höhlenbewohner
usw.
Es können eigene, neue Begrüssungsformen entwickelt werden.

Wozu? Eine alltägliche Aktion in verschiedenem Rahmen erleben

## Raum und Partner erkunden E71

Was? Die Spieler bewegen sich frei im Raum. Es läuft Musik, wenn diese Musik stoppt, ruft der Spielleiter die Bezeichnung eines Materials, das berührt werden soll (Glas, Mauer, Stoff usw.).
Es werden Zweiergruppen gebildet, wenn nun die Musik stoppt, nennt der eine dem anderen einen Gegenstand, den er berühren soll, und umgekehrt.
Der Spielleiter fordert die Spieler auf, sich in zwei Kreisen gegenüberzustellen.
Nun drehen sich diese Kreise langsam gegeneinander. Wenn die Musik stoppt, stehen alle still, und wir haben neue Zweiergruppen. Die Spieler dieser neuen Zweiergruppen setzen sich einander gegenüber auf den Boden. Nun betrachten sie sich ganz genau von unten bis oben und wieder zurück. Dann werden die Augen geschlossen und die Spieler sagen sich gegenseitig, was sie vom andern noch wissen (blaue Augen, Brille, rote Strümpfe usw.).
Nun erheben sich die Spieler weiterhin mit geschlossenen Augen, sie versuchen sich nun gegenseitig durch Berührungen zu erfahren, sie erleben, wie sich die Sachen anfühlen, die sie vorher mit den Augen wahrgenommen haben.

Womit? Musik

Wozu? Sensibilisierungsübungen; dabei wird besonders die Beobachtungsmöglichkeit trainiert. Es wird auch erlebt, dass es unterschiedliche Möglichkeiten gibt, wie man etwas wahrnehmen kann. Die Spieler erleben hier auch, dass es möglich ist, sich durch Konzentration an unbewusst Wahrgenommenes wieder zu erinnern, Bilder in Gedanken wieder vor Augen zu führen.

Beobachtungs-Kriterien Welche Gegenstände werden abgerufen, welche finden sich schnell, welche sind weniger bewusst?
Wie beobachten sich die Spieler?
An was erinnern sie sich schnell, was braucht länger?
Wie wird mit den Augen, wie durch Berührung wahrgenommen?
Sind die Spieler frei in den Berührungen oder sind sie eher gehemmt?

## Ballonpantomime E72

Was? Die Gruppe teilt sich in Vierergruppen auf. Jede Gruppe erhält ein Rhythmiktuch und einen Ballon. In der Gruppe wird entschieden, ob einer den Ballon aufbläst oder ob sich jedes Gruppenmitglied abwechslungsweise am Aufblasen beteiligt. Die vier Spieler halten an den Ecken das Tuch und legen den Ballon in die Mitte. Auf ein gegebenes Zeichen spicken sie den Ballon durch, ziehen am Tuch in die Höhe und fangen ihn wieder auf. Danach werden Tuch und Ballon weggelegt und das Spiel pantomimisch wiederholt: alle Vier ziehen am imaginären Tuch und fangen den Ballon auf. Jetzt ziehen nur noch drei Spieler am Tuch, der Vierte ist der Ballon und schwebt auf- und abwärts in Übereinstimmung mit den Bewegungen seiner Kameraden. Wenn alle einmal «Ballon gewesen sind», gibt es, auf ein Zeichen des Spielleiters hin, nur noch Ballone: alle schweben möglichst leicht durch den Raum.

Womit? Rhythmiktücher, Ballone

Wozu? Gemachte Erfahrungen werden in Vorstellungen umgesetzt. Hier wird die Vorstellungskraft zur Bedingung der gelungenen Arbeit in der Gruppe.

Beobachtungskriterien Wie verhält sich der Spieler als Ballon in der Vierergruppe?
Werden die Möglichkeiten des Ballons ausgenützt?
Welche Spieler schliessen sich als Ballone zu gemeinsamen Aktionen zusammen?

## Wer trägt wen? E73

Was? Zwei Gruppen stehen sich gegenüber. Auf ein Zeichen vom Spielleiter schliessen alle die Augen, gehen auf die andere Gruppe zu und finden dort einen Partner. Nun können alle die Augen öffnen und sollen stumm miteinander ausmachen, wer wen vom jeweiligen Standort zu einem – vom Spielleiter bezeichneten Punkt im Raum – trägt. Wer getragen hat, darf sich nachher wünschen, vom Getragenen an einen andern Ort gebracht zu werden, wobei der ehemalige Träger ganz passiv sein soll.

Wozu? Sich ohne Worte auf etwas einigen. Dafür etwas wünschen können, das noch im Möglichkeitsbereich des Wunscherfüllers ist.

## Aufforderung zum Tanz E74

Was? Einer der beiden Partner setzt sich auf den Boden, der andere verlässt den Raum. Die Gruppe vor der Türe erhält die Anweisung, mit Stoffbändern vor den sitzenden Spielern zu tanzen, sie zum Mittanzen zu animieren (nonverbales Spiel).

Womit? Stoffbänder

Wozu? Bewegungsimprovisationen, Eingehen auf den andern, Symbolspiel («anbändeln» vgl. Situations- und Improvisationsspiele)

| | |
|---|---|
| Beobachtungskriterien | Wie bewegt sich der Spieler mit dem Band? Bezieht er das Band in den Tanz mit ein? Vermag er seinen Partner zum Mittanzen anzuregen, mit welchen Mitteln versucht er das? Wie reagiert der Spieler auf die Bewegungen des andern? Nimmt er die Aufforderung zum Tanz an, lehnt er sie ab? Wer bestimmt bei den Bewegungen zu zweit den Ablauf? Lässt sich einer der beiden unterordnen? |

## Zimmer einrichten E75

| | |
|---|---|
| Was? | Die Hälfte der Gruppe verwandelt sich zu Möbelstücken (Tisch, Stuhl, Lampe usw.), die andern sind die neuen Wohnungsbewohner, die ihre Wohnung einrichten wollen. An einem andern Ort im Raum ist ihre Wohnung. Als erstes müssen also die Möbel dorthin geschleppt werden, danach wird die Wohnung eingerichtet, und endlich wird kurz darin gewohnt. |
| Wozu? | Erlebnis, als Möbel passiv sein zu können, als Bewohner die verlangte Rücksichtnahme – im Freiraum der Rolle. |

## Bremer Stadtmusikanten E76

| | |
|---|---|
| Was? | Jeder Spieler zieht einen Zettel: es gibt gleich viele Katzen, Hunde, Kühe und Hähne. Jeder Tiergruppe geht in eine Ecke des Raumes und kommt in ihrer Gangart langsam gegen das Raumzentrum vor. Sobald die ganze Gruppe einer Tierart das Zentrum erreicht hat, darf die Gruppe die passenden Tierlaute – so stark wie möglich – von sich geben, so lange, bis alle die Raummitte erreicht haben und zum Schreien gekommen sind.<br>Danach besteigen die einzelnen Tiere – in der Art der Bremer Stadtmusikanten – das nächstgrössere Tier: Kuh zuunterst, Hund und Katze und schliesslich der Gockel. Sobald eine Gruppe besteht, darf sie wiederum in den passenden Lauten zu schreien beginnen. |
| Womit? | Karten mit Tierzeichnungen oder Tiernamen |

| | |
|---|---|
| Wozu? | Die Einzelidentifikationen werden jetzt in der Gruppe eingesetzt, wobei anschliessend auch noch die Erfahrung der Gruppenbildung mit «andern» gemacht wird. |
| Beobachtungskriterien | Wie verhalten sich die einzelnen Gruppen vom Rande bis ins Zentrum?<br>Wie geschieht die Gruppenbildung Kuh, Hund usw. |

## Rettungsspiel E77

| | |
|---|---|
| Was? | Die ganze Gruppe befindet sich nach einem Schiffbruch auf einer Insel. Die Stimmung ist bedrückt – seit Tagen gibt's nichts mehr zu essen – plötzlich sieht einer der Schiffbrüchigen in der Ferne ein Schiff, doch der Kapitän des Schiffes (ein von der Klasse gewählter Schüler spielt ihn) scheint nichts zu bemerken. Nun müssen sich die Schiffbrüchigen eben bemerkbar machen: erst durch lautes Rufen – aber die Brandung übertönt das lauteste Geschrei, also versuchen sie es mit Bewegungen wie winken, hüpfen –, doch auch da verdecken die hohen Wellen teilweise die Sicht – also hilft nur noch eine Art Menschenpyramide, die nun wieder schreit und Bewegungen macht, soviel der einzelne noch kann . . . Der Kapitän hat währenddessen die Insel in grossen Kreisen umschifft und kann natürlich schon früher merken, dass jemand seine Hilfe braucht. |
| Wozu? | Eine gemeinsame Aktion wird jetzt zielgerichtet durchgeführt. |
| Beobachtungskriterien | Wer wird als Kapitän gewählt?<br>Wie lange bemerkt er die Schiffbrüchigen nicht? |

## Rettungsspiel II E78

| | |
|---|---|
| Was? | Die ganze Gruppe befindet sich in einer eingeschneiten, abgeschnittenen Berghütte und friert und hungert. Es ist sehr kalt. In der Hütte ist das Brennholz ausgegangen, deshalb macht man sich daran, das Mobiliar zu verholzen, doch auch dieser Brennstoff nimmt ein Ende – nun bleibt nur noch das gegenseitige Abreiben mit Schnee, um sich vor Erfrierungen zu schützen. Mitten in diesem |

Treiben erscheint ein Helikopter am Himmel, trotz grossem Geschrei und wilden Bewegungen fliegt die Maschine vorbei, ohne die Eingeschneiten zu entdecken. Die Nacht bricht herein, alle zusammen versuchen sich gegenseitig warm zu geben, indem sie alle möglichst nahe beieinander liegen.
Am andern Tag wird der Helikopter wieder gesichtet, diesmal klappt es: der Pilot (er wurde von der Klasse gewählt – es ist ein anderer als im Rettungsspiel I) landet, kann aber nur 5 Personen auf einmal transportieren. Er fliegt jetzt solange, bis alle Anwesenden aus der Hütte evakuiert sind – in der Reihenfolge ihrer Erschöpfungsgrade.

Wozu? Wieder werden gemeinsame Aktionen zielgerichtet durchgeführt, durch das Abreiben spielt allerdings der Körperkontakt auch eine Rolle, und durch den Engpass der Helikopterkapazität ergibt sich dazu noch ein Gruppenentscheid.

Beobachtungskriterien Wie lässt sich die Gruppe durch die einzelnen Situationen führen?
Welche fliegen zuerst, und wie kommt es dazu?

## Rettungsspiel III E79

Was? Die Hälfte der Gruppe befindet sich auf einer Expedition im Urwald. Das Spiel beginnt an einem halbwegs gerodeten Lagerplatz. Jetzt muss die Expeditionsgruppe weiter. Doch überall um den Lagerplatz wachsen Schlingpflanzen (die andere Klassenhälfte), durch die der Expeditionstrupp durch muss; eigentlich könnten die Pflanzen einfach umgehauen werden, doch plötzlich wird klar, dass es sich um ganz seltene Exemplare handelt, und deshalb werden sämtliche Pflanzen erstmal genau untersucht: ihr Aussehen, ihre Biegsamkeit, ihre Beschaffenheit usw.
Schliesslich beschliesst die Gruppe, die Pflanzen sachte auszugraben und mit sich fortzutragen, um später noch genauere Untersuchungen anstellen zu können. Nach kurzem Marsch, auf dem jeder Urwaldforscher eine Liane getragen hat, wird erneut gerastet. Die Pflanzen werden abgelegt, die Träger versuchen zu schlafen, plötzlich werden die Schlingpflanzen lebendig, es sind Giftschlangen, sie überfallen die Forscher im Schlaf, sterben aber

nach dem Giftbiss sofort. Ein Teil der Forscher ist ernsthaft geschwächt, je zwei davon werden auf die «Tragbahre» gelegt, die aus einer Schlange gebastelt wird, und von den Stärkeren weggezogen, um sie im Hauptlager pflegen zu können. Ebenso werden die übrigen toten Schlangen zum Lager mitgezogen.

Wozu? Durch das Untersuchen der Schlingpflanzen geschieht eine optische und berührungsmässige Auseinandersetzung mit dem Spielpartner.
Durch die Verwendung der Schlangen als Trage ergibt sich ein sehr intensiver, passiver Körperkontakt.

Beobachtungskriterien Werden die Aktionen wirklich gemeinsam durchgeführt oder bilden sich Splittergruppen?

## Arme kleine Katze E80

Was? In einem Kreis, Lehne gegen innen, wird ein Stuhl weniger aufgestellt, als Spieler mitmachen. Alle setzen sich auf einen Stuhl. Einer spielt die Katze, die sich vor jemandem hinhocken muss und versuchen, ihn durch Miauen zum Lachen zu bringen. Der Spieler, der sitzt, muss nun die Katze durch Streicheln und Zureden versuchen, die Katze zu trösten. Dabei darf nur der Standardsatz «Arme kleine Katze» verwendet werden. Nachdem dieser Satz dreimal ausgesprochen wurde, ohne dass der «Tröster» lachen musste, muss sich die Katze jemand andern suchen, sonst wird der lachende Tierfreund zur Katze.

Womit? Stühle (aber auch am Boden sitzend möglich)

Wozu? Mit beschränkten Möglichkeiten bei jemandem versuchen, etwas auszulösen

## Bäcker und Teig E81

Was? In Zweiergruppen ist ein Spieler der Bäcker, der andere der Teig (dementsprechend passiv). Der Bäcker muss nun den Teig kneten, formen und möglicherweise in den Ofen schieben. Nach kurzer «Backzeit» Wechsel.

Wozu? Körperkontakt im Schutzraum einer Rolle

## Markt E82

Was? Die eine Hälfte der Spieler spielt Marktverkäufer und kann sich ein Paar Minuten Zeit nehmen, um sich einen Stand zu «bauen», sich zu überlegen, was sie am jeweiligen Stand verkaufen wollen. Während sich die andere Hälfte bereits überlegt, was sie kaufen wollen. Auf ein Zeichen vom Spielleiter hin wird der Markt eröffnet. Die Verkäufer preisen ihre Waren an, die Käufer prüfen, feilschen, handeln und kaufen.

Wozu? Eigentliche «Rollenübernahme» in der Grossgruppe

Beobachtungskriterien Gelingt es allen Spielern mitzuspielen, oder bilden sich auch Zuschauergruppen?

## Farbspiel E83

Wer? Ganze Gruppe

Wo? Gruppenraum

Was? Die Spieler bewegen sich frei zur Musik. Sobald die Musik stoppt, erwähnt der Spielleiter eine Farbe: z.B. «Braun», danach läuft die Musik weiter, solange, bis alle Spieler einen Gegenstand berühren, der die angegebene Farbe hat. Sobald alle etwas berühren, blendet die Musik langsam aus. Neubeginn: alle bewegen sich wieder zur Musik, nach einiger Zeit stoppt sie wieder – jetzt kommt «Rot» usw.

Womit? Musik ab Gitarre oder Klavier usw. des Spielleiters oder ab Platte möglichst rhythmische Musik.

Beobachtungskriterien Wer berührt was und wie? Werden – je nach Farbe – vorwiegend Gegenstände oder Mitspieler berührt?

## Tastsäcke E84

Was?

In 10 bis 15 Turn- oder Plastiksäcken liegen verschiedene Gegenstände. Jeder Spieler kann der Reihe nach mit den Händen in den Sack greifen – und für sich herausfinden, was der Sack enthält.
Danach werden zwei Gruppen gebildet, jede erhält die halbe Anzahl Plastiksäcke und hat 5 Minuten Zeit, in die Säcke die Gegenstände ihrer Wahl zu legen. Schliesslich muss die eine Gruppe durch Tasten die Gegenstände der andern und umgekehrt herausfinden. Die Bezeichnung kann jede Gruppe an die Tafel schreiben, am Schluss gehen wir die Begriffe nochmals mündlich durch und schauen den dazugehörigen Gegenstand nochmals an.

Womit?

Leicht: Gegenstände aus der Schule: Gummi, Kreide, Spitzer, Bleistift, Kugelschreiber usw.
Schwierig: verschiedenste Gegenstände: Baumnuss, Zahnbürste, Flaschenverschluss, Zweifränkler usw.

Wozu?

Konzentration durch Tasten. Umsetzung der Eindrücke in konkrete Bilder.

Beobachtungskriterien

Wem gelingt es, sich voll auf das Tasten zu beschränken, ohne doch immer wieder zu versuchen, etwas zu erblicken?

## Gehen E85

Was?

In «Einerkolonne» gehen alle ganz normal durch den Raum, jeder in seinem Tempo, jeder in seiner Schrittgrösse, ohne mit jemandem vor oder hinter sich zusammenzustossen. Langsam werden die verschiedenen Gangarten – durch ein Tambourin beispielsweise – rhythmisch koordiniert. Alle gehen jetzt gleich langsam, gleich schnell, kommen sachte ins Laufen, springen plötzlich von einem Ort zum andern, von einer Wand an die andere.
Erst in der zweiten Phase stapfen wir in der Vorstellung durch den hohen Schnee oder hüpfen über heissen Sand, wandern durch den Wald und balancieren auf dem Hochseil.

| | |
|---|---|
| Womit? | Tambourin |
| Wozu? | Das Gehen als Basiselement der Bewegung und damit der körperliche Ausdruck soll erfahren werden. |
| Beobachtungs-kriterien | Gelingt es bald, Vorstellungen in die Bewegung umzusetzen? |

## Tiergruppen E86

| | |
|---|---|
| Was? | Je fünf Zettel mit dem gleichen Tier verteilen, z.B. Pferd, Katze, Hund, Schlange usw. Sobald alle ihren Zettel gelesen haben, soll jeder versuchen, so typisch wie möglich als Pferd usw. zu gehen und zu wiehern, solange bis sich alle fünf Katzen, Hunde usw. gefunden haben.<br>Sobald alle Gruppen zusammen sind, bilden alle einen grossen Kreis. Eine Gruppe geht in die Mitte und schleicht beispielsweise wie die Schlange, wobei jede Schlange nach kurzer Zeit einen Zuschauer aus dem Kreis berührt, der auch wieder als Schlange kriecht. Bis alle Spieler das gleiche Tier spielen. |
| Womit? | Je Tier fünf Zettel, auf denen je nach Lesefertigkeit der Tiername geschrieben oder gezeichnet ist. Die Anzahl Zettel entspricht der Anzahl Schüler. |
| Wozu? | Bewegungsmerkmale der Tiere selber nachmachen und bei anderen sehen. |
| Beobachtungs-kriterien | Wem gelingt es, zu suchen und trotzdem in der Rolle zu bleiben? |

## Schuhe wählen E87

| | |
|---|---|
| Was? | Ein Drittel der Spieler zieht seine Schuhe aus und legt alle auf einen Haufen. Der Rest der Spieler ergreift dann vom Haufen je einen Schuh, sucht sich den Besitzer aus, zieht diesem den ergriffenen Schuh an, so dass am |

Schluss der eigentliche Besitzer und die zwei, die von ihm je einen Schuh vom Haufen geholt haben, eine Dreiergruppe bilden.

Wozu? Die Zufälligkeit der Gruppenbildung soll Gelegenheit sein, festgefahrene Gruppenstrukturen aufzulockern.

## Zwei gleiche Gegenstände E88

Was? Alle Spieler liegen mit geschlossenen Augen am Boden und strecken eine Hand aus. Der Spielleiter gibt in jede Hand einen Gegenstand, wobei je zwei Gegenstände gleich sind. Sobald alle ihren Gegenstand abgetastet haben, sollen sie mit geschlossenen Augen den Partner in der Gruppe suchen, der den gleichen Gegenstand hat, wobei einmal der Gegenstand ausgerufen werden kann und ein andermal lediglich abgetastet werden darf.

Wozu? Die zufällige Gruppenbildung soll festgefahrene Gruppenstrukturen auflockern.

Womit? Zwei Büroklammern, zwei Spitzer, zwei Löffel usw.

Beobachtungskriterien Akzeptieren die Spieler den ausgelosten Partner?

## Coiffeur E89

Was? Eine Hälfte der Gruppe spielt jeweils einen Coiffeur, die andere einen Kunden. Nachdem sich die Haarschneider ihren «Salon» eingerichtet haben, kommt zu jedem ein Kunde, wobei sich jeder Kunde überlegt hat, wer er eigentlich ist. Der Coiffeur sollte am Ende der «Behandlung» ungefähr wissen, wen sein Kunde spielt. (Wie er heisst, wie alt er ist usw.) Alle spielen gleichzeitig verteilt im ganzen Raum.

Wozu? Während der Spielsituation werden im Gespräch fiktive Informationen ausgetauscht.

Beobachtungskriterien Wem gelingt es, eine Figur zu erfinden und sie auch dem Coiffeur plastisch erscheinen zu lassen?

## Lawinenunglück E90

Was?
Eine Hälfte der Klasse befindet sich auf einer Bergtour und ist bei Spielbeginn soeben von einer Lawine überrascht und verschüttet worden. Sofort macht sich die andere gleich grosse Gruppe auf den Weg und beginnt, am Unfallort angekommen, die Verletzten zu retten, zu verbinden und endlich ins Spital zu bringen.

Wozu?
Intensiver Körperkontakt in einer fiktiven Situation.

Beobachtungskriterien
Gelingt es den Verunfallten, sich passiv retten zu lassen?

## Berufsscharade II E91

Was?
Je fünf Zettel mit gleicher Berufsbezeichnung, sooft wie Fünfergruppen gebildet werden können, unter die Spieler verteilen.
Vorne auf dem Zettel steht z.B. Dirigent oder Tramführer, hinten auf dem Zettel steht eine Zahl, z.B. eins oder drei. Sobald alle einen Zettel haben, sollen sich alle Dreier, alle Vierer usw. in einer Gruppe zusammenschliessen, ohne den anderen mitzuteilen, welchen Beruf die eigene Gruppe vertritt. Nach ganz kurzer Besprechung darf jede Gruppe ihre typische Berufsbewegung vorzeigen. Die andern müssen herausfinden, welchen Beruf diese Gruppe vertritt.
Variation: Statt Berufe können Tätigkeiten wie: waschen, essen, lachen, lauschen, schauen, oder Stimmungen wie: fröhlich, traurig, müde, übermütig etc., dargestellt werden.

Womit?
Gleich viele Zettel wie Spieler, je fünf mit gleichem Begriff und gleicher Zahl.

Wozu?
Erste Versuche, jemandem durch die Darstellung etwas mitzuteilen.

Beobachtungskriterien
Gelingen auch weniger offensichtliche Berufe? (Elektriker etc.)

## Riechspiel II — E92

Wer? Sechsergruppe

Was? Jede Gruppe erhält einen Plastiksack mit sechs Gegenständen, die im Klassenzimmer nicht weiter auffallen: Lineal, Filzstift, Gummi usw. In keinem Sack ist genau dasselbe enthalten. Am Boden bildet jede Gruppe einen Kreis, öffnet den Sack, versteckt die Gegenstände aber vor den andern. Danach kriegt jede Gruppe eine kleine Menge einer stark riechenden Essenz, mit welcher sie die Gegenstände markieren soll. Sobald alle Gruppen ihre Gegenstände markiert haben, nimmt jeder Spieler seinen zur Hand, schliesst die Augen und legt den Gegenstand in ein vorher bezeichnetes Feld (ca. 2 × 2 m) auf den Boden. Sobald alle Gegenstände im Feld liegen, öffnen alle die Augen, die Gruppen besammeln sich wieder, und in einer vorherbestimmten Reihenfolge kann jetzt jede (eine nach der andern) Gruppe sechs Gegenstände herausriechen, welche die gleiche Duftnote haben. (Natürlich nicht jene mit der eigenen Essenz behandelten!) Am Schluss sollte jede Gruppe wieder sechs Gegenstände beisammen haben, die alle gleich riechen.

Womit? Fliessblatt, Bleistift usw.
Starkes Parfum, Eukalyptusessenz (billig in der Apotheke), Kirschwasser.

Wozu? Die Erfahrung, die Nase und damit den Geruchsinn aktiv einsetzen zu können.

Beobachtungskriterien: Können sich die Gruppen beim Herausriechen bald auf eine Duftnote einigen?

## Blindenspiel II — E93

Wer? Zweiergruppen

Was? Nachdem Zweiergruppen gebildet worden sind, wird der eine Spieler vom andern blind im Raum herumgeführt, bis an einem Ort ihrer Wahl gewechselt wird und der Blinde jetzt führend versucht, den ehemaligen Führer auf demselben Weg wieder zurückzuführen.

Wozu? Die Erfahrung, sich von jemandem «handgreiflich» den Weg weisen zu lassen.

Beobachtungskriterien Gelingt es, den ehemaligen Weg (er darf am Anfang nicht zu lang sein) zurückzugehen?

## Telefon E94

Wer? Zehnergruppen

Was? Nachdem Zehnergruppen gebildet sind, setzt sich jede Gruppe in einem Kreis auf den Boden. Von jeder Gruppe geht einer zum Spielleiter und bekommt von ihm einen Satz ins Ohr geflüstert (jede Gruppe den gleichen Satz). Danach geht jeder wieder in seine Gruppe zurück und flüstert den eben gehörten Satz seinem Nachbarn ins Ohr. Der gibt das Gehörte weiter, bis die Meldung wieder dort anlangt, wo sie hergekommen ist. Jetzt können die Sätze miteinander verglichen werden.
Variation: Gleiche Anordnung der Spieler, aber alle halten sich an den Händen. Der Spielleiter geht von einer Gruppe zur andern und gibt – durch die Hände – eine Meldung (leichter Händedruck, zweimal kurz Hände drücken usw.).

Womit? Am besten sind die Anfangssätze verdeckt an die Tafel geschrieben oder auf kleine Kartonplakate.

Wozu? Die Erfahrung, dass sich eine Meldung über verschiedene Stationen verändert. Merken, wie Ausdrücke sich in Eindrücke verwandeln.

Beobachtungskriterien Welche Vereinfachungsmechanismen werden sichtbar.

## Autowaschanlage und Garage E95

Wer? In zwei Gruppen

Was? Nachdem sich jeder Spieler der einen Gruppe seine Tankstelle mit Waschanlage am Rand der «Strasse» aufgebaut hat, fahren die übrigen Spieler mit ihren Vehikeln (Fahrrad, Traktor, Lastwagen, Autos usw.) an die Tankstelle und lassen dort gewisse Dinge in Ordnung bringen.

Wozu? Gemeinsam stellen sich Fahrer und Garagist etwas vor, das in Wirklichkeit gar nicht vorhanden ist.

Beobachtungskriterien Gelingt es einigen Spielern, dank dem «Mittel Fahrzeug» sich besser in die Situation einzudenken?

## Dirigent E96

Was? Alle sind im Kreis. Jemand macht etwas vor mit den Händen, alle machen es nach. Tun wir alle dasselbe, gibt irgend jemand einen anderen Impuls, den wir auch alle nachmachen.

Wozu? Eine vorgeschlagene Handlung übernehmen, aber auch selber vorschlagen.
Erfahren, was ich alles Verrücktes machen kann mit meinen Händen.

## Kettenkreis E97

Was? Wir halten uns alle bei den Händen eingekrallt, wie eine Kette.
Dieser Kettenkreis wird nun gedehnt, verzogen und verschlungen, bis er irgendwo reisst. Dort, wo der Kreis reisst, scheiden die beiden aus, das ergibt dann Zweiergruppen.

Wozu? Gemeinsames Handeln erleben.

## Einander «angehen» E98

Was? Die Spieler gehen frei im Raum herum. Sie haben den Auftrag, einander einen **sanften** Bodycheck zu geben (zuerst mit den Hüften, dann mit den Schultern, mit dem ganzen Körper).

Darauf klopfen sie einander beim Vorbeigehen auf die Schultern, später auf den Rücken.
**Anweisung:** Sowohl Check wie das Schulter-/Rückenklopfen darf niemandem weh tun.

Wozu? Warm werden, einander «angehen», und dies vorerst noch nonverbal, die Mitspieler erfahren: Wer berührt **mich** wo wie stark / wen berühre **ich** wo wie stark?

## Führen E99

Was? Einer führt den andern, der sich an einem Seil festhält, durch den Raum.
Mit der Zeit werden die Augen des Geführten geschlossen.

Wozu? Den Raum kennenlernen, sich führen lassen und selber führen.

## Photo E100

Was? Stellt euch vor, ihr müsst für eine Aufnahmeprüfung an einer Schauspielschule ein Photo machen. Stattet euch mit Hüten, Tüchern usw. aus und denkt euch eine Stellung aus, in der dich dann dein Partner mit einer Polaroidkamera photographiert.

Wozu? Sich bewusst exponieren.

## Kreuz und quer E101

Was? Wir gehen alle kreuz und quer, vor und rückwärts durch den Raum, ohne aneinanderzustossen. Zuerst langsam, dann schneller und noch schneller.

Wozu? Erleben, dass wir die andern beeinflussen und selbst beeinflusst werden.

## Gehe deinen Weg E102

Was?

Jeder von uns nimmt sich in Gedanken ganz genau einen Weg vor, den wir nachher gehen werden. Auf ein Signal gehen wir alle gleichzeitig unseren Weg. Überleg dir dann, ob du irgendwo jemandem ausweichen musstest, und schau ihn dann an. Wir nehmen uns noch einen zweiten Weg vor, den wir auf die gleiche Art gehen wie vorher, aber diesmal gehen wir zur Person, die unseren Weg beeinflusst hat.

Wozu?

- sich bewusst werden, dass wir beeinflussen können
- sich bewusst werden, dass wir beeinflusst werden
- sich bewusst werden, wer uns beeinflusst hat

## Stimmungen E103

Was?

In zwei Reihen stehen sich die Spieler gegenüber.
Zuerst kehren wir uns den Rücken zu und probieren aus, wie wir sind, wenn wir wütend sind.
Kehren uns um, zeigen und schauen uns gegenseitig an.
Dasselbe mit den folgenden Ausdrücken:
trotzig/gelangweilt/traurig/interessiert/zärtlich/fröhlich-/übermütig

Wozu?

Sich der verschiedenen Stimmungen bewusst werden.

## Gefühle herauslassen E104

Was?

Zu denselben verschiedenen Ausdrücken wie bei E103 durch den Raum gehen. Ohne etwas Reelles zu sagen, wollen wir uns mit unserer Stimme der Stimmung entsprechend ausdrücken.
Zum Schluss in der Stimmung durch den Raum gehen und dazu Wortfetzen oder Laute bilden, in der jeder sich jetzt gerade fühlt.

Wozu?

Gefühle ausdrücken und wahrnehmen.
Seine eigene Stimmung wahrnehmen.
(Herausfinden, in was für einer Stimmung jeder zum Schluss durch den Raum geht.)

## Anschauen E105

Was? Schaut euch in dieser Zweiergruppe ganz genau an und merkt euch möglichst viel und möglichst genau, wie der andere aussieht, was er anhat usw.
Kehrt euch dann den Rücken zu und erzählt dem andern alles, was ihr noch von ihm wisst.

Wozu? Genau beobachten und wiedergeben können.

## Grimassen verändern E106

Was? Jemand aus der Gruppe setzt sich eine imaginäre Maske auf. Der nächste übernimmt sie, verändert sie aber langsam und gibt sie so weiter. Dann entspannen wir unsere Gesichter.

Wozu? Aufmerksam werden auf den andern und dessen Gesichtsausdruck.

## So stehe ich morgens auf E107

Wer? Wer will, einzeln vor den anderen

Was? Je einer zeigt pantomimisch vor den anderen, wie er morgens aufwacht und dann aufsteht.
Nach jeder Darbietung beantwortet die Gruppe die Fragen: «Was haben wir erfahren, welche Kleider hat er angezogen, wurde etwas beim Anziehen vergessen?»

Wozu? Sich vor den anderen zeigen.

## Kopfmassage E108

Was? Die Hälfte der Gruppe legt sich sternförmig mit dem Rükken auf den Boden.

Die andere Hälfte der Gruppe stellt sich «in diesen Stern» und bildet einen Kreis, indem sich alle an den Händen fassen. Alle Spieler schliessen die Augen.

Die Stehenden sollen sich nun (mit geschlossenen Augen) im Kreis links herum bewegen, möglichst ohne die Liegenden dabei zu «verletzen».
Schliesslich bleiben sie auf ein Stichwort des Spielleiters hin mit gegrätschten Beinen über einer Person stehen.
Die Augen werden wieder geöffnet.
Der vorher Stehende legt sich nun auf dem Bauch auf den Boden.
Der andere «massiert» den Hinterkopf seines Partners, anfangs, ohne diesen zu berühren, später mit Berührung.

Wozu? Gruppenbildung und Körperkontakt.

## Gegensätze E109

Was? Während einer aus der Gruppe 1 eine Eigenschaft benennt (z.B. müde, sportlich, freundlich etc.) und die Gruppe 1 diese darstellt, soll die zweite Gruppe das Gegenteil der Eigenschaft darstellen.
Danach benennt einer aus der Gruppe 2 eine Eigenschaft . . . etc.

Wozu? Körpergefühl erweitern.

## Kontakte E110

Was? Die gesamte Gruppe geht im Raum umher. Jeder für sich allein. Der Spielleiter nennt irgendeine Zahl und ein Körperteil, z.B. 2 Nasen. Daraufhin bilden je 2 Spieler eine Gruppe, indem beide sich mit ihren Nasen berühren etc.

Wozu? Körpernähe ausprobieren.

## Lockerung E111

Was? Die Gruppe steht im Kreis.
Anweisungen des Spielleiters:
- sich aufrecht hinstellen
- sich so weit wie möglich nach allen Richtungen (nach vorne, zur Seite, nach hinten) fallen lassen, ohne das Gleichgewicht zu verlieren bzw. ohne hinzufallen

– Hände an die Hüfte legen; Oberkörper in der Hüfte kreisen.

Alle schliessen die Augen und laufen blind in Richtung Kreismitte. Dort fassen sie den oder die Mitspieler an, auf die sie treffen.
Anschliessend gehen alle – blind und angefasst – im Raum herum

Wozu? Eigenes Standvermögen erproben.

## Rückenklopfen E112

Was? Die Hälfte der Spieler verteilt sich im Raum.
Sie nehmen mit leicht gegrätschten Beinen Aufstellung und lassen ihren Oberkörper locker nach vorne fallen.
Aus dieser Gruppe suchen sich die anderen anschliessend einen Partner und stellen sich neben diesen.

**Aufgabe:**
- mit den Fingern auf den Rücken des Partners klopfen
- durch Griff an den Schultern dem Partner behilflich sein, den Rücken in waagerechter Stellung zu halten
- wieder auf den Rücken klopfen
- den Partner an der Stirn anfassen, so dass «man den Kopf wie einen Apfel in der Hand hält», und ihm helfen, sich aufzurichten.

Wozu? Lernen, sich jemandem hinzugeben.

## Ich will dich E113

Was? Ein Spieler setzt sich auf den Boden, die andern sitzen im Kreis um ihn herum. Er ruft nun: «Hilfe, ich bin ins Wasser gefallen.» Die andern: «Wie tief?» – «. . . Meter.» «Wer soll dich rausziehen?» Hierauf sucht sich der Verunfallte einen Retter aus.
Steigerung: Auf die Frage: «Wer soll dich rausziehen», antwortet der Verunfallte: «Wer am besten tanzen (etc.) kann», und sucht sich dann unter den Tänzern einen Retter.

Der Spieler fragt: «Wer ist der beste Retter?» Worauf alle Interessierten von ihren Vorzügen erzählen. Dann wählt er aus.

Wozu? Sich für jemanden entscheiden lernen, sich darstellen können.

## Wortlos E114

Was? Die Spieler bewegen sich zu Musik.
Sobald die Musik abstellt, Impulse geben, wie die Schüler reagieren bzw. was sie machen sollen.
Z.B.

- Hinter der Glasscheibe eines Flughafens merkst du plötzlich, während du deinem Freund winkst, dass er dein Portemonnaie mitgenommen hat.
- Viele Leute wollen in den Zug einsteigen, du siehst mitten im Gedränge deine Mutter wieder, die du verloren hast.

Wozu? Nonverbales mitteilen, ausprobieren.

## Wunsch I E115

Was? Alle gehen im Raum umher und sind auf ein Zeichen des Spielleiters hin versteinert. Der Spielleiter tippt einen (oder mehrere) Spieler mit einem «Zauberstab» an und erlöst ihn. Der Erlöste darf einen anderen erlösen, und dieser muss dem Erlöser als Dank einen Wunsch erfüllen usw., bis alle erlöst sind.

Wozu? Wünsche formulieren und erfüllen lernen.

## Wunsch II E116

Was? Die Hälfte der Spieler tragen einen Spielbändel als Erkennung und sind Dschinns oder Feen. Die ganze Gruppe geht im Raum umher. Wenn ein «normaler» Spieler einen Dschinn trifft, darf er sich von diesem etwas wünschen.

(Unmittelbar erfüllbare Wünsche, wie ein Lied vorsingen, Huckepack getragen werden, eine kleine Zeichnung an die Wandtafel usw.) Wenn der Wunsch erfüllt worden ist, übergibt der Dschinn seinen Bändel dem Wünscher und sucht sich seinerseits einen Dschinn oder eine Fee.

Wozu? Wünsche formulieren und erfüllen lernen.

## Alle für einen? E117

Was? Jeder Spieler sucht sich einen Filzstift aus und beginnt auf einem Blatt Papier Blumen oder Schmetterlinge zu zeichnen. Wenn er eine andere Farbe braucht, muss er zum Spieler mit der entsprechenden Farbe hin. Er darf sich aber den Filzstift nicht ausleihen, sondern muss die Hand des andern Spielers führen.

Wozu? Das Erlebnis, jemandem in seinen Dienst zu nehmen und jemandem zu Diensten zu sein.

## Lausen E118

Was? Alle sind Affen, bewegen sich im Raum und gehen zu einem anderen Affen, wenn sie Lust haben, sich lausen zu lassen.

Wozu? «An sich» etwas «machen lassen».

## Heizung E119

Was? Die Gruppe stellt sich in 2 Reihen gegenüber auf, so dass sie eine schmale Gasse bilden.
Das am vorderen Ende sich gegenüberstehende Paar fasst sich an den Händen und geht nacheinander (der erste rückwärts – der zweite vorwärts) durch diese Gasse.
Die anderen «massieren» mit ihren Händen die Vorüberziehenden. Am Ende gliedern sie sich wieder in die Reihen ein, und das nächste Paar wird «massiert».

Wozu? Von vielen etwas bekommen.

***Wenn ich vor ein Problem gestellt werde, das ich zu lösen habe, sind die Lösungsmöglichkeiten nie unabhängig vom Umfeld, in dem ich mich bewege. Ich muss also die vorhandenen Gegebenheiten berücksichtigen. Oft sagen wir in solchen Momenten: Das ist also***

# *Die Situation!*

Erst in der TZT-Struktur, die wir «Situation» nennen, kommen die Vorteile des «Theaters» vollumfänglich zum Tragen. Nicht nur, dass ich (wie oben beschrieben) die Realität im «Als-ob-Schutz» einer Fiktion kitzeln kann, ich kann sogar noch eine andere Rolle übernehmen, die mir weiteres Terrain öffnet, auf dem ich mich probehalber tummeln kann. So ist (heutzutage) etwa die Situation: «ein Bettler kommt zu einem König und will etwas von ihm», in vielen Punkten identisch mit der realen Situation: «ein Lehrer kommt zu einem Schulpfleger und möchte etwas von ihm». Beide Situationen sind angstbesetzt und hoffnungsvoll zugleich. Wenn beide Situationen szenisch gespielt werden, sehen wir, dass die auftauchenden Mechanismen ähnlicher Natur sind. Das bedeutet, dass Nähe und Distanz, in der eigene Konflikte bearbeitet werden können, durch die Situationsformulierung und durch die darin vorkommenden Rollen regulierbar sind.
Bis zu einem gewissen Grad ist eine Rolle auch ein (Handlungs)vehikel. So wie ich mich des Fahrrads bediene, um (schneller als zu Fuss) an einen andern Ort zu gelangen oder ein Boot besteige, um übers Wasser zu fahren (um nicht schwimmen zu müssen), so kann ich mich auch bestimmter Rollen bedienen, um bestimmte Handlungsweisen leichter auszuprobieren. Dabei geht es nicht um eine Clichierung der jeweiligen Person, sondern um ihre offensichtlichen Fähigkeiten, die in unserer gemeinsamen Vorstellung vorhanden sind. Es wird uns leichter fallen, jemanden zu umsorgen, wenn wir eine Krankenschwester im Dienst spielen, als wenn wir einen Preisboxer im Kampf spielen. Das sagt nichts darüber aus, wie beide Personen ausserhalb ihrer «Berufstätigkeit» auch noch sein können!
Auch in der Situation gilt der Grundsatz: der Lernende soll den Lehrstoff aktiv angehen können. Durch die Situationsvorgabe, die aus Rollengerüsten und eine Handlungsgerüst besteht, wird dem Lernenden ein konkreter Rahmen vorgegeben, innerhalb dessen er selbständig nach Lösungsmöglichkeiten suchen kann. Um ihn auch da nicht zu überfordern, sind am Anfang immer nur zwei Personen in einer Situation. Bevor die beiden ihre Szene spielen, findet unter ihnen eine Besprechung statt, die es erlauben soll, die einzelnen Bedürfnisse aufeinander einzustimmen. Das verlangt nicht nur

Auseinandersetzung mit dem Stoff, sondern auch Verhandlungsgeschick mit dem Partner.
Dadurch gelingt es wiederum, die Erarbeitung des Lehrstoffes mit sozialem Lernen zu verbinden.
Im Gegensatz zu den Einstiegsspielen werden die Produkte der Situation vor Zuschauern gespielt. Wieder eine aussergewöhnliche Möglichkeit: sich mit jemandem auseinanderzusetzen, während dessen einem andere zuschauen, beteiligt am Geschehen, aber nicht eingreifend. Diese Darbietungen werden danach im Plenum besprochen: nicht das Zerreden des Gespielten wird angestrebt, sondern der Austausch verschiedener Wahrnehmungen und subjektiver Gefühle. Sich verbal äussern und andern zuhören können wird so geübt. Dadurch lernt der eine Schüler vom andern, die Stoffvermittlung wird zum Problem aller Anwesenden und bleibt nicht allein am Lehrer hängen. Die Gruppe wird selbständiger. Sie beginnt stoffbezogene Problemkreise selber zu entdecken und ist motiviert, weitere Techniken kennenzulernen, die ihr die Lösung der Probleme erlauben.

**Situationen im Alltag:** suchen, wollen, finden, verlangen, bitten, verweigern, lieben, hassen, reden, entscheiden, ablehnen, reklamieren, loben, danken, führen, folgen, gehen, treffen, mitteilen, lernen, können, nicht können, lösen, schlafen, wachen, hoffen, verstecken, zeigen usw.
Daraus geschöpft sind die TZT-Situationen.
**Gefühl:** TZT-Situation lassen einen in ungewohnte Rollen, Umstände und Verhalten einfühlen, lassen eigene Gefühle fliessen und sich im Schutzraum der Fiktion und durch die Rolle unterstützt so verhalten, wie es einem zumute ist.
**Körper:** TZT-Situationen lassen optisch in eine andere Rolle schlüpfen, helfen, sich selber in seinem körperlichen Verhalten wahrzunehmen, seine Körpersprache zu verstehen und seinem Gegenüber körperlich zu begegnen.
**Verstand:** TZT-Situationen lassen Herausforderungen vorbesprechen und dabei das Mass ihrer Brisanz vorbestimmen, lassen mit dem Spielpartner verhandeln und lassen eigene unbewusste Anteile durch die Rückschau nach dem Spiel ins Bewusstsein rücken.

## Vorübungen zu den Situationen

Zweck? Diese Vorübungen dienen dem allgemeinen Einleben in die jeweiligen Situationen.

Wer? Alle Vorübungen sind für die ganze Gruppe gedacht und zwar – gleich wie bei Einstiegsspielen – machen alle das Spiel gleichzeitig.

Anmerkung Weisen Sie nach diesen Vorspielen darauf hin, dass es nicht darum geht, jetzt genau gleich die Elemente aus der Vorübung in die Situation zu übernehmen.

Zu S1 Alle schreiten wie Könige durch den Raum.
Alle gehen als Bettler durchs Zimmer.
Alle gehen als Bettler durch das Zimmer von einer Wand zur andern und verlangen, sobald sie an der Wand angekommen sind, etwas.

Zu S12 Alle stehen an einem See und füttern mit alten Brotresten Schwäne und Möwen.
Alle rufen ihrer Katze, um sie zu füttern.
Alle pfeifen oder rufen ihrem Hund, um spazieren zu gehen.
Auf dem Spaziergang: der Hund muss sitzen (Platz!), liegen, bei Fuss gehen usw.

Zu S14 Alle warten auf die Strassenbahn, schauen in eine Richtung, ob sie wohl kommt.
Plötzlich ist sie da, alle drängen hinein, dann fährt sie ab.
Alle gehen wahllos von einem zum andern und fragen: «Haben Sie mir Kleingeld, um den Billetautomaten zu füttern?»

Zu S11 Alle sind in einer Telefonkabine und telefonieren mit einem Tierarzt, nachdem sie zugesehen haben, wie ein Hund überfahren worden ist. (alle sprechen gleichzeitig)

Zu S15 Alle schlafen, auf ein Geräusch des Spielleiters erwachen sie, dann schlafen sie wieder ein, wieder ein Geräusch usw.
Alle stehen an der Wand: langsam – auf Zehenspitzen – sollen alle ganz geräuschlos zur Mitte des Raumes schleichen. Wer die Mitte erreicht hat, verharrt dort, bis

alle in der Mitte sind, danach schleichen wir ebenso leise zur Wand zurück.

Zu S17

Alle haben ein körperliches Leiden, humpeln herum, einige sind schwerer verletzt als andere, einigen wird von den weniger verletzten geholfen, sie werden an Ort und Stelle verarztet oder weggetragen.

Zu S18

Alle liegen am Strand und räkeln sich an der Sonne.
Alle stehen an einem Skilift an und versuchen, sich gegen den eisigen Wind zu schützen.
Alle bringen sich während eines starken Gewitters schnell an ein trockenes Plätzchen.

Zu S26

Auf dem grossen Markt: Verkäufer (etwa ein Drittel der Gruppe) rufen ihre Waren aus, die Andern sind Kunden, kaufen, feilschen, reklamieren wegen mangelhafter Ware, die sie gekauft haben.

Zu S29

Alle halten eine Angelrute ins Wasser. Auf ein Zeichen des Spielleiters hat ein Fisch angebissen und alle spulen so schnell wie möglich die Schnur auf, um den Fisch zu landen.

Zu S32

Alle haben einen Fotoapparat, gehen damit im Raum herum und knipsen (imaginär natürlich) alles, was ihnen vor die Linse gerät.

Für sämtliche andern Situationen sind leicht entsprechende Vorübungen vom Spielleiter selbst zu entwickeln.

## Bettler und König S1

| | |
|---|---|
| Wer? | Alle Altersstufen<br>Ganze Gruppe in Paaren |
| Wo? | Gruppenraum |
| Wie lange? | Jede Gruppe max. 3′ |
| Was? | Die Situation: Ein Bettler kommt zu einem König und versucht sich etwas zu erbetteln.<br>Jede Gruppe darf ihr Spiel 5–10 Minuten lang vorbereiten. In der Gruppe wird entschieden, wer den Bettler und wer den König spielt. Danach spielt jedes Paar seine Szene der Gruppe vor. |
| Wozu? | In diesem Rollenspiel erfährt der Spieler die Möglichkeiten der Machtrolle einerseits und andererseits die Pflichten in der Bettlerrolle. |
| Beobachtungskriterien | Wer spielt den Bettler, wer den König?<br>Spielt der König seine Macht aus?<br>Beugt sich der Bettler der Macht des Königs?<br>Sprechen sie mehr als das Allernotwendigste miteinander?<br>Was verlangt der Bettler vom König?<br>Gibt der König das Verlangte ab? |

## Zwerge und Riese S2

| | |
|---|---|
| Wer? | Alle Altersstufen<br>Ganze Gruppe in Paaren |
| Wo? | Gruppenraum |
| Wie lange? | Jede Gruppe max. 3′ |
| Was? | Die Situation: Ein Zwerg und ein Riese sollen gemeinsam eine Aufgabe nach ihrer Wahl lösen. (Auf der Unterstufe empfiehlt es sich, mögliche Aufgaben – ev. aus Märchen – anzudeuten.) |

| | |
|---|---|
| | Jede Gruppe darf ihr Spiel 5–10 Min. lang vorbereiten. In der Gruppe wird entschieden, wer den Zwerg, wer den Riesen spielt und welche Aufgabe sie gemeinsam bewältigen müssen. |
| Wozu? | In diesem Spiel wird die Tatsache erprobt, dass auch zwei Ungleiche ein Problem gemeinsam lösen können. |
| Beobachtungs-kriterien | Wer spielt den Riesen, wer den Zwerg?<br>Was haben sie für eine Aufgabe?<br>Wie gross ist der jeweilige Anteil an der Aufgabenlösung? |

## Zauberer S3

| | |
|---|---|
| Wer? | Alle Altersstufen<br>Alle in Zweiergruppen |
| Wo? | Gruppenraum |
| Wie lange? | Jede Gruppe max. 5' Spieldauer |
| Was? | Die Situation: Ein Zauberer trifft jemanden und will ihn verzaubern.<br>Jede Gruppe darf ihre Szene 5–10 Min. vorbereiten. In dieser Produktionsgruppe wird entschieden, wer welche Rolle spielt. Danach spielt jede Gruppe ihre Szene den andern vor. |
| Womit? | Etwelche Requisiten sollen von den Spielern selbst nach ihren Bedürfnissen zusammengesucht werden. |
| Wozu? | Als Zauberer mit jemandem tun können, was einem passt. |

## Fee S4

| | |
|---|---|
| Wer? | Alle Altersstufen<br>Alle in Zweiergruppen |
| Wo? | Gruppenraum oder Schulzimmer |
| Wie lange? | Jede Gruppe max. 5' Spieldauer |

| | |
|---|---|
| Was? | Die Situation: Eine Fee trifft jemanden und gibt ihm einen Wunsch frei. Jede Gruppe darf ihre Szene 5–10 Min. vorbereiten. In dieser Produktionsgruppe wird entschieden, wer welche Rolle spielt. Danach spielt jede Gruppe ihre Szene den andern vor. |
| Womit? | Etwelche Requisiten sollen von den Spielern selbst nach ihren Bedürfnissen zusammengesucht werden. |
| Wozu? | Sich von jemandem wünschen, was man will. |

## Prophezeiung S5

| | |
|---|---|
| Wer? | Alle Altersstufen<br>Alle in Zweiergruppen |
| Wo? | Gruppenraum oder Schulzimmer |
| Wie lange? | Jede Gruppe max. 5′ Spieldauer. |
| Was? | Die Situation: Ein Geist erscheint jemandem und prophezeit ihm etwas. Jede Gruppe darf ihre Szene 5–10 Min. vorbereiten. In dieser Produktionsgruppe wird entschieden, wer welche Rolle spielt. Danach spielt jede Gruppe ihre Szene den andern vor. |
| Wozu? | Die Möglichkeit, jemandem etwas zu sagen, das ihn betrifft. |

## Fremder Planet S6

| | |
|---|---|
| Wer? | Alle Altersstufen<br>Alle in Zweiergruppen |
| Wo? | Gruppenraum oder Schulzimmer |
| Wie lange? | Jede Gruppe max. 5′ Spieldauer |

Was? Die Situation: Zwei Freunde sind auf einem unwirtlichen Planeten gelandet.

Wozu? Zusammen etwas Neues entdecken.

## Schlaraffenland S7

Wer? Alle Altersstufen
Alle in Zweiergruppen

Wo? Gruppenraum

Was? Die Situation: Zwei Personen legen sich schlafen; sie träumen, sie seien im Schlaraffenland.

Wozu? Wünsche ausformulieren

## Schatzsuche S8

Wer? Alle Altersstufen
Alle in Zweiergruppen

Wie lange? Jede Gruppe max. 5′ Spieldauer

Was? Die Situation: Zwei suchen einen Schatz. Jeder hat eine Hälfte des Plans.

Wozu? Die Erfahrung, Information zum Gelingen einer Unternehmung dem andern anzuvertrauen.

## Skelett S9

Wer? Alle Altersstufen
Alle in Zweiergruppen

Wo? Gruppenraum oder Schulzimmer

Wielange? Jede Gruppe max. 5′ Spieldauer

| | |
|---|---|
| Was? | Die Situation: Im Urwald treffen zwei Forscher auf ein frisches Skelett. |
| Wozu? | Zu zweit Vorstellungen austauschen und Ängste abbauen. |

## Oase S10

| | |
|---|---|
| Was? | Die Situation: Zwei sind in der Wüste und suchen eine Oase. |
| Wozu? | Das Erlebnis, zu zweit in einer Grenzsituation zu sein. |

## Tierarzt und Besucher mit dem Tier S11

| | |
|---|---|
| Was? | Die Situation: Jemand kommt mit seinem kranken Tier zum Arzt in die Praxis. |
| Wozu? | In diesem Spiel wird eine Dreiersituation simuliert, ohne dass die dritte Figur (das kranke Tier wird von niemandem gespielt) aktiv in die Interaktion eingreifen kann. Dadurch ist es eine eigentliche Vorübung zu Situationen mit drei und mehr Beteiligten. |
| Beobachtungskriterien | Wer spielt den Tierarzt, wer den Besucher?<br>Welches Tier bringt er mit?<br>Weiss er, woran es leidet, oder überlässt er die volle Diagnose dem Arzt?<br>Vermögen beide Spieler, die Tiervorstellung aufeinander abzustimmen? |

## Tier und Dompteur S12

| | |
|---|---|
| Was? | Die Situation: ein Dompteur zeigt mit einem Tier einen Dressurakt vor. |
| Wozu? | Durch dieses Spiel erfährt der Spieler die Notwendigkeit des Auf-Einander-Eingehens und der gegenseitigen Rücksichtnahme. |

Beobachtungskriterien — Wer spielt das Tier, wer den Dompteur?
Wie versucht der Dompteur, das Tier zu dem zu bringen, was er will?
Wie verhält sich das Tier in Zwangssituationen?

## Wildes Tier S13

Was? — Die Situation: Ein wildes Tier trifft auf einen Menschen.

Wozu? — Die Möglichkeit, sich dem Partner in der Rolle des wilden Tieres zu nähern.

## Fahrgast und Schaffner S14

Was? — Die Situation: Ein Schaffner erwischt einen Fahrgast, der kein gültiges Billet vorweisen kann.

Wozu? — In diesem Spiel werden Voraussetzungen zur verbalen Auseinandersetzung mit dem Spielpartner geschaffen.

Beobachtungskriterien — Wer spielt den Fahrgast, wer den Schaffner?
Wie verfährt der Schaffner mit dem Fahrgast?
Welche Gründe gibt der Fahrgast für sein Verhalten an?
Kommt es zu einem gütlichen Kompromiss?

## Schläfer und Einbrecher S15

Was? — Die Situation: eine Person schläft in einem Zimmer, in das wenig später ein Einbrecher kommt.

Wozu? — In diesem Spiel hat es der Schläfer in der Hand, entweder zu erwachen und damit den Einbrecher zu stellen oder doch wenigstens in die Flucht zu schlagen, oder aber einfach weiterzuschlafen, um den Einbrecher nicht zu «stören». Der Einbrecher seinerseits wird sehr konzentriert versuchen, möglichst leise wieder aus dem Zimmer zu gelangen, bezw. hat er sich im Fall des Aufwachens ebenfalls für eine gewisse Verhaltensweise (Flucht od. Tätlichkeit, vielleicht sogar Diskussion) zu entscheiden.

| | |
|---|---|
| Beobachtungs-kriterien | Wer spielt den Einbrecher, wer den Schläfer?<br>Wie lange geht es, bis der Schläfer aufwacht?<br>Flieht der Einbrecher?<br>Was wollte er stehlen? |

## Verletzter und Helfer S17

| | |
|---|---|
| Was? | Die Situation: ein Verletzter liegt auf der Strasse und wird von jemandem gefunden. |
| Wozu? | In diesem Spiel erfährt sich der Spieler in der Rolle des Sorgenden einerseits und des Hilflosen (dem aber geholfen werden kann) andrerseits. |
| Beobachtungs-kriterien | Wer spielt den Verletzten, wer den Helfer?<br>Ist der Verletzte völlig passiv?<br>Wie intensiv ist die Hilfeleistung?<br>Bewirken die Hilfsversuche beim Verletzten lindernde Wirkung? |

## Gletscherspalte S18

| | |
|---|---|
| Was? | Die Situation: Auf einer Bergtour stürzt einer im Sturm in eine Gletscherspalte. |
| Wozu? | Die Möglichkeit, jemandem zu helfen – oder auch nicht. |

## Zu spät S19

| | |
|---|---|
| Was? | Die Situation: Jemand kommt zu spät nach Hause. |
| Wozu? | Eine eigene Aktion begründen. |

## Geld S20

| | |
|---|---|
| Was? | Die Situation: Einer will vom andern Geld, um sich etwas zu kaufen. |
| Wozu? | Für ein Bedürfnis Argumente austauschen. |

## Fernsehabend S21

Wer? Dreiergruppen

Was? Die Situation: Nach dem Nachtessen (auf der Unterstufe möglicherweise während des Tages) richten sich Vater, Mutter und Kind zum Fernsehen ein. Sie sind sich vorerst nicht einig, welches Programm angeschaut werden soll.

Wozu? Durch dieses Spiel erfahren die Spieler eine sprachliche Auseinandersetzung zu einem vorgegebenen Problemkreis.

Beobachtungskriterien
Wer spielt den Vater, wer die Mutter, wer das Kind?
Welche Programme stehen zur Diskussion?
Wer und wie entscheidet schliesslich, was angeschaut wird?

## Fernseher defekt S22

Was? Die Situation: Zwei sehen fern, plötzlich geht der Apparat kaputt.

Wozu? Die Erfahrung, durch äussere Umstände etwas unternehmen zu müssen.

## Rohrbruch S23

Was? Die Situation: Zwei sitzen vor dem Fernseher, plötzlich läuft Wasser ins Zimmer: eine Leitung ist geplatzt.

Wozu? Die Erfahrung, einem Ereignis vorübergehend Vorrang einräumen zu müssen.

## Gehen wir ins Kino? S24

Was? Die Situation: Jemand will den andern dazu bringen, mit ins Kino zu gehen.

Wozu? Jemanden für etwas zu gewinnen suchen.

## Auf den andern zählen S25

Was? Die Situation: Am Abend: keiner hat Essen gekauft, weil jeder dachte, der andere tuts.

Wozu? Darüber reden, was es heisst: der andere macht das schon.

## Kunde und Verkäufer S26

Was? Die Situation: ein Kunde kommt in einen Laden, um für jemanden ein Geschenk einzukaufen.

Wozu? In diesem Spiel werden Voraussetzungen zur verbalen Auseinandersetzung mit dem Spielpartner geschaffen. Darüber hinaus muss jedoch der Verkäufer möglichst genau auf Fragen und Wünsche des Kunden eingehen.

Beobachtungskriterien Wer spielt den Kunden, wer den Verkäufer?
Für wen kauft sich der Kunde ein Geschenk?
Hat er genaue Vorstellungen? Lässt er sich beraten?
Was kauft er schliesslich?
Versucht der Verkäufer, etwas aufzuschwatzen?
Nimmt er Rücksicht auf die Person, die der Kunde beschenken will?

## Pass fehlt S27

Was? Die Situation: Im Augenblick der Abfahrt für eine grosse Reise vermisst der eine seinen Pass.

Wozu? Die Erfahrung, das Problem des einzelnen gemeinsam lösen zu können.

## Fremdenführer S28

Was?

Die Situation: Ein Einheimischer zeigt einem Fremden seinen Ort.
Jede Gruppe darf ihre Szene 5–10 Min. vorbereiten. In dieser Produktionsgruppe wird entschieden, wer welche Rolle spielt. Danach spielt jede Gruppe ihre Szene den andern vor.

Wozu?

Die Erfahrung, dank einem Informationsvorsprung, jemandem etwas zu sagen.

## Zwei Fischer S29

Was?

Die Situation: zwei Fischer sind gleichzeitig am Fischen, doch während der eine kaum je den Köder auswechseln muss, zieht der andere einen Fisch nach dem andern aus dem Wasser.

Wozu?

In diesem Spiel wird die Voraussetzung dazu geschaffen, den erfolglosen Fischer an den Erfahrungen seines Kollegen teilhaben zu können.

Beobachtungskriterien

Wer fängt zu Beginn die Fische?
Werden Ratschläge und «Berufsgeheimnisse» weitergegeben?
Bessert sich die Lage für den erfolglosen Fischer nach einiger Zeit?

## Zwei Wanderer und das Wetter S30

Was?

Die Situation: zwei Wanderer vor einer Wegkreuzung diskutieren über den zu wählenden Weg. Es gibt einen kürzeren und einen längeren Weg, das Wetter scheint sehr unsicher.

Wozu?

In diesem Spiel müssen vorerst Identitäten der beiden Wanderer gefunden werden (z.B. Vater und Sohn), welche auf die Kräfteverhältnisse im Spiel einen Einfluss haben können. Dazu kommt der x-Faktor Wetter, der beide Spieler dazu zwingt, sich in der Vorstellung der Wetterlage aufeinander einzupendeln.

| | |
|---|---|
| Beobachtungskriterien | Welche Figuren werden von wem gespielt?<br>Wie wird mit dem Wetter argumentiert?<br>Gibt es andere Argumente?<br>Kommt es zu einer Lösung oder trennen sich die Wanderer? |

## Betrunken S31

| | |
|---|---|
| Was? | Die Situation: Jemand kommt nach Hause und findet dort einen andern völlig betrunken in der Wohnung herumliegen. |
| Wozu? | Sich mit der Notlage eines andern auseinandersetzen. |

## Beim Fotografen S32

| | |
|---|---|
| Wer? | Alle Altersstufen<br>Alle in Vierergruppen |
| Wie lange? | Jede Gruppe max. 4′ |
| Was? | Die Situation: eine Dreiergruppe kommt zu einem Fotografen und will ein Gruppenbild machen lassen. Die drei Rollen sind in der Aufgabenstellung unbestimmt, müssen aber dann im Spiel klar definiert sein (z.B. Mutter, Vater und Kind usw.) |
| Wozu? | Durch die Rolle des Fotografen erfährt ein Spieler die Möglichkeit, andere «zurechtzurücken». Durch die Unbestimmtheit der drei anderen Rollen handelt es sich gleichzeitig um eine Vorübung zu weiteren Improvisationen. |
| Beobachtungskriterien | Wer spielt wen?<br>Zu welchem Anlass wird das Bild angefertigt?<br>Hat der Fotograf die Gruppe in der Hand?<br>Nimmt er Zuflucht zu seinem «Berufskönnen», um von der Gruppe eine Stellung zu verlangen? |

## Abholen S33

| | |
|---|---|
| Was? | Die Situation: Am Morgen holt der eine Schüler den andern bei ihm zu Hause ab. Der hat sich verschlafen. |
| Wozu? | Die Erfahrung, trotz Druck von aussen (Schulbeginn) mit Rücksicht auf den Kollegen zu warten oder eben nicht! |
| Beobachtungskriterien | Wer spielt den Verschlafenen? Wird über die Entscheidung diskutiert? |

## Was tun? S34

| | |
|---|---|
| Was? | Die Situation: Unverhofft ergibt sich eine Freistunde. Zwei Schüler beraten miteinander, was sie in der Zeit tun wollen. |
| Wozu? | Gemeinsam etwas besprechen, das sehr viele Möglichkeiten offen lässt. |
| Beobachtungskriterien | Wird diskutiert, argumentiert? |

## Suchen S35

| | |
|---|---|
| Was? | Die Situation: Die Mutter und ein Kind sind zu Hause. Das Kind muss dringend an eine Veranstaltung, hat aber die notwendigen Sachen verlegt. |
| Wozu? | Die Möglichkeit, in der fiktiven Engpassituation durch (auch fiktives) Finden des Gegenstandes die Interaktion selbst zu bestimmen. |
| Beobachtungskriterien | Was wird vermisst? Wird es auch gefunden? |

## Erzählen S36

| | |
|---|---|
| Wer? | Ganze Klasse in Zweiergruppen, alle Stufen |
| Wo? | Schulzimmer |
| Wie lange? | Spielzeit: max. 5′ |

| | |
|---|---|
| Was? | Die Situation: Ein Kind kehrt von einem Ausflug nach Hause zurück. Jemand fragt, wie es gewesen sei und was sie gemacht hätten. |
| Wozu? | Der Versuch, jemandem ein Erlebnis zu erzählen. |
| Beobachtungskriterien | Wie wird gefragt, wie wird geantwortet? |

## Kaufen S37

| | |
|---|---|
| Was? | Die Situation: Jemand kommt ins Warenhaus und will einen bestimmten Artikel, von dem er aber nicht weiss, wie er heisst. Der Verkäufer sollte herausfinden, was er eigentlich will. |
| Wozu? | Der Versuch, sich über verbale und nonverbale Umschreibung des benötigten Artikels zu machen. |
| Beobachtungskriterien | Wird der Artikel ausfindig gemacht? Sind die Beschreibungen brauchbar? |

## Ladenschluss S38

| | |
|---|---|
| Was? | Die Situation: Jemand kommt ganz kurz vor Ladenschluss ins Warenhaus und muss ganz dringend noch etwas haben. Einer spielt den Kunden, der andere die Verkäuferin. |
| Wozu? | Der Versuch, von jemandem trotz Ausreden wie «wir müssen halt, wir können halt nicht!» usw. etwas zu erhalten, beziehungsweise etwas zu geben. |
| Beobachtungskriterien | Was wird verlangt? Wird es abgegeben? Warum nicht? |

## Fremdsprache S39

Wer? Ganze Klasse in Zweiergruppen, alle Altersstufen

Wo? Schulzimmer

Wie lange? Spielzeit: max. 4′

Was? Die Situation: In den Ferien kommt man abends an einen Ort und kann die Sprache der Einheimischen nicht.

Wozu? «Pantomimisch» soll versucht werden, dem Einheimischen seine Bedürfnisse klarzumachen.

Beobachtungskriterien: Gelingt es dem Einheimischen eine Art Kunstsprache zu sprechen?

## Geschenk S40

Was? 2 Geschwister sind am «Sünnele» in der Badi. Sie beraten, was sie ihrer Mutter zum Geburtstag schenken wollen.

Wozu? Phantasieren, sich miteinander auseinandersetzen und entscheiden.

## Tollwut S41

Was? Ein Dompteur ruft den Tierarzt, weil er befürchtet dass sein Tier Tollwut hat.

Wozu? Die Erfahrung, Hilfe in Anspruch zu nehmen.

## Stark + schwach S42

Was? Ein Stärkerer will etwas von einem Schwächern. Gib deiner Rolle eine Biografie!

Wozu? Wie setze ich mich durch?
Wie argumentiere ich?
Wie stark beeinflusst die Vorstellung meiner Rolle mein Verhalten?

## Zum Fressen S43

Was? Einem hungrigen Huhn, das auf Futtersuche geht, springt eine Grille mitten auf den Weg.

Wozu? Macht ausüben – Der Macht ausgeliefert sein.

## Können S44

Was? Ein Hahn und ein Huhn wollen in den Hühnerstall zum Schlafen. Sie wissen, dass ihnen die Kuh den Zugang verweigert, wenn nicht beide der Kuh ein Ei geben.

Wozu? Auf jemanden angewiesen sein.
Jemandem an seinem Können teilhaben lassen.

## Idee S45

Was? An einem langweiligen Nachmittag, den ein paar Freunde gemeinsam verbringen, hat einer plötzlich eine gute Idee.

Wozu? Phantasien umsetzen.

## Verstecken S46

Was? Eine Mutter (ein Vater) sieht gerade noch, wie ihr Kind etwas vor ihr (ihm) versteckt.

Wozu? Mechanismen des «sich verstellens» erleben

## Verheimlichen S47

Was? Vater und Mutter sprechen heftig über etwas was ihr Kind nicht wissen soll, da kommt das Kind dazu.

Wozu? Bewusst werden, dass sich jemand, oder auch ich selber, eine «Maske» aufsetzen kann.

## Reiche Dame und Dienstmädchen S48

Was? Die Situation: Eine reiche Dame will etwas von ihrem Dienstmädchen.

Wozu? Gegenseitige Abhängigkeit erfahren.

## Anonym S49

Was? Zwei Freundinnen wollen soeben ins Kino gehen, da kommt ein anonymer Telephonanruf.

Wozu? Erleben, dass uns Dinge und Personen beeinflussen können.

## Einladung S50

Was? Ein Mädchen lädt einen Jungen zu ihrem Geburtstagsfest ein.

Wozu? Merken, wieviel Mut es braucht, den andern zu fragen.

## Mannequins S51

Was? Ein ital. Modedesigner wählt aus 2 Bewerberinnen ein Mannequin, das sein neuestes Schuhmodell vorführen soll.

Wozu? Eine Entscheidung treffen, sich exponieren.

***Sobald ich etwas kann, meldet sich mein natürlicher Instinkt: ich will mein Können einsetzen, meine Fähigkeiten nutzen, am besten hier und jetzt. Was – und ob ich es schon kann – wird sich sofort zeigen, wenn ich mein Können messe an den Anforderungen der***

# *Realität*

Die TZT-Struktur, die dies ermöglicht, nenne ich deshalb Realie. Sie ist immer wieder Herausforderung und Spiegel zugleich. Herausforderung im Sinne der Realitätsbewältigung und Spiegel im Sinne von Rückmeldungen bezüglich meiner bereits vorhandenen Verhaltensmöglichkeiten – aber auch betreffend meiner Mängel, die ich da und dort noch aufweise.
Lernen braucht unbedingt einen Schutzraum – aber ebenso wichtig ist es, diesen Schutzraum bisweilen zu verlassen, «in die Welt hinauszugehen», um zu erleben, «was die Welt kostet» und nicht nur danach zu fragen . . . Gewappnet durch Vorerfahrungen, bestärkt durch die Beziehungen zu andern Gruppenmitgliedern bin ich in realer Aufgabe der Anwender des Gelernten, der Nutzniesser meines Könnens.
Die Möglichkeiten dazu sind unendlich: Rechnen lässt sich auch beim Einkaufen, schreiben lässt sich für einen richtigen Brief oder einen kleinen Artikel für das Lokalblatt, singen lässt sich in der Öffentlichkeit für einen guten Zweck – oder einfach zur Aufmunterung für graue Passanten – Geographie macht durch Reisen besonderen Spass . . . Vieles, was wir lernen, ob als Schulkind oder Erwachsener, sollen wir lernen, weil es ausserhalb der Schulstube schon angewendet wird – also lasst uns hingehen, an den Ort, wo diese Fertigkeit zur Anwendung kommt, dort wo sie ihren Sinn und Zweck wirklich erfüllt. Aus der Begegnung mit seinem Sinn und Zweck wird uns nicht nur der Lehrstoff als solcher anschaulicher und damit einleuchtender, sondern auch die Motivation, ihn möglichst bald zu beherrschen, wird erheblich gesteigert. Der Kreislauf fängt an, in Schwung zu kommen: Stoff aufnehmen, ihn verarbeiten durch Anwenden, dabei meine Stärken erkennen und ausbauen, meine Schwächen empfinden und ausmerzen, wieder aufnehmen und wiederum anwenden; in kleinen Schritten zuerst und mit der Zeit auch in grossen.

**Realien im Alltag:** lesen, schreiben, malen, werken, musizieren, berechnen, ausmessen, einkaufen, verkaufen, bewerben, wandern, besuchen, teilen, beurteilen, wandern, entscheiden, fahren, besichtigen, bauen, gestalten und so weiter und so weiter.
Daraus geschöpft sind die TZT-Realien.
**Gefühl:** TZT-Realien lassen die Spannung einer Aufgabe gegenüber steigern. Sie lassen Glücksgefühl und Betrübtheit – je nach Gelingen – in besonderem Mass verspüren.
**Körper:** TZT-Realien lassen den Körper in seiner ganzen Möglichkeit und mit seinen Grenzen erfahren. Die eigene körperliche Befindlichkeit während einer Handlung wird unmittelbar wahrgenommen.
**Verstand:** TZT-Realien lassen Strategien entwickeln und ausführen und direkt auf ihre Tauglichkeit hin überprüfen. Sie lassen Voraussetzungen analysieren und einschätzen lernen. Dadurch lassen sie auch bewusst werden, wie wichtig es ist, sich für seine Aktionen optimale Ausgangslagen zu schaffen.

## Inschriften R1

Wer? 2er Gruppen

Was? Material: 6 Papierrollen, Stifte
Jede/r fasst ein Ende einer Papierrolle.
Jedes Paar soll spontan entscheiden, «wer soll . . ., wer soll nicht . . .».
Aufgabe: Male die Umrisse des Profils, einer Hand und eines Fusses vom Partner. Danach schreibe in deinen Kopf, was dir Gedanken macht, in deine Hand, was du gerne tust, in deinen Fuss, worauf du «stehst». Die, die «sollten», malen zuerst.

Wozu? Bestandesaufnahme der Interessen und Neigungen der Mitspieler.

## Schminkspiel R2

Wer? Ganze Gruppe in Zweiergruppen

Wo? Gruppenraum

Wie lange? 60′

Was? Schminken nach Wünschen des zu schminkenden

Wozu? Sich überlegen: wie will ich mich den andern zeigen?
Seine Wünsche klar formulieren und auf deren Verwirklichung bestehen.

## Gipsmaske R3

Wer? ganze Gruppe in 2er Gruppen

Wo? Gruppenraum

Wie lange? 1–1½ Std.

Was? Einer der 2er Gruppe streicht dem andern das Gesicht mit einer Hautcrème ein. Es muss viel und an allen Stellen des Gesichtes eingestrichen werden.

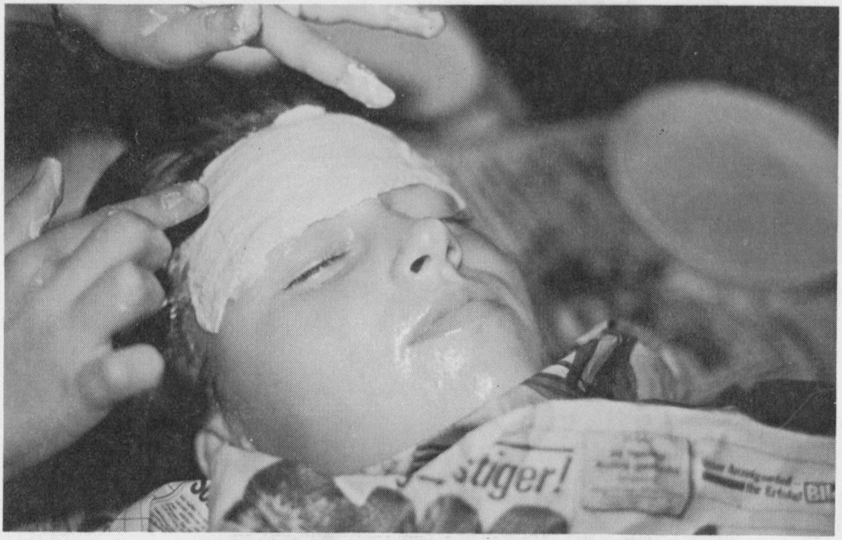

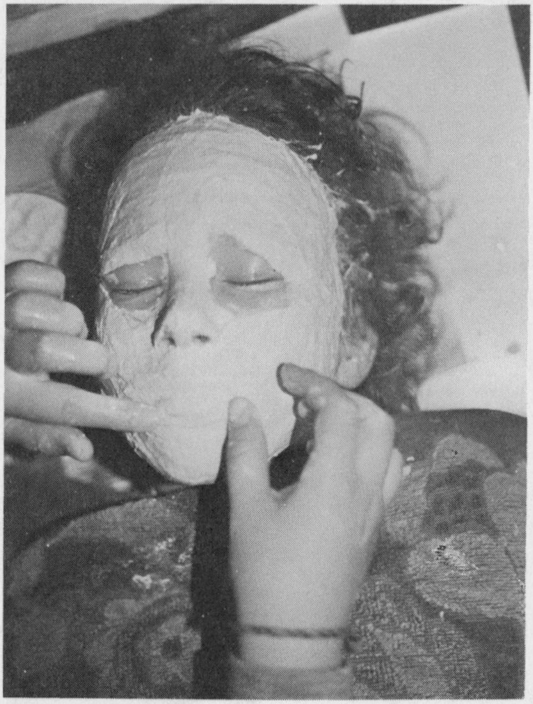

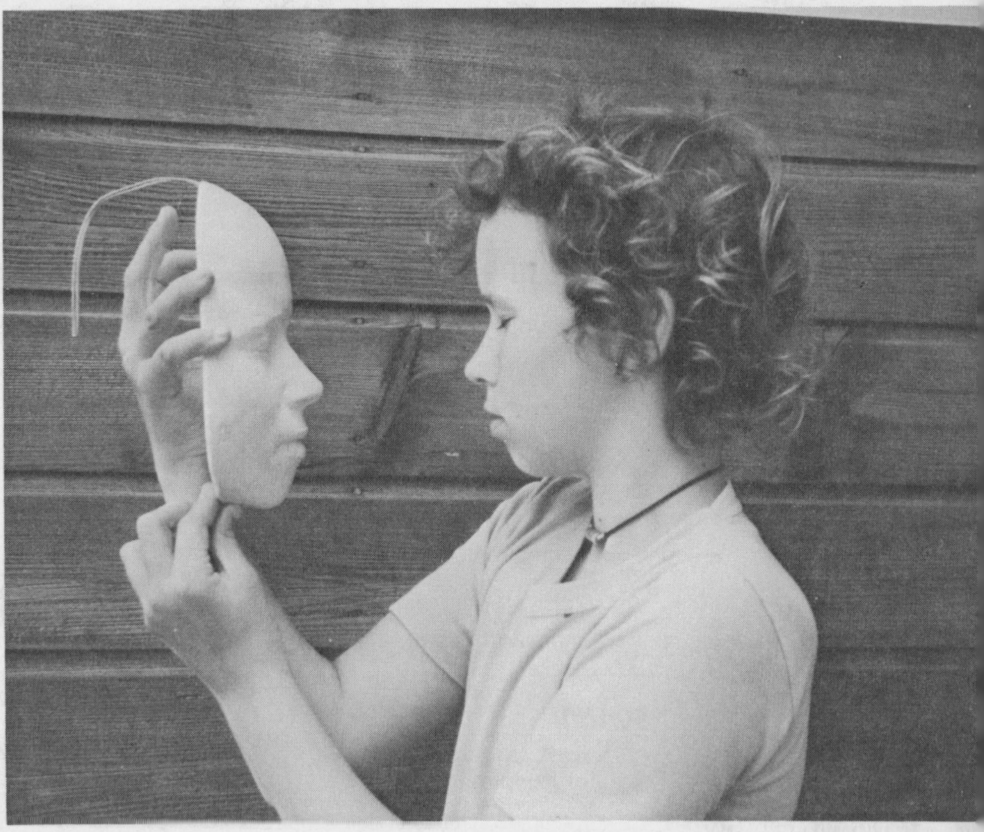

Wir zerschneiden Gipsbinden in kleine Stücke.
Die kleinen Gipsbandageteile tünken wir ins Wasser und legen sie auf das mit Crème eingeriebene Gesicht, bis das ganze Gesicht (Nasenlöcher offen lassen!) bedeckt ist.

Wozu? Maske des eigenen Gesichts herstellen.

## Fernsehporträt (Video) R4

Wer? Dreiergruppen

Was? Erstellen eines Fernsehfeatures über eine der drei Personen in der Gruppe.
Die dargestellte Person erscheint auf dem Bildschirm (relativ inaktiv) während die anderen beiden Aussagen zur Person machen.
- Sendezeit 3 min
- Beratungszeit 15 min

Wozu? Gemeinsame Exposition eines der 3 Gruppenmitglieder; Bestandesaufnahme.

## Krimi R5

Wer? Zweiergruppen

Wie lange? 30′

Was? Eine Kriminalstory erfinden und aufschreiben, in welcher eine Hand oder ein Teil der Hand die zentrale Rolle spielt.

Wozu? Fantasie und sprachliche Kreativität anregen. Sich auf einen Inhalt einigen.

## Lovestory R6

Was? Wie R5

## Beobachtungen R7

Wer? Ganze Gruppe

Wo? Überall

Wie lange? 40–50′

Was? Gehen Sie mit Ihrer Gruppe an einen Ort, an dem es etwas zu sehen gibt. (z.B. Wiese – jeder schaut solange, bis er einen Käfer, eine Ameise usw. gefunden hat, und beobachtet sie ganz genau. z.B. Strassenkreuzung – jeder versucht, sich einen Automobilisten, der an der Kreuzung wartet, möglichst genau anzuschauen. z.B. Supermarkt – jeder beobachtet einen Kunden beim Einkauf. z.B. Bahnhof – jeder sucht sich jemanden auf dem Peron aus, den er beobachtet. z.B. Kinderspielplatz – alle merken sich ein Kind, beobachten anwesende Mütter usw.)
Sobald jedermann ein Motiv gut beobachtet hat, geht die Gruppe zurück zum Gruppenraum und nun spielt jeder seine Beobachtung der Gruppe vor, die herausfinden muss, welches Motiv da gemeint sein könnte.

Wozu? Im Hinblick auf die Darstellung eines Motivs verstärkt sich die Beobachtungsintensität. (Das Spiel kann an verschiedenen Orten mehrmals wiederholt werden.)

## Wir sind ein Teil der Erde I R8

Wer? Ganze Gruppe

Wo? Gruppenraum

Wie lange? 30′

Was? Wir lesen das Büchlein «Wir sind ein Teil der Erde», die Rede des Häuptlings Seattle vor dem Präsidenten der Vereinigten Staaten von Amerika 1855, Walter-Verlag, zusammen.

| | |
|---|---|
| Wozu? | Verschiedene Haltungen der Umwelt gegenüber kennenlernen. Mut bekommen, die eigenen Bedenken zu formulieren. |
| Thema | Ich zeige meine Angst – ich verdränge meine Angst |
| Stoff | Der Mensch und seine Umwelt |

## Wir sind ein Teil der Erde II R9

| | |
|---|---|
| Wie lange? | 30′ |
| Was? | Alle haben Bilder, Zeitungsausschnitte . . . gesammelt, die die verschiedenen Haltungen der Natur gegenüber illustrieren. |
| Wozu? | Wir stellen die Bilder zu einer Collage zusammen. Verarbeiten des Gelesenen |

## Wir sind ein Teil der Erde III R10

| | |
|---|---|
| Wo? | Jeder an einem Ort, wo es ihm wohl ist, dann im Kreis. |
| Was? | S. 34/35 nochmals lesen: «Gott gab euch die Herrschaft über die Tiere, die Wälder und den roten Mann, aus einem besonderen Grund – doch dieser Grund ist uns ein Rätsel. Vielleicht könnten wir es verstehen, wenn wir wüssten, wovon der weisse Mann träumt – welche Hoffnungen er seinen Kindern an langen Winterabenden schildert – und welche Visionen er in ihre Vorstellungen brennt, so dass er sich nach einem Morgen sehnt. Aber wir sind Wilde, die Träume des weissen Mannes sind uns verborgen.»<br>Mit Farbstiften, Ölkreiden, Wasserfarben, einem grossen Papier versucht jeder einen eigenen Traum darzustellen.<br>Im Kreis schauen wir uns die Bilder an, jedes Bild wird einzeln besprochen: a) Jeder schildert seine Eindrücke, b) Die Maler erzählen, was sie ins Bild gelegt haben. |
| Wozu? | Ich werde mir über meine Einstellung zur Natur klarer. Ich zeige meine Haltung. |

## Hilfe R11

Wie lange? 30′

Was? Jeder Spieler überlegt sich Situationen aus seinem Leben, in denen es ihm leicht/schwer fiel Hilfen anzunehmen/abzulehnen (warum?) und wählt eine davon aus. Er versucht, diese in einzelne Szenen zu gliedern und mit einer Bilderfolge auf Papier festzuhalten. Die einzelnen Bilderfolgen im Gruppenraum aufhängen und gemeinsam betrachten.

Womit? Papierbogen, Filzstifte

Wozu? Sich klarwerden über Beweggründe, Hilfen anzunehmen oder abzulehnen.
Erfahrungsaustausch.

## Ausdruck R12

Wer? Zweiergruppen: Die Hälfte der Gruppe nimmt sich einen Filzstift. Die andere Hälfte wählt den Partner nach der ihm zusagenden Farbe.

Was? Alle suchen ein Adjektiv, das eine Stimmung kennzeichnet. Auftrag: Zeichne zusammen ein Gesicht, jeder Zeichner versucht sein Adjektiv in die Zeichnung hineinzubringen, ohne zu reden, abwechslungsweise, mit demselben Stift malen.

Wie lange? 20′

Auswertung:
2. Umgang: Betrachten der Zeichnungen, jenes Wort kennzeichnen, welches die Stimmung besser ausdrückt.
Teilung der Gruppe: Wer mehr Striche erhalten hat, bildet zusammen eine Gruppe, dasselbe mit den andern.

Gespräch: Gelingt es mir, meine Stimmungen an andere Leute heranzutragen und durchzusetzen? Wenn ja, wie? (Strategien – Mechanismen)
Besprechung der Resultate im Plenum

Wozu? Eigene Verhaltensweisen erkennen und überdenken.
Wie weit setze ich mich durch?
Wie weit nehme ich Rücksicht auf andere?
Entsteht eine Konkurrenzsituation?

## Waldsterben I R13

Was? Im Herbst bringt jedes Kind einen Baumsamen (Ahorn, Tannzapfen, Buchekern etc.) mit, die wir in Töpfe setzen. Im Frühling werden wir die Keimlinge in den Schulgarten pflanzen und das Wachstum mitverfolgen.

Wozu? Das Wunder des Wachsens miterleben. Erfahren, dass es sehr lange geht, bis ein Baum, geschweige denn ein Wald, entsteht.

## Waldsterben II R14

Was? Waldspaziergang mit dem Förster (oder Lehrer), der den Spielern die Symptome zeigt, die auf das Kranksein eines Baumes schliessen lassen.

Wozu? Lernen, dass ein auf den ersten Blick gesunder Baum vielleicht schon krank ist. Welches sind die ersten Krankheitszeichen?

## Angst I R15

Was? Die Spieler befragen (ev. in Gruppen) mit dem Tonband Lehrer, Erwachsene im Dorf, die Eltern etc. über ihre Ängste.

Wozu? Erleben, dass auch andere Angst haben und nicht nur ich, und dass es mitunter auch Erwachsenen schwer fällt, über ihre Ängste zu sprechen. Überwinden der persönlichen Angst («Hemmungen»), fremde Personen zu befragen.

## Angst II R16

Was? Mit Fingerfarben einen Angsttraum malen und im Gruppenraum aufhängen. Die Zeichnungen werden miteinander betrachtet, jedes Kind beschreibt sein Bild.

Wozu? Einen beängstigenden Traum bildlich machen, dadurch den Traum besser verarbeiten können.

## Hunger R17

Was? Aus Quellentexten suchen wir sogenannte «Hungerrezepte» aus dem Mittelalter und bereiten z.B. Brot aus Baumrinde, Suppe aus Gras, Brot (Mehl gestreckt mit Sägemehl) etc. her. Am Morgen haben wir alle das Frühstück ausgelassen und essen unsere Hungermahlzeiten am Mittag.

Wozu? Erleben, wie ungeheuer der Hunger gewesen sein muss, dass man solche Dinge essen konnte. Wissen wir heute noch, was Hunger ist? («Ig ha Hunger!»???)

## Was brauche ich zum Leben? R18

Stoff Geschichte: Industrielle Revolution, Entwicklung der Löhne und der Preise

a) Ausrechnen, wieviel Milch, Brot, Fleisch u.a. ein durchschnittlicher Erwerbstätiger mit seinem Taglohn kaufen kann
   - vor 100 Jahren
   - heute
b) Ergebnisse von a) graphisch darstellen
c) Interviews mit möglichst alten Leuten: Wie war das Leben damals?
d) Umfrage unter Erwerbstätigen:
   Sind sie mit ihrem Lohn zufrieden, möchten sie mehr verdienen, unter welchen Bedingungen würden sie auch einen kleineren Lohn akzeptieren?
e) Gespräch mit einem Arbeitgeber und einem Gewerkschaftssekretär über aktuelle Probleme
f) Aufstellen eines Forderungskatalogs

## Welches sind meine Stärken/Schwächen? R19

Wer? Jeder für sich

Wo? An einem Ort, wo jede(r) in Ruhe und bequem arbeiten kann

Wie lange? 2 Std.

Was? Stelle deine grösste Stärke und deine grösste Schwäche bildlich dar.
Anschliessend Austausch in 3er Gruppen

Wozu? Sich seiner Stärken, Schwächen bewusst werden, sich entscheiden, sie anschaulich machen, sehen.

## Verwendung R20

Wer? Alle, zuerst jeder für sich

Wo? Zu Hause, dann auf dem Marktplatz

Wie lange? 1 ganzer Tag

Was? Jeder bringt Dinge von zuhause mit, die er bereit ist wegzugeben. Mit dem Material wird ein Flohmarkt gemacht. Der Gewinn wird einer Hilfsorganisation überwiesen.

Wozu? Erfahren, wieviel von meinem Besitz (Überfluss) bin ich bereit zu entbehren, um andern zu helfen.

***Können und kreativ sein sind miteinander verbunden wie Hänsel und Gretel. Zu oft kommt es vor, dass wir dort, wo wir unser Können einsetzen wollen, neue Voraussetzungen vorfinden. Um unser Vorhaben dennoch zu realisieren, müssen wir uns einlassen auf das***

# *Phantasieren und Improvisieren*

Die TZT-Struktur, in der diese Fähigkeit entwickelt werden kann, heisst Improvisation (=unvorhergesehen). Der Impuls, den die Gruppe szenisch verarbeitet, wird immer magerer: keine Rollengerüste und keine Handlungsgerüste mehr wie in der Situation. Desto mehr Phantasie muss die Gruppe entwickeln, damit sie aus dem erhaltenen Impuls ein Produkt erschaffen kann. Viele Ideen sind notwendig, viele Entscheidungen fällig. Wieder muss ich mit meinen Spielpartnern verhandeln, wahrnehmen, was sie wollen und ausdrücken, was ich will. Ich muss mich einfügen, und andere müssen sich einfügen, aber ich trage andere auch und werde von andern getragen. Ich übernehme und teile Verantwortung. Der Raum für mein Handeln scheint unendlich gross, ich beginne ihn mit den anderen zusammen realistisch abzustecken. Alles Fertigkeiten, die wir täglich im Leben wieder brauchen, die wir hier aber im geschützten Rahmen üben können: nach dem Vorspielen sehen, was von unseren Aussagen und Absichten bei den Zuschauern angekommen ist, Rückmeldungen aufnehmen und wieder verarbeiten . . .
Die Improvisation verlangt viel von den Spielern und es ist nicht zweckdienlich, diese Struktur allzufrüh einzusetzen. Aber wenn eine Gruppe erst einmal fähig ist, Improvisationen zu gestalten, bedeutet das, dass sie jetzt fähig ist, ihr vorgängig erarbeitetes Können auch in unerwarteten Zusammenhängen virtuos einzusetzen. Sie hat nicht nur auswendige Kenntnisse vom Stoff, sondern sie hat ihn begriffen und kann damit handeln.

**Improvisationen im Alltag:** plötzlicher Besuch, Zug verpassen, Unfall, Krankheit, Überraschung, Nachricht, Fehlplanung, Zeitdruck, Begegnung, Verlassenwerden, neue Ideen, unvollständige Informationen und so weiter.
Daraus geschöpft sind die TZT-Improvisationen.
**Gefühl:** TZT-Improvisationen lassen Empfindungen besonders fliessen, lassen Ahnungen aufkommen, Befürchtungen hegen und lassen Wünsche aufkommen. Sie lassen den Mut keimen, sich Unvorhergesehenem zu stellen.
**Körper:** TZT-Improvisationen lassen den Körper in seiner unendlichen Ausdrucksvielfalt ausloten und einsetzen.
**Verstand:** TZT-Improvisationen lassen die Kombinationsfähigkeit einsetzen, fordern und fördern die Phantasie und lassen bewusst auf ganz Neues einsteigen.

**«Phantasie ist Brot für die Seele.»** **André Heller**

*

## Magier und Fee I1

Wer? Alle Altersstufen
ganze Gruppe

Wo? Gruppenraum

Wie lange? Max. 5′ Spielzeit

Was? Die ganze Gruppe geht durch den Wald. Es ist düster. Ein Magier schleicht sich heran und schnappt sich einen nach dem anderen und verzaubert ihn in eine beliebige Gestalt. Es wird heller. Alle Spieler sind verzaubert. Da erscheint eine Fee und verwandelt alle in ihre normale Gestalt zurück.

Wozu? Zwei Spieler gewinnen über die anderen Macht. Die Spieler lernen die Position des Abhängigen und des Beherrschenden kennen.

Beobachtungskriterien
Wer wird zuerst verzaubert?
Welche Gestalten müssen dargestellt werden?
Wie reagiert der Verzauberte? Kann er sich still halten, oder sich in der ihm zugeteilten Rolle zurechtfinden?
Wer wird zuerst entzaubert?
Was geschieht mit dem Magier?
Was geschieht mit der Fee?

## Geschichtenschluss I2

Wer? Ab Mittelstufe
Alle in Vierergruppen

Wo? Schulzimmer oder Gruppenraum

Wie lange? Jede Gruppe max. 5′ Spielzeit

Was? Erzählen Sie der Gruppe den Anfang einer Geschichte (z.B. unbekanntes Märchen, Sage, Fabel usw.) und weisen Sie dann folgendes an: jede Gruppe kann die Geschichte mit einer Szene weiterspielen. Neben den Figuren, die in der Geschichte vorkommen, ist es auch möglich, andere Personen neu einzuführen.

Jede Gruppe hat dann ca. 15 Min. Zeit, ihre Szene vorzubereiten und spielt sie dann den andern vor.

Wozu?

Die Spielanlage bietet eine Art Zwischenschritt nach dem Situationsspiel und vor der ganz freien Improvisation: noch ist ein ungefährer Rahmen – die Geschichte – abgesteckt, was die Aufgabe bedeutend erleichtert.

Beobachtungskriterien

Wie verhaftet bleiben Inhalt und Figuren mit der Erzählung?
Werden ganz neue Figuren eingeführt, welche?

## Restaurant I3

Wer?

Alle Altersstufen
Alle in Gruppen oder einzeln, nach Belieben

Wo?

Gruppenraum

Wie lange?

ca. 1 Std.

Was?

Gäste betreten zur Essenszeit ein Restaurant. Sie werden mehr oder weniger gut bedient. In der Küche werden die gewünschten Speisen zubereitet. Die Gäste können alleine oder in Gruppen auftreten. Bei Grossandrang ist eine Überlastung des Personals möglich. Daraus ergeben sich allgemein bekannte Komplikationen.

Wie? + Womit?

Die Gruppe wird in drei Untergruppen eingeteilt:
Gäste
Servierpersonal
Küchenpersonal
Jeder Spieler übernimmt im Spiel je einmal die Rolle des Gastes, des Bedieners und des Zubereiters. Die Spieler haben Speisen mitgebracht, die man nicht kochen muss. So werden Salzsticks zu Pommes frites, Aufschnitt zu Steaks usw.
Die Köche müssen die Wünsche der Gäste mit viel Improvisation zu erfüllen suchen.

Wozu? Im Spiel kann jeder Spieler seine Erfahrungen einbringen, die er selbst schon im Restaurant erlebt hat. Durch das Einsteigen in jede Rolle erlebt er die Schwierigkeit, andere Leute zufriedenzustellen.

Beobachtungskriterien
Wie äussert der Gast seine Wünsche?
Sind sie massvoll oder masslos?
Wie reagiert er in der Rolle des Bedieners?
Berücksichtigt er die Wünsche der Gäste?
Wie bereitet er als Koch die Speisen für die Gäste zu?

## Grand Hotel I4

Wer? Alle Altersstufen
Alle in Gruppen oder einzeln nach Belieben

Wo? Gruppenraum

Wie lange? ganzes Spiel mit Rollenwechsel ca. 60′

Was? Das «Grand-Hotel-Spiel» ist eine Erweiterung des Restaurantspiels. Gäste beziehen die Hotelzimmer und erleben das bequeme Leben im Hotel. Der Raum wird in folgende Bezirke eingeteilt:
- Schlaftrakt
- Speiseraum
- Reception
- Aufenthaltsort der Bedienung
- Küche
- Aufenthaltsräume der Gäste (Fernsehzimmer, Bar etc.)

Wie? Während des Spiels werden die Rollen getauscht, so dass jeder mindestens einmal in den Genuss kommt, als Gast verwöhnt zu werden. Das Bedienungspersonal muss sich bemühen, es den Gästen möglichst angenehm zu machen.

Wozu? In der Regel ist es schwer, andere ohne sichtbaren «Lohn» zu bedienen. Während des Spiels erfolgt die «gute Bedienung» auch in der Absicht, den Gast nach dem Rollentausch dazu zu animieren, es ihm gleich zu tun.

Beobachtungskriterien dito Restaurant

## Ferienreise I5

Wer? Alle Altersstufen
Alle in Zweier-, Dreier-, Vierergruppen oder einzeln

Wo? Gruppenraum

Wielange? ganzes Spiel ca. 60′. Einzelteile des Spiels ca. 3′–8′.

Was? Touristen besteigen in einem grossen Hafen einen Passagierdampfer. Sie wollen eine Kreuzfahrt unternehmen. Zunächst müssen sie durch die Passkontrolle. Zwei Spieler sind die Passbürobeamten. Jeder muss durch die Kontrolle. Nicht alle werden reibungslos abgefertigt. Pässe sind vergessen worden, Waren werden geschmuggelt, Touristen werden schikaniert usw. (1. Teil)
Die Kreuzfahrt hat begonnen. Die Touristen befinden sich an Deck. Es haben sich Gruppen gebildet. Es gibt Sonnenanbeter, Spieler, Schwimmer im Pool, Trinker, Seekranke usw. Einzelne Spieler oder Spielergruppen übernehmen beliebige Funktionen an Bord. (2. Teil)
Ein Sturm kommt auf. Die Touristen fliehen an sichere Plätze. Kapitän und Besatzung versuchen, das Schiff in Griff zu bekommen. Der Sturm tobt immer heftiger, bis das Schiff untergeht. (3. Teil)
Die Passagiere und die Besatzung können sich mit Rettungsbooten retten. Auf jedem Rettungsboot werden Aufgaben verteilt. Es muss gerudert werden, Kranke werden betreut, schreiende Kinder beruhigt, nach Land Ausschau gehalten (4. Teil)

Zwischen den Booten entsteht Kontakt. Man ruft sich über grosse Strecken zu und versucht, sich einander zu nähern. Eine Kommunikation ist nur mit Schreien möglich. Es ist möglich, dass ein dichter Nebel aufkommt (das Zimmer wird verdunkelt) und die Rettungsboote nur noch akustisch geortet werden können. (5. Teil)
Die Rettung (6. Teil) siehe «Rettungsspiel» Einstiegsspiele
Die unselige Kreuzfahrt ist zu Ende. Die Passagiere sind gerettet worden. Wieder sind sie am Ausgangshafen ihrer Reisen und wieder werden sie unnötigerweise von den Passkontrolleuren schikaniert. Die Touristen haben bei

der Schiffskatastrophe alles verloren, was den Grenzbeamten aber keineswegs in den Kopf will. Es kann zum massiven Streit kommen. (7. Teil)
Endlich sitzt die Gesellschaft im Zug, der sie nach Hause bringen soll. Die Reisenden versuchen, sich bei guter Laune zu halten. Brötchen- und Getränkeverkäufer sorgen für das leibliche Wohl. Der Zugführer ist um die Passagiere besorgt. (8. Teil)
Ankunft im Zielbahnhof. Die verunglückten Reisenden werden von ihren Angehörigen abgeholt. Die Begrüssung kann aus verschiedenen Gründen überschwänglich oder auch sehr reserviert sein. Nicht alle Ankommenden sind erwünscht usw. (9. Teil)
Man beschliesst die Reise mit einem grossen Fest, das bis in die Nacht dauert. Es dauert seine Zeit, bis der letzte Teilnehmer einschläft. (10. Teil, Ausstiegsspiel)

Wozu?

Eine zunächst gemeinsame Aktion wird in Einzelteile zerlegt und wiederverbunden. Die Spieler müssen Rücksicht aufeinander nehmen, um die Spiele der anderen Teilnehmer integrieren zu können. Das Nebeneinanderspielen ist nicht überall möglich. Bald wird der Spieler merken, dass nur ein Hintereinanderspielen der ganzen Geschichte einen Zusammenhalt gibt.
Zum Inhalt der Spiele: Die Inhalte sollen so gewählt werden, dass der Spieler selbst Machtverhältnisse zu spüren bekommt. (z.B. die Zollbeamten schikanieren die Gruppe, im Rettungsboot versucht einer, die Macht an sich zu reissen, der Kapitän als Autoritätsperson usw.)

Bemerkungen

Es hat sich gezeigt, dass sich die Spieler oft wünschen, dass der Leiter der Gruppe die Funktion der Autoritätsperson übernimmt. Bei der Gestaltung dieser Rollen verlangten die Spieler oft grosse Härte gegenüber den Untergebenen. Der Leiter wird in eine Autoritätsrolle gedrängt, der er nur schwer ausweichen kann, da er eben der Leiter ist. Die Machtposition muss aber weitergegeben werden und der Leiter sich auch unterordnen.
Ein Durcherzählen aller 10 Teile ist wenig vorteilhaft. Jeder Teil soll einzeln erzählt und darauf als Spiel umgesetzt werden. Danach folgt der nächste Teil. Es ist möglich, dass der Leiter während des Spiels ordnend eingreifen muss, um eine Koordination herzustellen.
Dem Leiter kommt die Funktion des Erzählers zu.

## Zettelspiel I6

Wer? Ab Mittelstufe
Alle in Fünfergruppen

Wo? Gruppenraum

Wie lange? Jede Gruppe max. 5′

Was? Schreiben Sie je auf einen Zettel:
Ort, z.B. Operationssaal
Zeit, z.B. kurz vor Feierabend
Gegenstand, z.B. Büchsenöffner
Verb, z.B. ausrutschen
Phantasiewort, z.B. ömpödiö
Diese Serie benötigen Sie gleichviele Male, wie sich Fünfergruppen zusammenstellen lassen. Wählen Sie für jede Serie eine eigene Farbe. Am Anfang zieht jeder Spieler einen Zettel. Sobald alle ihre Zettel haben, gruppieren sich die rotgeschriebenen Zettel, die blauen usw.
Aufgabe jeder Gruppe ist es nun, während der nächsten Viertelstunde eine Szene vorzubereiten, in der die fünf Begriffe in irgendeiner Art vorkommen. Das Phantasiewort dient als eine Art Blanko, es kann alles daraus gemacht werden. Nach dem Vorspiel dieser Szenen versuchen die Zuschauer herauszufinden, welche Begriffe die Gruppe gezogen hatte.

Wozu? Wieder ist in diesem Spiel noch ein äusserer, wenn auch sehr weit fassbarer Rahmen gegeben.
Andererseits verlangt jetzt die Verknüpfung der verschiedenen Begriffe bereits einiges Kombinationsgeschick.

Beobachtungskriterien Gelingt es allen Gruppen, eine Szene zu entwickeln?

## 20 Jahre später I7

Wer? Ab Mittelstufe
Alle in Vierergruppen

Wo? Gruppenraum

Wie lange? Jede Gruppe max. 7′

Was?

Endziel dieses Spiels ist es, eine Reihe von Szenen zu spielen, die uns zeigen, was wir (also die Spieler) in 20 Jahren tun werden.
Bevor die Gruppen zum Vorbereiten ihrer Szenen weggehen, ist es sinnvoll, eine Art Informationsgespräch zu führen, um einige Dinge, wie mögliche Berufe, Lebenssituationen, vielleicht auch technische Entwicklungen und Erfindungen anzusprechen.
Nach dieser Informationsrunde hat jede Gruppe eine Viertelstunde Zeit, ihre Szene vorzubereiten und spielt sie danach den andern vor.

Wozu?

Hier wird ein Zeitraum von ca. 20 Jahren als Aufhänger benutzt, um Phantasien – gestützt auf die gegenwärtige Realsituation der einzelnen Spieler – zu entwickeln.

Beobachtungskriterien

Gelingt allen Gruppen eine Szene?
Woran liegt es, wenn nicht?
Wird die gegenwärtige Realsituation noch berücksichtigt?

## Reklame-Produkt I8

Wer? ab 10 Jahren

Wo? Gruppenraum

Wie lange? 10 Minuten

Was?

Aus der Zeitung schneidet der Spielleiter Inserate eines Produktes, z.B. eine Aktion für Kaffee. Die Inserate legen wir in einen Umschlag, der numeriert ist.
Nachdem Vierergruppen (Sechser-)gebildet worden sind, zieht jede Gruppe einen Zettel mit einer Nummer. Wenn alle ihre Nummer haben, fällt ihnen der Umschlag mit derselben Nummer darauf zu. Nachdem die Gruppen das Inserat gelesen haben, erhalten sie folgende Aufgabe:
«Spielt drei Szenen, die mit dem Produkt zusammenhängen und zwar nach folgendem Raster:
- Rohstoff (im weiten Sinn)
- Verarbeitung des Produktes oder Transport
- Genuss des Produkts»

z.B.
1. Auf einer Kaffeeplantage ernten Arbeiter mühsam den Kaffee.
2. An einem Fliessband wird der fertig geröstete Kaffee in Säcke abgefüllt.
3. Zuhause trinkt jemand nach dem Essen einen Kaffee.

| | |
|---|---|
| Wozu? | Die Überlegung, nach dem Rohstoff der Produkte und deren Verarbeitung bis sie auf unseren Tischen sind, zu fragen. |
| Beobachtungskriterien | Gelingt es den Spielern – vom Produkt ausgehend – weitere Zusammenhänge aufzuschlüsseln? |

## Impulse I9

| | |
|---|---|
| Wer? | Ab Mittelstufe<br>Alle in freien Gruppen |
| Wo? | Gruppenraum |
| Wie lange? | Jede Gruppe max. 7′ |
| Was? | Diese Spielanlage ist kaum mehr strukturiert:<br>jetzt geht es nur noch um einen Grundimpuls in:<br>Wartezimmer<br>Ausverkauf<br>1. April<br>Streit<br>Aussenseiter<br>usw.<br>Alle Gruppen improvisieren zum selben Impuls. Bevor sie spielen bereiten sie ihre Szenen vor. Später kann bei sehr geübten Gruppen diese Vorbereitungszeit fast ganz wegfallen. |
| Wozu? | Die Improvisation zu einem Impuls ist bereits die Vorstufe zu einem Gesamtaufbau innerhalb der Theaterarbeit mit einer Gruppe, aus der dann ein ganzes Stück entstehen kann. |
| Beobachtungskriterien | Sind die gespielten Szenen allgemein verständlich?<br>Gelangen alle Figuren zu einem Zusammenspiel?<br>Gibt es im Spiel eindeutig Dominierende? |

## Nach dem Unterricht I10

Wer? Vierergruppen

Was? Stellen sie je vier gleichfarbene Zettel zusammen (so oft, als es möglich ist, aus der Klasse Vierergruppen zu bilden). Auf den Zettel stehen z.B. folgende Begriffe:

Ort: Pausenplatz
Zeit: Nach der Schule
Tätigkeit: hänseln
Gegenstand: rote Jacke

Alle Spieler, die einen gleichfarbenen Zettel gezogen haben, bilden eine Gruppe. Sie sollen versuchen, aus den Angaben auf dem Zettel eine Geschichte zu entwickeln, die sie nachher der Gesamtgruppe vorspielen können. Alle Begriffe auf den Zetteln müssen in der Szene entweder dargestellt oder ausgesprochen werden.

Wozu? Durch «Reizwörter» wird eine Reihe von Assoziationen angetippt, die allerdings die eigentliche Geschichte der Gruppe völlig offenlassen.

Beobachtungskriterien Gelingt es allen Gruppen, eine Geschichte aus den Stichwörtern zu machen?

## Fernseher kaputt I11

Wer? Fünfergruppen

Was? Der Spielleiter schneidet eine Fernsehprogrammseite puzzleartig in 4–5 Teile, dies so oft, als sich aus der Gesamtgruppe kleine Spielgruppen bilden lassen.
Am Anfang zieht jeder Spieler einen Zettel. Sobald alle einen haben, versuchen sie die Seiten wieder zusammenzubringen und einigen sich danach, welche Sendung sie anschauen wollen. Jede Gruppe kann jetzt ihre Szene der Gesamtgruppe vorstellen, aber: kaum hat die Sendung begonnen, geht der Fernseher kaputt. Die Gruppen sollen jetzt spielen, was dann statt des Fernsehens gemacht wird.

Wozu? Über bekannte Situationen des Fernsehens einsteigen in vielleicht neue Möglichkeiten, miteinander etwas zu tun.

Beobachtungskriterien Kann sich die Gruppe auf eine Sendung einigen? Lässt sie sich nach der Panne wirklich etwas einfallen?

## Wo ist es? I12

Wer? Fünfergruppen

Was? Nachdem Fünfergruppen gebildet worden sind, gibt der Spielleiter jeder Gruppe einen Reiseprospekt und die Aufgabe, in den nächsten 10 Minuten eine Szene zu entwerfen und die nachher den andern so vorzuspielen, dass die Zuschauer herausfinden können, in welchem Land diese Szene spielt.

Wozu? Der Versuch, eine Szene möglichst informativ und genau zu gestalten, um dem Zuschauer seinen Ort besser vorstellen zu können.

Beobachtungskriterien Gelingt es der Gruppe – und mit welchen Elementen – den Zuschauern den Ort zu illustrieren?

## Weitere Improvisationsimpulse I13

### Sprichwörter

Beispiel Spielt eine Szene zu: «wer zuletzt lacht, lacht am besten.»

## Aussagen I14

Beispiel Spielt eine Szene zum Wort: «Jein»

## Träume I15

Jemand fängt an einen Traum zu erzählen, unterbricht aber mitten drin. Spielt in der Gruppe den Traum weiter. (Es können bewusst gleich viele Personen in einer Gruppe sein wie im Traum, oder es können auch bewusst mehr Personen sein als im Traum).

## Überschriften I16

Beispiel

Spielt zu folgender Überschrift eine Szene:
Heiliger Abend «uff dr Gass»

## Angefangene Geschichte I17

Beispiel

Beim erzählen einer Geschichte im richtigen Moment aufhören zu erzählen. Spielt eine Szene wie ihr denkt, dass die Geschichte weitergehen könnte.

## Gegensätze I18

Beispiel

Spielt eine Szene zu dem Impuls: anlehnen – ablehnen

## Steigerungen I19

Beispiel

Spielt eine Szene zu dem Impuls: schön, schöner, am schönsten.

## Traditionen + Zeiten I20

Beispiel

Spielt eine Szene zum Impuls: am 31. Dezember um Mitternacht/am Tag davor.

## Stimmungen I21

Beispiel

Spielt eine Szene zum Impuls: glücklich.

## Zitate I22

Beispiel

Spielt eine Szene zu folgendem Zitat von Fritjof Capra: «weiterleben kann die Menschheit nur, wenn sie von Grund auf anders denken lernt.»

## Rolle und Ort I23

Rollen verteilen, oder selber wählen lassen

Beispiel

Jeder hat seine Rolle, spielt eine Szene zum Impuls: «auf dem Gipfel.»

## Rolle und Zeit I24

Beispiel

Jeder hat seine Rolle, spielt eine Szene zum Impuls: «kurz vor Ladenschluss».

## Rolle und Gegenstand I25

Beispiel

Jeder hat seine Rolle, spielt eine Szene zum Impuls: **«ein** Streichholz»

## Rolle und Verb I26

Beispiel

Jeder hat seine Rolle, spielt eine Szene zum Impuls: «wissen» und «können»

## Rolle und Phantasiewort I27

Beispiel

Jeder hat seine Rolle, spielt eine Szene zum Impuls: «Rabidum»

## Tätigkeiten I28

Beispiel

Spielt eine Szene in der diese drei Tätigkeiten vorkommen: «ziehen, schwitzen, trinken.»

## Gegenstände I29

Beispiel

Spielt eine Szene in der die folgenden drei Gegenstände vorkommen: «Käse, Schuh, Pfanne.»

## Geräusche + Töne I30

Beispiel

Spielt eine Szene in der folgendes Geräusch vorkommt: heulende Motoren/Alphornklänge.

***Den meisten von uns fällt Abschiednehmen schwer. Statt uns von jemandem auch gefühlsmässig zu lösen, versuchen wir oft, den Trennungsschmerz zu verdrängen. Das rächt sich: immer wieder werden wir im aktuellen Verhalten durch Nachwehen und unerledigte Geschäfte behindert. Genauso wichtig wie der Einstieg im TZT ist deshalb das Anliegen, auch den Abschied von der Gruppe und vom Thema in seinem vollen Umfang zu erleben. Ein gestalteter Ausstieg will aber nicht am Schluss einfach noch «alles ein bisschen ordnen und harmonisieren». Er will zuerst zur individuellen Rückschau einladen und dann vor allem anleiten zum***

# *Loslassen*

Loslassen, vom «Guten» wie vom «Schlechten». Dazu gehört unter anderem auch die Fähigkeit, etwas so zu akzeptieren, wie es sich hier und jetzt darstellt.

«Ausstieg» heisst die abschliessende Struktur im TZT. In manchen Belangen ähnelt sie dem Einstieg: auch im Ausstieg führen wir die Gruppe eher wieder als Ganzes zusammen. Wieder machen alle gleichzeitig etwas Ähnliches. Das ist nicht Zufall. Ausstieg hat auch immer die Komponente des Einstiegs in etwas Neues. Noch einmal spüren wir deshalb die ganze Gruppe, bevor wir anfangen, uns von ihr zu lösen. Auch hier sind Spüren und Lösen körperlich und im übertragenen Sinne zu verstehen. Körperlich suche ich für Gegenstände einen geeigneten Platz und lege sie dort sorgfältig ab, körperlich beende ich die Berührung zu andern Teilnehmern und körperlich komme ich aus der Bewegung langsam zur Ruhe. Im übertragenen Sinn löse ich mich aus der vertrauten Umgebung – ich nehme Abschied.

**Ausstiege im Alltag:** sterben, altern, abbrechen, davonschleichen, Abschied nehmen, fallen, verlieren, flüchten, scheiden, ablegen, loslassen, abfallen, beenden, trennen, entspannen, abbauen, einschlafen. Daraus geschöpft ist der TZT-Ausstieg.
**Gefühl:** Ausstiege im TZT lassen Gefühle abklingen, lassen einen innerlich sammeln und lassen die Stimmung beruhigen. Sie lassen die Seele «pausieren».
**Körper:** Ausstiege im TZT lassen körperliche Spannungen abbauen und lassen den Körper ganz zur Ruhe kommen.
**Verstand:** Ausstiege im TZT lassen bewusst Abschied nehmen, entleeren die Phantasie und schaffen so Platz für Neues.

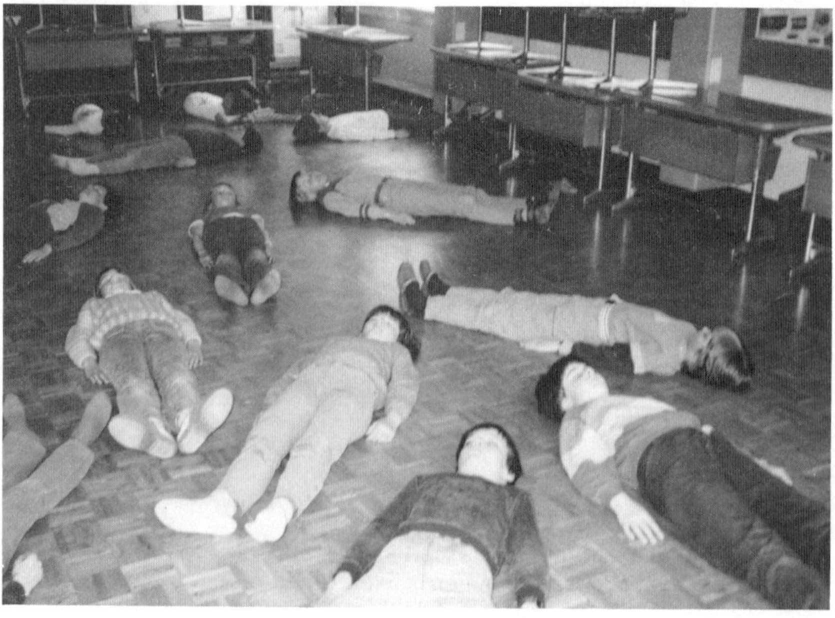

## Bleispiel A1

Wer? Alle Altersstufen
Ganze Gruppe

Wo? Gruppenraum

Wie lange? 4′

Was? Alle Spieler liegen am Boden auf dem Rücken, alle schliessen die Augen. Der Spielleiter regt an:
allmählich werden alle zu Blei. Zuerst der linke Fuss, das Bein, ein Arm usw.

Wozu? Totale Entspannung und Beruhigung

Beobachtungskriterien Wem gelingt es optimal die Bleivorstellung umzusetzen?
Wer verkrampft sich, statt zu entspannen?

## Flammen gehen aus A2

Wer? Alle Altersstufen
Ganze Gruppe

Wo? Gruppenraum

Wie lange? 4′

Was? Alle Spieler bewegen sich wie wild züngelnde Flammen im Raum. Langsam geht dem Feuer die Nahrung aus, der Sauerstoff bleibt aus, das Flackern wird mühsam, allmählich geht jede einzelne Flamme aus.

Wozu? Die Erfahrung, aus wilden, schnellen Bewegungen in kleine, langsame, ruhige, konzentrierte zu gelangen.

Beobachtungskriterien Wer bleibt am längsten ein wildes Feuer?
Wie konzentriert geht das Ausgehen vor sich?

## Blumen verwelken A3

Wer? Alle Altersstufen
Ganze Gruppe

Wo? Gruppenraum

Wie lange? 4′

Was? Alle Spieler stehen in einer leichten Grätsche im Raum. Der Spielleiter regt an: langsam verwelken alle wie eine Blume in brütender Hitze. Zuerst lampt der Kopf, die Schulter bis hinunter, jetzt knickt die Blume endgültig zu Boden.

Wozu? Beruhigung, Entspannung

Beobachtungskriterien Wer bleibt beim endgültigen Umfallen locker?
Wer verkampft sich, statt zu entspannen?

## Ende einer Bergtour A4

Was? Alle Spieler in Einerkolonne, schwer beladen, gehen auf dem letzten Wegstück vor einer Berghütte. Völlig erschöpft legen sie die Rucksäcke ab, fallen sofort auf die Pritschen und schlafen ein.

Wozu? Konzentrationsübung in der Wegphase (sich vorstellen, beladen zu sein) mit anschliessender Entspannung.

Beobachtungskriterien Wem gelingt es, wirklich die Erschöpfung zu empfinden?

## Atemspiel A5

Was? Alle Spieler liegen auf dem Rücken auf dem Boden. Auf ein Gongzeichen atmen alle langsam ein. Auf ein zweites Zeichen lassen alle die Luft in weichen Zischlauten (sch, s) ausströmen.

Wozu? Beruhigung des ganzen Körpers durch ruhiges Atmen.

Beobachtungskriterien Wer kann sich dem vorgegebenen Atemrhythmus anpassen?

## Atemspiel II A5.1

Was? Alle Spieler liegen in selbstgewählter, bequemer Stellung am Boden. Auf ein Gongzeichen atmen alle langsam ein. Auf ein zweites Gongzeichen lassen alle die Luft in verhauchten Vokalen (e, a, o, u) ausströmen.

Wozu? Beruhigung des ganzen Körpers durch ruhiges Atmen.

Beobachtungskriterien Wer kann sich dem vorgegebenen Atemrhythmus angleichen?

## Feierabend A6

Was? Jeder Spieler bewegt beide Arme, beide Beine und den Kopf gleichförmig, als wäre er ein Maschinenteil. Kurz vor Arbeitsende laufen die Maschinen noch einmal sehr schnell, dann wird der Strom abgeschaltet, die einzelnen Teile bewegen sich langsamer und bleiben schliesslich stehen. So verharren sie sekundenlang.

Wozu? Die Energie der Spieler wird kanalisiert und kann danach aus der Situation heraus abgebaut werden.

Beobachtungskriterien Wie verläuft die Phase des Langsamwerdens?
Ist die Vorstellung, ein Maschinenteil zu sein, vorhanden?

## Feierabend II A6.1

Was? Vier Spieler bilden zusammen eine Maschine, jeder bewegt seinen spezifischen Körperteil im Tempo der andern Maschinenteile. Dazu macht jede Maschine verschiedene Geräusche. Kurz vor Arbeitsende laufen die Maschinen noch einmal sehr schnell, dann wird der Strom abgeschaltet, die Maschine läuft langsamer und bleibt schliesslich stehen. So verharrt sie sekundenlang.

Wozu? Die Energie der Spieler wird kanalisiert und kann danach aus der Situation heraus abgebaut werden, wobei es für den Einzelnen gilt, sein Tempo den andern anzupassen.

Beobachtungskriterien
Wie harmonieren die einzelnen Teile der Maschine miteinander?
Verläuft die Phase des Langsamwerdens stufenmässig oder ist eine sachte Abnahme des Tempos spürbar?

## Feierabend III — A6.2

Was?
Die Hälfte der Klasse bildet zusammen eine Maschine. Nachdem die Maschine in grossem Tempo gelaufen ist, treten zu jedem Maschinenteil ein Bremsklotz, der die ganze Maschinerie langsam zum stehen bringt, wobei der Bremsklotz zuerst genau die Bewegungen des einzelnen Teils übernehmen muss um dann mit den Händen die Bewegungen des Maschinenteils einzudämmen bis die ganze Maschine ruht.

Wozu?
Der einzelne Schüler kommt in die Lage, die Stimmung eines Kameraden aufzunehmen und diese langsam mit der seinen in Einklang zu bringen, um dann gemeinsam in eine Ruhestellung zu gelangen.

Beobachtungskriterien
Wie einfühlsam sind die Bremsklötze?
Wird beim Bremsvorgang Gewalt angewendet?

## Ein Zucker im Kaffee — A7

Was?
Jeder Spieler steht ganz steif als Zuckerwürfel im Raum. Ein Zuckerwürfel nach dem andern fällt um in heissen Kaffee. Langsam zergeht er, bis nichts mehr davon übrigbleibt.

Wozu?
Durch die Vorstellung, sich im Kaffee aufzulösen, erfolgt eine totale Entspannung und Ruhe.

Beobachtungskriterien
Wie intensiv erscheint der Auflösungsprozess?

## Zucker im Kaffee II — A7.1

Was?
Fünfergruppen: vier Spieler spielen den Kaffee und einer spielt den Zucker. Der Kaffee «umspült» jetzt den harten stehenden Zucker, lässt ihn sorgsam zu Boden gleiten, streichelt ihn solange bis er als aufgelöst gilt und Zucker und Kaffee in einem gleichartigen Ruhezustand sind.

Wozu? Die Erfahrung des Zuckers, sich durch die Vierergruppe umsorgen zu lassen und sich im Laufe der Zeit in der Entspanntheit gleichzusetzen.

Beobachtungskriterien Wie versuchen die Vier den Zucker «aufzulösen»? Besteht zwischen den Vieren eine Übereinstimmung? Kommt es abrupt zur totalen Auflösung?

## Ballon blasen A8

Was? Alle sitzen – zu Zehnergruppen aufgeteilt – im Schneidersitz in einem Kreis. Jeder ist so nah vom andern, dass die Arme eingehängt werden können. Sobald der Kreis geschlossen ist, darf sich keiner mehr zur Mitte des Kreises bewegen. Jetzt werfen Sie einen aufgeblasenen Ballon in den Kreis, alle müssen versuchen, durch blasen diesen Ballon auf der entgegengesetzten Seite aus dem Kreis zu bringen

Wozu? Überschüssige Kraft wird durch intensiven Atem «abgelassen».

Beobachtungskriterien Ergeben sich durch die intensive Berührung im Kreis Reibereien, die vom Ballon ablenken? Wie stark setzen sich die einzelnen mit ihren Kameraden links und rechts in Verbindung? Wie rasch ermüden einzelne?

## Wasser kocht A9

Was? Auf dem Boden wird ein Kreis beschrieben. Dieser Kreis ist der Rand einer Pfanne. Die Spieler sind das kochende Wasser, nach ein paar Sekunden schaltet der Spielleiter die Gasflamme unter der Pfanne ab, langsam kühlt das Wasser ab, hört auf zu brodeln, bis es völlig ruhig ist.

Wozu? Entspannung und Ruhe

## Drehorgel A10

Was? Zur Musik ab Tonband drehen alle an einer grossen, imaginären Drehorgel. Nach einiger Zeit wird die Musik leiser, die Drehorgel lässt sich schwerer drehen, die Musik hört ganz auf, die Spieler drehen noch kurz weiter, niemand spricht, die Drehorgel wird noch imaginär zugedeckt, alle setzen sich müde auf den Boden.

Womit? Drehorgelmusik ab Platte oder Band

Wozu? Die Gruppe am Schluss nochmal aktivieren und gleichzeitig zur Ruhe kommen lassen.

## Möbel schleppen A11

Was? Alle Spieler kriegen einen Zettel auf dem ein Möbelstück bezeichnet ist, wobei je zwei Zettel miteinander identisch sind. Sobald alle einen Zettel haben, können sie ihren Partner suchen und mit ihm imaginär dieses Möbelstück vom Erdgeschoss in den 3. Stock hinauftragen. Oben angekommen, können beide sich auf das Möbelstück setzen und dabei etwas zusammen trinken.

Wozu? Erlebnis des Gefälles von grosser Anspannung und der nachfolgenden Entspannung.

Beobachtungskriterien Gelingt es den Zweiergruppen gemeinsam das Möbelstück zu tragen?

## Grosses Fressen A12

Was? In der Mitte des Raumes sind alle Spieler als hungernde, wilde Tiere im Kreis mit dem Gesicht nach aussen bereit, auf die Jagd zu gehen. Jedes Tier soll sich einen Punkt, einen Gegenstand merken, den es für fressbar hält. Auf ein Zeichen des Spielleiters beginnt das grosse Fressen – jedes Tier für sich allein schlingt Unmengen in sich hinein – bis alle satt sind. Wer genug hat, kommt in die Mitte. Er ist vollgefressen und liegt ab zu einem Verdauungsschlaf.

Wozu? Als Möglichkeit der Beruhigung über die Vorstellung des Sattseins.

Beobachtungskriterien Gelingt es allen, wirklich satt zu werden? Greifen sich die Tiere untereinander an?

## Stielaugen A13

Was? Alle Spieler stehen an der Wand und lassen eine zeitlang den Kopf hängen. Auf ein Zeichen des Spielleiters stehen alle wieder ganz gerade und beginnen mit weitaufgerissenen Augen auf ein Objekt ihrer Wahl hinzugehen. Danach suchen sie immer weitere Objekte, die sie anpeilen, wobei sich langsam – von Objekt zu Objekt – die Augen immer mehr schliessen. Wer bereits geschlossene Augen hat, lässt sich behutsam dort auf den Boden nieder, wo er gerade steht.

Wozu? Die Intensität des Schauens wird langsam abgelöst durch die geschlossenen Augen – eine Entspannung, die sich in den ganzen Körper überträgt.

Beobachtungskriterien Gelingt es den Spielern, den Ablauf nahtlos zu gestalten?

## Schneider A14

Was? Alle Spieler sitzen im Schneidersitz am Boden und jeder näht für sich mit grossen Bewegungen an einem Kleidungsstück (imaginär) herum. Er merkt, dass er langsam müde wird, seine Nähbewegungen werden langsamer, hören allmählich ganz auf – der Schneider ist eingeschlafen!

Wozu? Die Erfahrung, durch ausdrucksvolle Bewegungen in die Vorstellung zu gelangen und diese dann im ganzen Körper wiederzufinden.

Beobachtungskriterien Gelingt das Einschlafen?

## Käfer A 15

Was

Jeder Spieler liegt auf dem Rücken, Beine leicht gebeugt gegen die Decke strecken, beim hörbaren Ausatmen Beine gegen die Decke werfen, beim Einatmen wieder leicht beugen. Dasselbe mit den Armen und Händen, später mit Beinen und Armen gleichzeitig; zappeln wie ein Käfer, sich aufstellen.

Wozu

Loslassen von angesammelten Spannungen im Körper.

Beobachten

Wer ermüdet rasch? Wieviel «Dampf» wird abgelassen? Wer wagt, das Ausatmen mit einem Laut zu verbinden, seinen Ausstieg bemerkbar/hörbar zu machen?

## Fäuste A16

Was

Fäuste ballen beim Einatmen, beim Ausatmen Finger spreizen.

Wozu

Spannungen in den Händen und Armen abbauen.

## Nein

Was

Alle stehen in einer Reihe an einer Wand und bewegen sich stampfend und kopfschüttelnd auf die gegenüberliegende Wand zu. Dort angekommen lehnt sich jeder an die Wand und schliesst die Augen.

Wozu

Loslassen von Unstimmigkeiten, beruhigen

Beobachten

Wird die Möglichkeit zum «Nein» genutzt? Wie? Tritt Beruhigung ein?

## Rumpelstilzchen A17

Was

Zu rassiger Musik tanzen und austoben, bis zum Umfallen (Musik leiser stellen). Einige Minuten liegenbleiben.

Wozu

Überschüssige Energie loswerden, beruhigen, befreien.

Beobachten

Nutzen die Spieler ihre Bewegungsfreiheit? Wie? Wie fallen sie um?

## Explosion A 18

Was

Sich zusammenrollen auf dem Rücken, die Knie mit den Händen umschlungen, beim Einatmen den Zug an den Knien gegen den Brustkasten verstärken – anhalten und spüren, wie ich fast platze – dann expoldieren! (Loslassen mit ausatmen und ausstrecken der Arme und Beine, dabei einen Ton von sich geben) Mehrmals wiederholen.

Wozu

Überschüssige Kraft loswerden. Blockierungen lösen.

Beobachten

Wie kraftvoll werden die «Explosionen» zugelassen?

## Todmüde A 19

Was

Jeder Spieler hat eine Decke vor sich am Boden. Vorstellungsmässig die Glieder schwer und müde werden lassen, wenn der Spielleiter den Spieler leicht anstösst, sich auf die Decke fallen lassen (evt. Matratzen verwenden). Liegen bleiben.

Wozu

Beruhigen über die Vorstellung von grosser Müdigkeit. Sich gehenlassen.

Beobachten

Gelingt es dem Spieler, sich fallen zu lassen ohne starken inneren Widerstand zu leisten?

## Reinigen A 20

Was
Im Brunnen oder in grossem Becken gemeinsam die Hände waschen.

Wozu
Reinigen als Lösen von Altem erleben.

Beobachten
Wer geniesst das Waschen? Wer nicht? Werden spielerische Formen ausprobiert?

## Blumen welken A 21

Was
Oberkörper langsam nach vorne beugen, Knie leicht gebeugt (nicht durchstrecken), in den Rücken atmen, sich langsam und bewusst aufrichten, indem ein Wirbel nach dem andern aufgestellt wird. Alles wird begleitet mit dem Fantasiebild der welkenden Blume, die Wasser einsaugt und sich langsam wieder erhebt.

Wozu
Angesammelte Stauungen über die Wirbelsäule loswerden.

Beobachten
Kann die Bewegung langsam ausgeführt werden? Werden Schmerzen im Rücken festgestellt?

## Thymus-Freude A 22

Was
Im Kreis eng beieinander stehen. Jeder Spieler klopft mit lockerer Hand gegen die Thymusdrüse, die sich unter dem Brustbein und Schlüsselbein befindet und gibt dabei einen Ton von sich. Mit offenen oder geschlossenen Augen. 1–2 Minuten.

Wozu
Die Thymusdrüse unterstützt und aktiviert die Lebensfreude.

Beobachten
Ergeben sich durch das nahe Beieinander-stehen Konflikte, die die Einzelnen von sich ablenken? Wie fein gehen sie mit sich selber um?

## Abklopfen A 23

Was Einer wird von mehreren sanft abgeklopft.
Wozu Körperlichen Ausgleich schaffen

Beobachten Wird die Gelegenheit auch benutzt, «Grobheiten» ebenfalls abzugeben? Wie geniessen die Einzelnen das Sanfte?

## Liegestuhl A 24

Was In Zweiergruppen, Rücken an Rücken sitzend. Einer beugt sich vornüber und der andere lehnt sich möglichst bequem zurück auf den gebeugten Rücken, tief atmen, verweilen, sich einen sonnigen Tag vorstellen, sich langsam gemeinsam aufrichten und wechseln.

Wozu Entspannung der Rückenpartie durch dehnen.

Beobachten Richten sich die Einzelnen ein, damit sie Wohlsein verspüren? Stellen einige Schmerzen im Rücken fest? Was löst dies aus?

## Zwiegespräch A 25

Was In Zweiergruppen Rücken an Rücken sitzend, Augen schliessen, den Atem der anderen Person spüren (ca. 5 Minuten), dann ohne Worte sich lösen.

Wozu Auch ohne Worte Abschied nehmen, körperlich aussteigen.

Beobachten Wie entspannen sich die Paare gegenseitig? Gelingt es, ohne Worte zu kommunizieren?

## Loslassen A 26

| | |
|---|---|
| Was | Alle Spieler nehmen einen Gegenstand in die Hand, diesen fallen lassen, mit der leeren Hand den Gegenstand auffangen. |
| Wozu | Das Loslassen üben |
| Beobachten | Wie lange wird der Gegenstand fallengelassen, bevor er wieder aufgefangen wird? Wird ein Zu-Boden-Fallen riskiert? |
| Variante | Mit zwei Gegenständen; einen der Gegenstände in der auffangenden Hand festhalten. |
| Wozu | Erkennen, dass das Festhalten an Altem mich beim Anpacken von Neuem hindert. |

## Lösen A 27

| | |
|---|---|
| Was | Im Aussenkreis Schulter an Schulter stehend, einander spüren, Augen schliessen. Jeder löst sich nach eigenem Tempo und geht in kleinen Schritten nach vorne, bis er an eine Wand oder an einem Möbelstück anstösst, dort bleibt er stehen und nimmt sich eine Weile wahr.<br>Impuls: Wie lange kann ich die Wärme/Nähe der anderen spüren, spüre ich meine eigene Wärme? |
| Wozu | Alleine den Weg aus dem geschützten Rahmen der Gruppe unter die Füsse nehmen. Sich von einer Gruppe lösen, auf sich selber konzentrieren. |
| Beobachten | Wer löst sich wann? Wie entschieden wird der Weg unter die Füsse genommen? |

## Krebse A 28

Was

Im Kreis auf dem Rücken liegen, Köpfe in der Mitte, Beine angewinkelt, Fussohle auf den Boden gestellt. Ausatmen, Nacken verlängern (Kinn dem Brustbein annähern), nach aussen rücken. Impuls: Wann verliere ich die anderen aus dem Blickfeld? Augen schliessen, und bei sich verharren, gut ausatmen.

Wozu

Zu sich finden, sich von der Gruppe lösen.

Beobachten

Wer löst sich – wer verharrt noch? Werden die Augen geschlossen? Wie entspannt sich der Körper dabei?

## Gruss A 29

Was

Alle stehen im Kreis. Der Spielleiter gibt nach rechts oder nach links den Abschiedsgruss mit Worten und mit einer Berührung weiter. Dies wird fortgesetzt, bis der Gruss wieder beim Spielleiter angekommen ist.

Variante

Jeder Spieler erfindet eine eigene Grussformel und eine eigene Berührungsart und gibt diese an den nächsten Spieler weiter.

Wozu

Abschiedszeremonien, -traditionen, -rituale variieren.

Beobachten

Wie wird variiert? Was wird gewagt? Wie wird Körperkontakt aufgenommen?

## Hände A 30

Was

Im Innenkreis halten sich alle an den Händen, die Augen geschlossen, gut auf den Ausatem achten, sehr langsam die Hände loslassen.

Wozu

Loslassen bewusst mit dem Körper erfahren.

Beobachten

Wie schnell bzw. wie langsam wird das Loslassen umgesetzt?

## Riss A 31

Was

Spieler stehen im Kreis, Hände haltend, guten Kontakt mit dem Boden herstellen: Beide Füsse in den Boden sinken lassen, Wurzeln schlagen, damit beim Loslassen weniger Gefühle von Verlassenheit oder Fallen-gelassenwerden entstehen können. Hände über dem Kopf hochhalten, auf drei zählen oder einen Abzählvers sprechen. Am Ende schnellen die Arme und Hände nach unten und lassen sich ruckartig los.

Wozu

Auch «Risse» sind Ausstiege. Erfahren, dass ruckartiges Loslassen grössere Eigen- und Bodenständigkeit verlangt.

Beobachten

Wieviel Kraft wird in den Schwung gelegt? Wer mag diese Art des Loslassens, wer nicht? Wie ist der Schwung zaghaft, ruckartig . . .?

## Abschied A 32

Was

Einer trägt den andern zu seinen Kleidern bzw. Schuhen und verabschiedet sich dort auf seine Weise von ihm (z.B. zwei, die soeben eine gemeinsame Szene gespielt haben).

Wozu

Erlebnis vom Tragen und Getragen-werden dem «Alltag» annähern.

Beobachten

Wer trägt wen? Wie verabschieden sich die einzelnen Paare? Gibt es Unterschiede bei Männern und Frauen?

## Singen A 33

Was

Im Kreis stehend, sich an den Händen haltend. Jeder Spieler sing/summt ein eigenes Lied, langsam verstummen. Augen offen oder geschlossen.

Wozu

Gemeinschaft und Individualität erfahren.

Beobachten

Wer kann sein Lied durchhalten, wer hat eher Mühe damit?

## Beenden A 34

Was
Einen Gegenstand sitzend oder stehend auf dem Rücken im Kreis herumgeben, mindestens eine Runde. Wer den Gegenstand danach nicht weitergeben will, legt ihn sachte irgendwo im Raum ab. Augen noch einen Augenblick schliessen.

Wozu
Verdeutlichen, dass ich mitentscheiden kann, ob und wann etwas beendet wird.

Beobachten
Wer beendet das Spiel?

## Vergraben A 35

Was
Etwas (einen Zettel mit einer wichtigen Erkenntnis oder einen Gegenstand aus dem Vorangegangenen) in der Erde vergraben; mit dem Wunsch begleiten, es möge keimen und wachsen.

Varianten
Wind: Etwas der Luft übergeben als Möglichkeit, sich oder die Idee zu verbreiten.
Feuer: Etwas verbrennen, um mich/es zu reinigen.
Wasser: Etwas dem Wasser übergeben, um es aufzuweichen, selber weicher zu werden.

Wozu
Symbolhandlung um den seelischen Prozess des Aussteigens/Loslassens zu erfahren.

Beobachten
Finden die Spieler Zugang zur Symbolebene? Wie?

## Knoten A 36

Was
1–2 Spieler (A) verlassen den Raum. Die restlichen Spieler bilden eine Reihe und halten sich an den Händen fest. Die Schlange verknotet sich nun möglichst wirr und unübersichtlich. Die Spieler A versuchen, den Knoten zu entwirren, ohne dass die Hände losgelassen werden.

Wozu
Verwirrungen entknoten!

Beobachten
Finden die Spieler einen Platz im Knoten? Wie wird entwirrt?

## Wir– ich A 37

Was
Die Spieler umarmen sich eng im Kreis, miteinander in eine Bewegung kommen. Jeder bestimmt selber, wann er die beiden Nachbarn loslassen will.

Wozu
Nähe nochmals erleben, bewusst davon lassen.

Beobachten
Wer lässt wann los?

## Ballon A 38

Was
Auf einen Ballon ein eigenes Ziel/Erkenntnis/Wunsch schreiben; alle mit den Ballonen spielen .

Varianten
- Zu zweit einen Ballon benutzen.
- Den Ballon in die Luft fliegen lassen, nachdem er mit Gas gefüllt wurde.

Wozu
Spielerischen Ausdruck finden, um eine Zusammenfassung auszudrücken. Einen Wunsch haben und wieder loslassen, damit er Wirklichkeit werden kann.

Beobachten
Wie wird die Trennung vom Ballon vorgenommen?

## Wiewörter A 39

Was
Im Aussenkreis stehend (oder sitzend). Jeder sagt Adjektive zum Vorangegangenen, alle gleichzeitig oder reihum.

Varianten
- Mit jedem Wiewort entferne ich mich einen Schritt nach aussen.
- Wenn ich genug Adjektive gesagt habe, setze ich mich und lege den Kopf entspannt auf die Knie.

Wozu
Rückmeldungen geben in knapper, zentrierter Form.

Beobachten
Wie gelingt es dem Einzelnen, seine Meldung auf ein Wort zu reduzieren? Welche Adjektive werden in der Nähe, welche in der Distanz ausgesprochen?

***Zurückgekehrt von einer Studienreise in Indonesien, die ich auf Einladung der Unicef machen konnte, habe ich für die Mittelstufe ein TZT-Paket über bestimmte Aspekte des Alltags in Indonesien verfasst. Teile daraus nehme ich in dieses Buch auf; es sind Erstveröffentlichungen; sie sollen Beispiel und Anregung sein dafür, wie***

# *TZT in der Praxis*

***eingesetzt werden kann. Indonesien ist ein riesiges Land mit fast 200 Millionen Einwohnern. Die hier angeführten Inhalte betreffen deshalb auch keineswegs «ganz Indonesien»; ebensowenig erheben sie den Anspruch, abschliessend dargestellt zu sein.***

## Reis – Lebensspender Indonesiens

### Dichtung . . . E1

| | |
|---|---|
| Wer | Alle |
| Wo | Gruppenraum |
| Wie lange | 10 Minuten |
| Was | Der Lehrer erzählt die Sage von Dewi Sri, der Königstochter: |

Dewi Sri war die bildschöne Tochter des Fürsten Mendang Kamula. Eines Tages verliebte sich der König der Riesen in das schöne Mädchen und begehrte sie zur Frau. Dewi Sri aber fürchtete sich vor dem Riesenkönig und empfand eine tiefe Abneigung. Melancholie und Trauer senkten sich über sie – denn sie wollte nie seine Frau werden. Und sie sann nach einem Weg, seinem Begehren zu entrinnen. «Ich werde ihm eine Aufgabe stellen, die er nicht lösen kann, dann wird er auf mich verzichten müssen».

Also sprach sie zum Riesenkönig: «Ich will deine Liebe zu mir prüfen und dir eine Aufgabe stellen. Baue mir heute Nacht einen Wall um den grossen See vor der Stadt, damit die Gärten beschützt werden. Morgen, bevor noch die

Hähne krähen, muss er fertig sein, dann werde ich deine Gemahlin werden».
Alsbald befahl der Riesenkönig sein Gefolge herbei, das sogleich mit der Arbeit begann. Derweil stand Dewi Sri bangend am Ufer und sah mit Entsetzen, wie der Damm schnell immer länger wurde. Die Mitternachtsstunde war kaum vorbei und der Wall schon beinahe fertig. In ihrer Not griff Dewi Sri zu einer List. Sie rief alle Hähne zusammen und liess sie früher – noch bevor der Morgen graute – schreien. Der überlistete Riesenkönig wusste, was Dewi Sri ihm angetan hatte. Ausser sich vor Wut, verwünschte er die schöne Dewi Sri in eine Reispflanze. Dewi Sris Vater, der Fürst Mendang Kamulan, war so traurig über das Schicksal seiner Tochter, dass er sein Reich verliess. Er bat sein Volk, die Reispflanze stets zu hegen und zu pflegen und sie immer gut zu versorgen. Unter der unermüdlichen Pflege der Bauern wuchs und gedieh die unersetzliche Reispflanze – die einst verwunschene Dewi Sri.

Wozu — Spielerischen Bezug zum Reis herstellen

## . . . und Wahrheit — R1

Wer — Alle in Dreiergruppen

Wo — Gruppenraum

Was — Aus der zur Verfügung gestellten Literatur sucht sich jede Gruppe Informationen über Reis – Reisanbau, Reisverwertung usw. Nach ca. 30′ kommen alle Gruppen zusammen und erzählen einander, was sie über den Reis herausgefunden haben.

Wozu — Selbsterarbeiten von Information und diese an andere weitergeben.

Der Reis spielt im indonesischen Alltag eine bedeutende Rolle. So kennt die indonesische Sprache (Bahasa Indonesia) allein 4 Wörter, die den Reis nach seiner Beschaffenheit bezeichnen:

padi: Reis auf dem Halm
gabah: ungeschälter Reis (Reiskorn)
beras: geschälter Reis (enthülster Reis)
nasi: gekochter Reis

Beim Reiseinkauf muss also «beras» verlangt werden, während man im Restaurant «nasi» bestellt. Der indonesische Reisbauer pflanzt zwar «padi» an, nennt seinen Reis nach der Ernte aber «gabah». Es dauert einige Zeit, bis dem Europäer diese Differenzierung wirklich ins Bewusstsein eingedrungen ist.
Indonesien ist mit 25,74 Mio t (1978 Welternte 378,65 Mio t) der drittgrösste Reisproduzent der Welt, führt aber gleichzeitig auch noch den meisten Reis ein (1,96 Mio t 1977).

**Querschnitt durch das Reiskorn**

1 Bart
2 Spelze
3–7 Silberhäutchen (Klebeschicht oder Pericarp)
8 Reisstärke
9 Keimling oder Embryo
10 Halmansatz

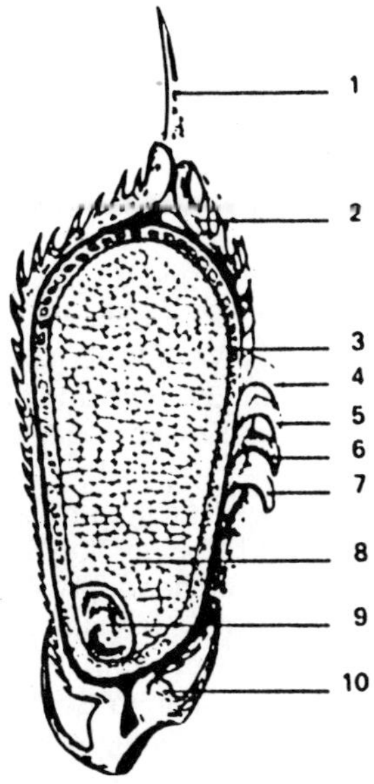

*Wissenswertes über den Reis*
Reis ist ein einjähriges Getreidegras, dessen Stengel 50 cm bis 2 m hoch werden. Einige Sorten lassen ihre 4–5 m langen Stengel auf dem Wasser schwimmen.
Insgesamt sind einige Tausend Reissorten bekannt, unter ihnen frühreife Arten, die in 90 Tagen reifen und spätreife, die einen 240 Tage dauernden Zyklus aufweisen.
Der *Rohreis* ist von einer harten, kieselsäurehaltigen Hülse, der Reisspelze umschlossen. Entfernt man diese Spelze, so entsteht *Halbrohreis*, der nur noch von einem Silberhäutchen umgeben ist, das einen hohen Gehalt an Fetten, Proteinen, Vitaminen und Mineralien aufweist. Der Keimling, am schmaleren Ende des Reiskorns, enthält ebenfalls Mineralien und Vitamine, verdirbt aber sehr rasch. Das Reiskorn selbst besteht fast nur aus reiner Stärke. In der Regel wird beim Halbrohreis das Silberhäutchen weggeschliffen, der Keimling entfernt, das verbleibende Reiskorn glasiert und schliesslich mit einem Paraffinöl behandelt. Auf diese Weise entsteht der sogenannte *Weissreis.*
Schälen und Polieren vermindern allerdings den Nährstoffgehalt des Reises wesentlich:

*Ungeschältes Reis*

| | | |
|---|---|---|
| Fett | 1,8 g | |
| Stärke | 88,2 g | von 100 g |
| Eiweiss | 8,5 g | |

*Poliertes Reis*

| | | |
|---|---|---|
| Fett | 0,2 g | |
| Stärke | 91,5 g | von 100 g |
| Eiweiss | weniger als 7 g | |

Beim Polieren gehen auch Mineralsalze und Vitamine (B1 und B2) verloren, was den Wert des Reises ebenfalls stark herabsetzt.
Durch das amerikanische Paraboiled-Verfahren kann der Nährstoffverlust stark reduziert werden. Dabei werden Vitamine und Mineralien mit Hilfe von Dampf (unter sehr hohem Druck) ins Reiskorn gepresst und darin versiegelt.
In Indonesien baut man Reis auf zwei Arten an: *im Nassreisfeld (sawah)* und auf dem *Trockenreisfeld (ladang padi).*
Der Nassreisfeldbau setzt eine ausreichende Wasserversorgung voraus und ist sehr arbeitsintensiv. Zunächst müssen kunstvolle Reisterrassen angelegt werden, die dann mit Hilfe von Ochsen oder Wasserbüffeln gepflügt werden können. Nachdem der Reis in kleinen Beeten vorgezogen worden ist, wird er ins grosse Feld umgepflanzt. Diese Methode ist zwar sehr aufwendig, erspart aber ein nachträgliches Jäten. Ist die Frucht schliesslich

herangereift, so lässt man das Wasser aus dem Feld ablaufen und erntet von Hand. Ein kleines Reismesser (das sog. *ani-ani)* leistet dabei gute Dienste. Wohl verborgen wird es in der rechten Hand gehalten, denn man will beim Ernten die Reisgöttin Dewi Sri, auf keinen Fall erzürnen. Manchmal trifft man 40–100 Leute auf einem Feld, die unermüdlich Halme schneiden und zu kleinen Bündeln zusammenfügen, die sich schliesslich am Feldrand zu grösseren Haufen stapeln. In der Regel darf der Schnitter 10% des von ihm geernteten Reises behalten. Maschinelles Ernten würde also unzählige Menschen arbeitslos werden lassen, bieten doch die Einsätze von professionellen Schnittern (auf Java beispielsweise) schon genügend Schwierigkeiten für die ortsansässigen Reisbauern.
Wie man sich leicht denken kann, setzt Nassreisfeldbau einen hohen Gemeinschaftssinn und ein gutorganisiertes Bewässerungssystem voraus. Nur wer bereit ist, sich am Prinzip der gegenseitigen Hilfe *(gotong royong)* zu beteiligen, ist ein taugliches Mitglied einer Nassreisfeldbau-Kultur.
Die immer wiederkehrenden Rhythmen von Anbauen und Ernten prägen selbstverständlich auch das ganze soziale Gefüge, in dem sich die reisabhängigen Menschen bewegen. So finden Zeremonien und Feste in der Regel nach der Ernte statt, weil dann Geld und Lebensmittel in ausreichendem Mass vorhanden sind. Auch empfindet der Bauer eine heilige Ehrfurcht vor dem Reis, und sehr oft sind religiöse Zeremonien mit dem Reisanbau verbunden. In Selat (Bali) z.B. verheiratet man jedes Jahr den Gott Wischnu mit der Reisgöttin Dewi Sri und sorgt in einer wohlvorbereiteten Zeremonie dafür, dass sie auch schwanger wird. Kleine Altare auf den Reisfeldern (mit allerlei Opfergaben versehen, unter anderem auch mit Naschereien, wie sie von Schwangeren gern gegessen werden) zeugen davon, dass man sich um die Gunst Dewi Sris aufrichtig bemüht.
Der Trockenfeldbau ist regenabhängig und ermöglicht in der Regel nur eine Ernte im Jahr (im Gegensatz zum Nassreisfeldbau, wo 2–3 mal pro Jahr geerntet werden kann). Die Felder werden häufig durch Brandrodung gewonnen und müssen schon nach verhältnismässig kurzer Zeit wieder verlegt werden. Der in den Trockenfeldern angebaute Bergreis gedeiht, bei geringen Ansprüchen, noch in tropischen Höhenlagen bis zu 2000 m.

## Planung **S1**

| | |
|---|---|
| Wer | Alle in Dreiergruppen |
| Wo | Gruppenraum |
| Was | 3 Reisbauern kommen zusammen um miteinander eine Bewässerungsanlage zu planen. |
| Wozu | Gemeinsames Vorgehen für gemeinsamen Gewinn. |

## Mehr, mehr! **S2**

| | |
|---|---|
| Wer | Alle in Dreiergruppen |
| Was | 2 Kinder bestürmen ihren Vater, sein Reisfeld zu vergrössern. |
| Wozu | Grenzen des Wachstums erahnen. |

## Wucher! **S3**

| | |
|---|---|
| Wer | Alle in Zweiergruppen |
| Was | Ein Händler aus Jakarta versucht einem Reisbauern seine ganze Ernte zu einem Schundpreis abzukaufen. |
| Wozu | Abhängigkeit erleben und dagegen Massnahmen zu ergreifen suchen. |

## Wachablösung **S4**

| | |
|---|---|
| Wer | Alle in Zweiergruppen |
| Was | Ein alter Reisbauer erklärt seinem Sohn bei einem Gang über sein Reisfeld, worauf er (der Sohn) beim Reisbau besonders zu achten habe. |
| Wozu | Erfahrungen übernehmen. |

## Nachbarhilfe S5

Was

Zwei Reisbauern vereinbaren, dass sie und ihre Familien ihre beiden Felder gemeinsam abernten.

Wozu

Helfen und helfen lassen.

## Pleite S6

Was

Ein Reisbauer klagt seinem Nachbarn, dass er das Geld für das nächste Saatgut nicht aufbringen kann.

Wozu

Eine Notsituation offen darlegen lernen.

## Wassernot S7

Was

2 Reisbauern sind in grosser Not: Das für ihr Wasserreisfeld dringend benötigte Wasser bleibt aus. Der Dritte hat weniger Probleme.

Wozu

Verhalten in Notsituationen erleben.

## Trotz allem A1

Was

Trotz aller Schwierigkeiten, die ein kleiner Reisbauer überwinden muss, ist es ihm und all seinen Helfern gelungen, eine gute Ernte einzubringen. Am Fest, das zu diesem Anlass gefeiert wird, essen alle Nasi Goreng, nachdem es folgendermassen gekocht wurde:

*Rezept*
Nasi goreng (für 4–6 Personen)

Das heisst ganz einfach «gebratener Reis», ist in Wirklichkeit aber die umfassende Bezeichnung für eine unbestimmte Zahl geschmacklich variierender Gerichte. Man kann die Zutaten und Garnierungen ganz nach Geschmack abändern, aber auch das aufwendigste nasi goreng lässt sich rasch zubereiten. Besonders gut als Lunch oder leichte Mittagsmahlzeit.

2 Tassen Langkornreis, 4 Schalotten oder 1 kleine Zwiebel, 2 rote Chilischoten (oder 1/2 TL Chilipulver und 1 TL Paprika), 2 EL Pflanzenöl (oder geklärte Butter, Olivenöl oder Schweineschmalz), Salz, 1 TL süsse Sojasauce, 1 TL Tomatenketchup.

Den Reis in Wasser schon einige Stunden vor Gebrauch kochen und abkühlen lassen. Schalotten oder Zwiebeln in Scheiben schneiden, Chilischoten entkernen und ebenfalls in Scheiben schneiden (oder Schalotten und Chili zusammen im Mörser zermahlen). Das Öl oder Fett nach Belieben in einer tiefen Pfanne erhitzen, Schalotten und Chili etwa 1 Minute sautieren und mit Salz, Sojasauce und Tomatenketchup würzen. Den Reis dazutun und unter ständigem Umrühren gut durchhitzen: das dauert etwa 5–8 Minuten. In einer grossen Schüssel servieren, reichlich mit in Scheiben geschnittenen Gurken, Tomaten, gebratenen Zwiebeln und Kurzpuk servieren.

Dieses ganz einfache nasi goreng isst man gewöhnlich mit Fleisch oder Fisch und Gemüsen. Es passt gut zu einigen europäischen Gerichten, besonders zu Schweinebraten.

Wozu

Mundgerechter Ausstieg aus dem Reiskapitel.

## Wasser, die Geisel Indonesiens R1

Stückweise erzählt die Lehrerin ihren Schülerinnen und Schülern die Geschichte von Siti und Takdir, die in Indonesien Wasser suchen. An den angegebenen Stellen wird die Erzählung unterbrochen und die ganze Gruppe spielt die jeweiligen Situationen.

## Wasser für Siti und Takdir

*Siti und Takdir sind Zwillinge. Sie leben in der Nähe von Yoyakarta, einer grossen Stadt auf der Insel Java. Das Mädchen Siti hat viele Freundinnen, ihr Bruder Takdir hat viele Freunde. Ausserdem haben sie aber auch noch 7 Geschwister. Siti und Takdir sind 11-jährig und die ältesten Kinder der Familie. Ihr Vater ist ein kleiner Bauer. Ihre Mutter hilft immer auf dem Feld mit, wie alle Geschwister, die schon gehen können. Allerdings hat die Mutter noch eine andere Aufgabe: sie muss jeden Tag Wasser holen. Dabei wäre nichts aussergewöhnliches, wenn der Ziehbrunnen, der Wasser hergibt, nicht 2 Stunden weit entfernt wäre. Die Mutter muss zu Fuss gehen, denn für ein Auto reicht das Geld nicht. Das gibt pro Tag 4 Std. Fussmarsch – nur um Wasser zu holen. Oft ist das Wasser des Brunnens so verschmutzt, dass man es auf keinen Fall trinken darf – nicht mal zum Zähneputzen darf man es benutzen. Erst kürzlich ist ein Freund Takdirs an Durchfall gestorben – er hatte schmutziges Wasser getrunken.* (Durchfall *(Diarrhoe), bei uns eher harmlos, ist in den Entwicklungsländern eine der häufigsten Todesursachen. Rund 500 Millionen Kinder sollen jedes Jahr daran erkranken, wobei etwa 6 Millionen daran sterben. Ursache: zur Hauptsache unsauberes Trinkwasser, das aus Teichen und Bächen stammt. Heilung wäre meist einfach: durch eine schwache Salz-Zuckerlösung.) So wie ihm geht es leider vielen Kindern in Indonesien. Jedesmal, wenn die Mutter mit den schweren Wasserkübeln zurückkam, sahen die Kinder schon an ihrem Gesichtsausdruck, ob sie sauberes oder schmutziges Wasser nach Hause brachte. An Tagen, an denen nur schmutziges Wasser da war, war denn auch die ganze Familie bedrückt, ja das ganze Dorf war verzweifelt, denn es ging ja allen so. Dieser Zustand liess Siti und Takdir keine Ruhe. Immer wieder überlegten sie, wie es möglich wäre, das ganze Jahr hindurch sauberes Wasser zu haben.*

## Überlegungen S1

Wer

Alle in Zweiergruppen

Was

Siti und Takdir beraten, wie es möglich wäre, immer Trinkwasser zu haben.

Wozu

Identifizierung mit Betroffenen und deren Problemstellung.

*Eines Morgens wachte Siti fröhlich gestimmt auf, obwohl sie schlecht geschlafen hatte, denn seit einiger Zeit grübelte sie sogar Nachts an «ihrer» Wassersuche. In der letzten Nacht war ihr eine Idee gekommen: der Lehrer hatte ihnen erzählt, dass es fast überall auf der Welt unter dem Boden Wasser gibt. Also – dachte sie, graben wir hier ein Loch, das so tief ist, bis wir zum Wasser vorstossen – und sie erzählte die Idee ihrem Bruder Takdir. Der war gleich Feuer und Flamme. «Grundwasser» nennt man dieses Wasser, belehrte er seine Schwester. Noch vor dem Frühstück hatten sie die Stelle ausgemacht, wo sie graben wollten. Sie war gleich hinter ihrer Hütte, und sie malten sich schon aus, dass ihre Mutter nur über die Hüttenschwelle treten müsste um Wasser zu haben – und das ganze Dorf würde sich riesig freuen und alle würden Siti und Takdir loben: «Das habt ihr gut gemacht!» Sie waren so begeistert, dass sie sogar vergassen zu frühstücken, stattdessen fingen sie zu graben an. Sie hatten nur eine Schaufel, so dass immer nur einer schaufeln konnte. Wenn Siti schaufelte, ruhte sich Takdir aus – und umgekehrt. Das war gut so, denn die Arbeit war mächtig anstrengend, aber ihnen machte das nichts aus – sie liessen auch das Mittagessen ausfallen und erst als die Nacht einbrach (in Indonesien geht der Wechsel vom Tag zur Nacht sehr schnell) hörten sie auf. Sie waren sehr müde aber auch zufrieden. Das Loch war schon so tief, dass sie in ihrer ganzen Körperlänge hineinstehen konnten. Wasser wurde noch keines sichtbar, aber das war ja klar, dass es nicht so schnell gehen konnte.*

*Am nächsten Morgen gruben sie weiter. Nach einer Weile kam ein Freund von Takdir dazu, er wollte auch mithelfen, sagte aber gleich, dass er dann auch Wasser für seine Familie haben wollte. Das brachte Siti und Takdir etwas in Verlegenheit, denn einerseits, waren sie froh darüber, Hilfe zu bekommen, andererseits wollten sie das Wasser noch nicht so schnell teilen. «Zuerst müssen wir beraten», sagte Siti zu Takdirs Freund. «Komm nachmittags wieder, dann werden wir dir sagen, was wir beschlossen haben.»*

## Ja oder Nein? S2

Wer — Alle in Zweiergruppen

Was — Siti und Takdir beraten, ob sie Tadkirs Freund mitgraben lassen wollen.

Wozu — Überlegungen anstellen, wie sinnvoll es ist, andere an «eigenen» Dingen teilnehmen und teilhaben zu lassen.

*Pünktlich nach dem Mittagessen kam der Freund zum Loch. Siti und Takdir waren in der Zwischenzeit übereingekommen, dass sie ihn in ihren «Wasserklub» aufnehmen wollten. Der Freund freute sich riesig darüber und er drückte zuerst Siti's Hand, danach Takdir's Hand, als Zeichen der Verbundenheit, die sie miteinander fühlten. Danach gruben sie zu dritt, es ging dadurch etwas schneller, und das Loch wurde tiefer und tiefer. Am dritten Tag war es schon so tief, dass sie Stufen in die Grubenwand schlagen mussten, um bis zum Grund und wieder hinauf steigen zu können. Es wurde trotzdem immer mühevoller weiterzugraben, denn jetzt mussten sie die Erde im Loch in eine Kiste schaufeln. An der Kiste hatten sie ein Seil befestigt. Um die volle Kiste hochzuziehen mussten die beiden, die nicht schaufelten, mit vereinten Kräften am Seil ziehen. Einmal riss sogar das Seil und die volle Kiste wäre beinahe auf Siti, die gerade unten im Loch war, gestürzt. Und immer noch hatten sie kein Wasser.*

*So gruben sie mehr als eine ganze Woche lang, hatten immer noch Hoffnung bis zum Tag, als dieser Mann aus der Stadt kam. Er sah das Loch, fragte, wozu sie es gegraben hätten und als sie es ihm erklärten, lachte er zuerst ganz fürchterlich, so dass Siti, Takdir und sein Freund böse wurden, weil sie sich ausgelacht vorkamen. Dann aber wurde der Mann ernst, beinahe traurig: «Ihr habt Recht, Kinder», sagte er, «es gibt fast überall Grundwasser, nur bei uns in Indonesien ist es leider mehr als 100 Meter unter der Erde, und soweit kann niemand graben!»*

## Schlechte Nachricht S3

Wer — Alle in Vierergruppen

Was — Ein fremder Mann kommt zu den grabenden Kindern und erklärt ihnen, dass das Grundwasser mehr als 100 Meter tief liegt.

Wozu — Auseinandersetzung mit Behauptungen anderer.

*Die drei Kinder waren sprachlos. Als erster fand Takdir die Worde wieder: «Stimmt gar nicht!», drückte er hervor – er war dem Weinen nahe. Aber als der Fremde sich bereit erklärte zu beschwören, was er gesagt hatte, mussten sie es wohl oder übel glauben. Und als der fremde Mann wieder gegangen war, wurden sie so traurig, dass sie alle miteinander weinten.*

## Alles umsonst! S4

Wer — Alle in Dreiergruppen

Was — Siti, Takdir und sein Freund grübeln, wie es nun weitergehen soll.

Wozu — Lernen, Misserfolge zu verkraften.

*Ein paar Tage danach prasselte eines Abends dicker Gewitterregen herab. Die ganze Familie war auf dem Reisfeld. Weil der Tag eh zu Ende war und weil es so stark regnete, rannten alle der schützenden Hütte zu. Takdir konnte am schnellsten rennen. Er nahm seinen kleinsten Bruder auf den Arm und rannte was er konnte, setzte seinen Bruder in der Hütte ab, wollte zurückrennen und plumps – war er schon in das Loch gefallen, das er mit Siti und seinem Freund gegraben hatte. Zuerst war er fürchterlich erschrocken und schimpfte vor sich hin, doch dann machte er eine riesige Entdeckung: er stand bis zu den Hüften im Wasser, das sich durch den starken Regen im Loch gesammelt hatte. Weil es dunkel war, konnte er nicht sehen, ob das Wasser sauber war, oder nicht. Er beschloss morgen, sobald es hell würde, das neue Wasserloch nochmal zu überprüfen.*

*Nachts hatte er Siti in seine Entdeckung eingeweiht und beim ersten Lichtstrahl waren beide schon beim Loch – und tatsächlich: es war immer noch Wasser drin – viel weniger als gestern, weil der Regen schon lange aufgehört hatte und das meiste Wasser bereits wieder versickert war. Allerdings – das Wasser war ganz braun, noch schlimmer als das Wasser vom Brunnen, wenn es am schlechtesten war. Also wieder nichts!? «Nein!» sagte Siti, «überleg doch mal: das Regenwasser kommt sauber vom Himmel, erst wenn es den Boden berührt, wird es schmutzig, wir müssen etwas erfinden, damit der Regen direkt in einen sauberen Behälter fliessen kann!»*

## Und jetzt? S5

| | |
|---|---|
| Wer | Alle in Zweiergruppen |
| Was | Siti und Takdir entwickeln eine Möglichkeit, Regenwasser sauber aufzufangen. |
| Wozu | Eigene Ideen zum Problem entwickeln. |

*«Komm schnell, wir schneiden ein dickes Bambusrohr, daraus machen wir eine Wasserleitung!» sprudelte Takdir. Gesagt – getan. Dicker Bambus ist innen nämlich hohl, das wusste Siti. Heute würde das Frühstück für sie wahrscheinlich wieder unbeachtet bleiben, denn nach kurzer Zeit waren Siti und Takdir mit einem langen Stück Bambusrohr wieder bei der Hütte. Takdir hatte schon wieder einen Einfall: «Das Hüttendach ist doch ziemlich sauber, wenn der Regen da drauf fällt, ist das Wasser noch sauber. Wir müssen das Wasser sammeln, bevor es auf die Erde fällt.» Sie schnitten das Bambusrohr auf der ganzen Länge in zwei Teile. Einen Teil befestigten sie am äusseren Rand des Hüttendaches, wie eine Regentraufe, so würde aller Regen, der aufs Dach fällt in dieser Traufe gesammelt, ohne dass das Wasser ganz auf den Boden fliessen würde. Den zweiten Teil des Bambusrohrs befestigten sie am tiefsten Punkt ihrer «Regentraufe», so dass diese Leitung fast bis zum Boden hinabreichte. Darunter wollten sie dann einen sauberen Eimer stellen, sobald es wieder regnen würde.*

## Aber jetzt dann! S6

Was

Siti und Takdir warten auf den Regen und malen sich aus, wie es sein wird, wenn . . .

Wozu

Spannung aushalten lernen und Vorfreude empfinden.

*Gegenwärtig aber – es war später Nachmittag – schien immer noch die Sonne und Takdir schlug vor, sie sollten doch seinen Freund holen gehen, damit er dabei sein könnte, wenn es zu regnen begänne. So liefen sie rasch zum anderen Ende des Dorfes, wo die Hütte stand, in der der Freund wohnte. Sie waren rasch dort angekommen und noch ausserhalb der Hütte riefen sie nach ihm. Keine Antwort. Erst als sie ein zweites Mal riefen, trat ihr Freund aus der Hütte, aber er blieb im Türrahmen stehen. Er hatte geweint, das sah man deutlich. Siti und Takdir merkten, das jetzt nicht der Augenblick war, über ihr «Wasserwerk» zu schwärmen. Statt dessen fragte Siti ganz scheu nach dem Grund seiner Trauer. «Heute morgen ist meine kleine Schwester gestorben!», sagte der Freund leise.*

*«Sicher wieder Durchfall» durchfuhr es Takdir, aber er sagte nichts. Stattdessen nahm er seinen Freund an der Hand und zu dritt, Siti hatte die andere Hand des Freundes genommen, zottelten sie den Weg zurück zu Siti's und Takdir's Hütte. Sie hatten erst die halbe Entfernung geschafft, da regnete es plötzlich. Alle drei rannten so schnell sie konnten zur Hütte, Siti stürmte hinein, griff den leeren Eimer und so schnell wie möglich stellten sie ihn unter die Wasserleitung, die sie tagsüber gebastelt hatten. Und dann konnten sie es sehen. Das Wasser sprudelte aus der Traufe über die Wasserleitung in den Eimer – und sie waren aus dem Staunen noch nicht heraus, da war er schon voll, voll mit schönem sauberen Regenwasser. Sie selber waren schon klatschnass, aber das war ihnen völlig gleichgültig, sie waren so glücklich, dass sie endlich eine Möglichkeit gefunden hatten, sauberes Wasser zu gewinnen. Und alle drei umarmten sich, und wenn der Regen nicht gewesen wäre, hätte man gesehen, dass sie weinten, aber diesmal waren es grosse Freudentränen. Es regnete immer noch und der Eimer überlief und überlief und sie dachten, dass sie mit der Zeit einen grösseren Behälter bauen müssten, damit sie beim Regen möglichst viel Wasser einfangen könnten, um dann auch davon nehmen zu können, wenn es längere Zeit nicht regnen würde.*

*Aber darüber machten sie sich jetzt noch keine Gedanken. Denn vorläufig hatten sie ja schon gefunden, wonach sie so lange gesucht hatten: etwas sauberes Wasser!*

## Woher kommt das Wasser? R2

Wer — Alle zusammen

Wo — Gruppenraum

Wielange — 15 Minuten

Was — Wir schauen uns den Wasserkreislauf an und überlegen uns, woher *wir* das Wasser beziehen: Grundwasser, Quellwasser, Fluss und Seewasser.

Wozu — Das Wasser als Natruphänomen erfahren.

## Was machen wir mit dem Wasser? R3

| | |
|---|---|
| Wer | Alle zusammen |
| Wo | Gruppenraum |
| Wielange | 20 Minuten |
| Was | Zuerst machen wir eine Wandzeitung mit Situationen, in denen Wasser verwendet wird: Reinigen (Wäsche, Autos, Geschirr, sich selbst usw.) Trinken und Kochen (Wasser, Limonaden, Bier, Suppen usw.), Pflegen (Zimmerpflanzen begiessen, Garten spritzen usw.). Danach malt jeder für sich ein Bild zu einer dieser Situationen. Alle Bilder kommen zur ständigen Ausstellung.<br>Frage: Liesse sich der Wasserverbrauch einschränken? |
| Wozu | Bewusstmachen einer Selbstverständlichkeit: Jederzeit über Wasser verfügen zu können. |

## Wohin geht unser Wasser? R4

| | |
|---|---|
| Wer | Alle zusammen |
| Wo | Gruppenraum |
| Wielange | 45 Minuten |
| Was | Nachdem wir das saubere Wasser benutzt haben, fliesst es zurück in Seen und Flüsse. Aber vor den Seen und Flüssen gibt es mancherorts Kläranlagen, die das Wasser zu reinigen versuchen. Gespräch: Welchen Dreck überlassen wir dem Wasser? Gelingt es, alles Wasser wirklich zu reinigen? |
| Wozu | Aufmunterung zu schonungsvollem Umgang mit unserem Wasser. |

## Wie aus einer Biene ein Ochse wurde

*Mahaka wettete eines Tages mit einem Adligen, dass er aus einer Biene einen Ochsen machen könnte. Der lachte ihn aus. Doch er holte ein Bambusrohr, steckte eine Biene hinein, nahm den Bambus auf die Schulter, zeigte ihn überall herum und rief: «Heda! Seht euch meinen Ochsen an, seht euch meinen Ochsen an!»*
*So marschierte er den Tag über von einem Dorf zum andern und trug den Bambus auf der Schulter. Gegen Abend machte er in dem Hause eines Dorfes, in dem er schon gewesen war, Halt. Als die Leute ihn sahen, fingen sie an, ihn zu verhöhnen und riefen: «Halloh! Da ist ja Mahaka! Mahaka ist da!» – «Jawohl, so heisse ich,» antwortete der Schalk. «Wisst ihr das noch nicht?» – Und wieder rief er: «Heda! Seht euch meinen Ochsen an, seht euch meinen Ochsen an!» Dabei zeigte er ihnen die Biene.*
*«Wo sollen wir denn dein Vieh unterstellen?» fragte ihn der Herr des Hauses, da inzwischen die Nacht angebrochen war. «Bringt es dahin, wohin es gehört,» antwortete er.*
*Der Mann brachte die Biene zu den Hühnern, die sie sofort mit den Schnäbeln zerhackten. Als er am nächsten Morgen das Tier wiederholen wollte, war es tot. Der Wirt geriet in helle Aufregung und sagte zu seinem Gaste: «Mahaka! Mahaka! Dein Vieh ist tot!» – «Wer es tötete, gehört dafür mir!» – «Dummes Zeug, das fehlte noch!» – «Schön,» erwiderte Mahaka, «dann gib mir genau solch eine Biene wieder. Sonst gehört mir der, welcher sie getötet hat.»*
*Der Herr des Hauses war darob ganz verschüchtert und war damit einverstanden, dass Mahaka die Biene durch ein Huhn ersetzt wurde.*
*Am anderen Tage verliess Mahaka das Dorf; das Huhn hatte er unterm Arm, und gemächlich marschierte er seines Wegs. Als die Sonne unterging, trat er in das Haus eines vornehmen Mannes, der viele Kinder hatte. «Hallo! Mahaka! Halloh! Mahaka!» riefen sie. «Jawohl, ich heisse wirklich Mahaka, da kennt ihr mich also schon. Schaut euch mal meinen Ochsen an,» fuhr er fort und zeigte dabei auf das Huhn. «Wo sollen wir das Huhn unterbringen?» fragte der Hausherr. «Bringt es dahin, wohin es gehört!» Die Kinder griffen das Huhn und setzten es bei den Enten aus. Doch die bissen es tot, denn sie duldeten nichts Fremdes bei sich.*
*«Ich werde die mitnehmen, die mein Vieh gemordet hat,» sagte Mahaka. Und dabei rollte er so fürchterlich mit den Augen, dass dem Hausherrn angst und bange wurde und er ihm für das Huhn eine prächtige Ente gab.*
*Am Abend bat Mahaka um ein Nachtlager bei einem Manne, der Truthühner züchtete. «Bitte, schaff dies Vieh dahin, wohin es gehört,» sagte er zu ihm. Die Kinder brachten die Ente zu den Truthühnern; und am nächsten Morgen war sie tot. Mahaka drohte, und der Mann schenkte ihm eine schöne Truthenne. Mahaka tat sie in einen Korb und wollte die nächste Nacht bei Rabeondry, dem Mann mit den Hammeln, verbringen. «Setz mein Vieh hin, wo*

*sein Platz ist.» Man brachte die Truthenne in die Ecke des Geheges, wo die Hammel eingesperrt waren. Doch die Hammel meinten, in dem Korb wäre Gras; so rannten sie in der Nacht überall mit den Hörnern gegen den Korb an, um ihn zu zertrümmern; dabei ging natürlich die Truthenne drauf.«Ich bin nicht eher zufrieden,» sagte Mahaka und spielte dabei den wilden Mann, «bis man mir ihren Mörder übergeben hat.» – «Eigentlich trifft die Schuld nicht mich,» antwortete Rabeondry, «aber wir wollen uns nicht erzürnen. Nehmt einen Hammel mit.»*

*Gegen Abend kehrte Mahaka bei einem Manne ein, der viele Ochsen besass. Der Hammel wurde in eine Bucht gesperrt, wo man einen Ochsen fett machte. In der Nacht stand Mahaka auf, begab sich in die Bucht, tötete den Hammel und bestrich die Hörner des Ochsen mit dem Blute, so dass die ganz rot wurden. Dann legte er sich wieder hin und schlief bis in den hellen Tag hinein; der Hausherr mochte inzwischen die Tat gemerkt haben. Als er aufgestanden war, tat er so, als ob er seinen Hammel holen wollte. Als er ihn tot vor sich sah, überhäufte er den Hausherrn mit schwersten Vorwürfen. «Der hat mir meinen Hammel getötet und dafür soll er mir gehören. Und wenn ihr damit nicht einverstanden seid, dann werde ich euch beim Schulzen verklagen.» Lange währte Rede und Gegenrede, doch bei der Starrköpfigkeit des Mahaka musste der andere schliesslich doch nachgeben und hiess ihn den Ochsen mitnehmen.*

*Mahaka suchte nun den Adligen auf, mit dem er gewettet hatte, erzählte ihm seine Fahrten und Abenteuer und von den Listen, die er angewandt hatte, um die Biene in einen schönen Ochsen zu verwandeln. Da musste der Adlige ihm auch noch den Wettpreis auszahlen.*

## Stoff:
## Wie aus einer Biene ein Ochse wurde
(Märchen aus Madagaskar)

**Thema: Ich nehme Einfluss auf meine Mitmenschen**

**E1**

Was? alle erhalten eine Kartonrolle und laufen damit zu Musik im Raum umher. Nach jedem Musikstop tragen sie die Rolle auf eine andere Art. Mit der Zeit verwandeln sie die Rolle während den Zeiten ohne Musik in ein lebendiges Wesen mit dem sie sprechen und spazierengehen.

| | |
|---|---|
| Wie lange? | 5′ |
| Wozu? | Einem Gegenstand Leben einhauchen. |

**E2**

| | |
|---|---|
| Was? | Jeder Schüler geht mit der Rolle spazieren. Begegnet er einem anderen, erzählt er diesem die wunderbarsten, verrücktesten Dinge, was seine Rolle sei oder könne. Jeder Spieler sucht möglichst viele Begegnungen zu machen und kann seine Phantasien in dieser Zeit noch steigern. |
| Wie lange? | 5′ |
| Wozu? | Phantasien entwickeln, sie anderen weitererzählen, ihre Wirkung erproben. |

**E3**

| | |
|---|---|
| Was? | Alle Schüler stehen in einer Reihe. Der erste tritt einige Schritte vor, dreht sich um 90° und erzählt was er da schönes in den Händen hält. (Alle halten immer noch die Kartonrolle). Während er nun die Reihe abläuft, können die andern ihn im Scherz verspotten, bis er am Ende angekommen ist. Dann sagt jeder Schüler so laut er kann zu den anderen: «Es ist mir gleich, was ihr seht! ! Ich weiss dass es ein . . . . . ist!<br>Darauf startet ein weiterer Schüler, bis alle, die wollen, vorbeimarschiert sind. |
| Wie lange? | 10′ |
| Wozu? | Spott über ein Vorhaben auf spielerische Weise erleben (vor allem auch zeitlich beschränkt) und trotzdem bei der eigenen Sicht der Dinge bleiben. |

## E4

Was?

Jeder Schüler kommt bei der Lehrerin vorbei, welche ihm einen der sechs Tierbegriffe, um die es in der Geschichte geht, ins Ohr flüstert. Dann stellen alle gleichzeitig ihr Tier der Bewegungsart nach dar und bringen nach und nach auch die Stimme des Tieres ins Spiel. Hat jeder die Stimme des Tieres gefunden, begrüsst er alle, die ihm begegnen, in seiner Tonart.
Nach und nach versuchen die Spieler herauszufinden, wer wohl noch das gleiche Tier spielt und schliesst sich mit diesen zu einer Gruppe zusammen. Jede Gruppe wechselt kurz in die Menschensprache um festzustellen, ob alle wirklich von der gleichen Art sind. Nun spielt eine Gruppe nach der anderen ihr Tier vor. Die Zuschauer versuchen das Tier zu erkennen.

Wozu?

Sich in die Tierrollen hineinspielen, versuchen die Unterschiede zwischen den einzelnen Tierarten festzuhalten.

## E5

Was?

Sechs Schüler erhalten ein Symbol für die sechs Tiere aus der Geschichte. Nun stellen sie sich der Grösse nach in eine Reihe. (Der Grösse der Tiere entsprechend). Nun beginnt die Biene indem sie sagt: «Ich bin kleiner als das Huhn» worauf das Huhn feststellt: «Ich bin kleiner als die Ente» usw.
Anschliessend werden die Symbole an sitzende Schüler verteilt und diese bilden wieder eine Reihe. Diesmal beginnt der Ochse indem er sagt: «Ich bin grösser als das Schaf» usw. Bei einem dritten Durchgang mit wieder anderen Schülern kann der Versuch gemacht werden, den Superlativ miteinzubeziehen. (Ochse: «Ich bin der Grösste») und grösser/kleiner als gleichzeitig festzuhalten. Bsp. Die Ente: «Ich bin grösser als das Huhn und kleiner als die Ente» usw.

Wie lange?

3′ pro Durchgang

Wozu?

Grösser/kleiner als Relationen erkennen, welche auch in der Aussage der Geschichte eine wichtige Rolle spielen.

## E6

Was? Jeder Schüler denkt sich im Gehen eine Wette aus. Er bietet sie anderen an. Wer sie annehmen will, bekräftigt dies durch Handschlag mit dem Anbieter.

Wozu? Eine Vorstellung über mögliche Wettinhalte entwickeln.

## E7

Was? Jeder Schüler denkt sich zwei Wettangebote für die anderen aus: vom einen sollte er überzeugt sein, dass er damit gewinnt, das andere gestaltet er so, dass er damit sicher verlieren würde, falls jemand annimmt.
Nacheinander stellen alle ihre Angebote vor und suchen Mitspieler. (Es wird aber nicht erwähnt, ob es sich um das Sieger oder das Verlierer-Angebot handelt).

Wozu? Inhalte von Wetten erarbeiten. Feststellen, dass der Adlige in der Geschichte des Mahaka sicher war, Gewinner der Wette zu werden.

## E8

Was? Alle bewegen sich im Raum und führen folgende Impulse aus:
- Komplimente machen
- die anderen beschimpfen
- eine Strafe androhen
- den anderen zeigen, dass sie nicht zu nahe kommen sollen
- den anderen zuzwinkern

Wozu? Vorbereitung für E10

## E9

Was?

Die Hälfte der Klasse verteilt sich im Raum und bleibt so stehen. Die anderen begeben sich mit der Lehrerin vor die Türe, wo sie folgende Anweisung bekommen: – Jeder Schüler wählt sich einen von denen drinnen aus und sagt seinen Namen, so dass alle einen Partner haben.

- Dann denkt er sich einen Grund aus, weshalb er den Partner beschimpfen will. (z.B. Du hast mir meine Zeichnung kaputtgemacht usw.)
- Auf ein akustisches Zeichen kommen alle ins Klassenzimmer. Vor diesem Zeichen erhalten die drinnen den Hinweis, dass sie sich egal, was passiert, nicht von der Stelle rühren sollen und dass sie alles, was kommt, abstreiten sollen.

Wie lange

10′

Wozu?

Aufeinanderprallen von zwei verschiedenen Aussagen erleben.

## E10

Was?

Ein Schüler wird durch das Los zum Mahaka, ein anderer zum Mann mit den vielen Ochsen und ein dritter zum Hammel bestimmt.
Alle übrigen sind Ochsen. Mahaka legt sich auf den Boden, dreht sich zur Seite und «schläft». Der Besitzer der vielen Ochsen döst vor sich hin und einer der Ochsen berührt mit seinen Hörnern den Hammel, welcher daraufhin drei mal schreit und «tot» umfällt. Nun erwacht Mahaka aus dem Schlaf und versucht den Besitzer der Ochsen dazu zu bringen, ihm mitzuteilen, wer der «Mörder» des Hammels war. Dann darf Mahaka noch dreimal raten, welcher Ochse den Hammel auf die Hörner genommen hat. Findet er es heraus, gehört ihm der Ochse, findet er es nicht heraus, wird ein anderer zu Mahaka. (Als Schiedsrichter amtet der Hammel). Das Spiel kann so oft wiederholt werden, wie es Spass macht. Wichtig ist aber, dass Mahaka versucht, den Mann mit den Ochsen so einzuschüchtern, dass dieser ihm sagt, wer der «Mörder» sei, denn wenn er raten muss, ist der Erfolg vom Glück abhängig.

Wie lange? 15′

Wozu? In ein spannendes Spiel ist hier die Möglichkeit eingebaut, auf jemanden einzureden und ihn damit zu bewegen, das zu tun, was ich von ihm will (eine Eigenschaft, die zu Mahakas Erfolg beiträgt).

## E11

Was? Alle in Zweiergruppen. Der eine nennt einen konkreten Wunsch und sein Partner erzählt ihm eine phantasievolle Geschichte, wie er sich seinen Wunsch erfüllen könnte.

Wie lange? 10′

Wozu? Geschichten erfinden, wie etwas zu verwirklichen wäre.

## S1

Was? Der Wirt teilt Mahaka mit, dass die Biene von den Hühnern aufgepickt worden sei.
Zweiergruppen

Wie lange? 5′ vorbereiten, 5′ Spielzeit pro Gruppe

Wozu? Fortsetzung der Geschichte entwickeln, Reaktionen des Mahaka ausprobieren.

## S2

Was? Alle in Vierergruppen: Ein Huhn kommt in den Entenhof

Wozu? Wie reagieren die Enten auf den Fremden?

## S3

Was? Mahaka verlangt vom Hausherrn eine Gegenleistung für die getötete Ente.

Wozu? Angebote machen, um einen Schaden wieder gut zu machen. Entscheiden, welches Angebot ich annehmen will.

## S4

Was? Mahaka besucht den Adeligen, mit dem er gewettet hatte, dass er aus einer Biene einen Ochsen machen könne.

Wozu? Über die Abenteuer und Listen berichten, seinen Gewinn fordern.

## S5

Was? Ein Kind möchte mit seinem Kameraden etwas tauschen.

Wozu? Angebote machen, Angebote annehmen oder ausschlagen, ein «gutes Geschäft» machen.

## S6

Was? Ein Kind hat einen schlechten Tausch gemacht und beklagt sich bei der Mutter.

Wozu? Nicht alle Geschäfte erweisen sich für beide Seiten als gut.

## S7

Was? Zwei Kinder möchten auf den Rummelplatz, haben aber kein Geld. Eines hat eine gute Idee, wie sie dazu kommen könnten.

Wozu? Ideen entwickeln, die mir einen Wunsch erfüllen können.

## R1

Was? Bei den Eltern nachfragen, ob, worüber und mit welchem Erfolg sie schon Wetten abgeschlossen haben.

Wie lange? als Hausaufgabe

Wozu? Erfahren, wie es die Eltern mit Wettspielen halten. (Evtl. auch darauf aufmerksam machen, dass es im grossen Rahmen organisierte Wettspiele gibt, z.B. Toto etc.).

## R2

Was? Jeder sucht sich einen Partner, der erfahrungsgemäss etwa gleiche Leistungen im Turnen erbringt.
Jedes Paar startet gleichzeitig zu einem Hindernislauf, nachdem jeder Mitschüler vorher einen Tip abgegeben hat, wer der beiden schneller sein werde. Sieger des Spiels wird, wer am meisten richtige Vorhersagen gemacht hat.
Im Anschluss äussert sich jeder Spieler zur Frage:
Was machte es mit aus, von den Mitschülern favorisiert zu werden?/resp. Was machte es mir aus, von den Mitschülern als langsamer eingestuft zu werden?

Wo? im Turnen

Wozu? Den andern in einer bestimmten Fähigkeit einschätzen/ selber darin eingeschätzt werden und erleben, was das bei mir bewirkt.

Anmerkung: Diese Struktur kann mühelos auf andere Schulfächer übertragen werden und sollte unbedingt in verschiedenen Disziplinen durchgeführt werden.

## R3

Was?

Alle bereiten zu Hause ein Wettangebot vor, von dem sie
1. Den Eindruck haben, dass es für die anderen sehr attraktiv ist, und
2. Trotzdem für sie reale Gewinnchancen enthält (Etwas im Stil von «Wetten dass. . .»).

Wozu?

Überraschungen erleben, für Überraschungen sorgen

Anmerkung: Hier ist die Mitarbeit der Eltern erforderlich: Sie mit Brief dazu einladen!

Was?

Jeder Schüler überlegt sich eine Situation in seinem Leben, die Ihn nicht befriedigt oder einen Wunsch den er erfüllt haben möchte. Dann schreibt er auf, wie er diesen Umstand in drei bis vier Etappen zu seinem Wohlgefallen verändern könnte.

Wie lange?

30′

Wozu?

Erfahren, dass fast nichts im Leben unabänderlich ist – dass es für viele Veränderungen aber Zeit, Mut und Glück braucht.

---

## R4

Was?

1. Im Laden Preise für ein Kilo Bienenhonig sowie für ein Kilo der Fleischsorten Huhn, Ente, Truthahn, Schaf und Rind ermitteln, anschliessend Vergleiche ziehen.
2. Gewichte der sechs Tiere in der Geschichte ermitteln. Vergleiche anstellen: «Um ein Huhn aufzuwiegen, braucht es ca. . . . . . Bienen» etc.

Wozu?

Gewichtsmässige Vergleiche der verschiedenen «Gewinne» Mahakas anstellen.

## R5

Was?

Alle Spieler erhalten ein A3 Zeichenblatt, auf dem in einer Ecke eine Biene gemalt ist. In der folgenden Zeit beschäftigen sie sich damit, aus dieser Biene etwas anderes zu machen. (Zeichnerisch.) Vor Beginn der Arbeit müsste aber für jeden Spieler klar sein, was er aus der Biene machen will. Anschliessend werden alle Werke ausgestellt.

Wie lange?

45′

Wozu?

Sich etwas ganz konkretes vornehmen und es dann auch in die Tat umsetzen – hier wenigstens zeichnerisch.

## R6

Was?

Die Geschichte wie Mahaka aus einer Biene einen Ochsen machte als Bildergeschichte zeichnen und am Schluss zusammenkleben:
alle übernehmen einen bestimmten Teil.

Wozu?

Zur Vertiefung und als Nacherzählhilfe

## R7

Was?

Die Geschichte nach folgenden Kriterien durchleuchten:
Wo ist der Erfolg auf Mahakas geschicktes Handeln und Reagieren zurückzuführen?
Wo hatte er Glück und nützte es zu seinen Gunsten?

Wie lange?

15′

Wozu?

Den Unterschied zwischen Glück und Cleverness herausspüren, aber ebenso das Zusammenwirken der beiden Kräfte.

**R8**

Was?

Alle Schüler wählen sich eine Partnerin, mit der sie gut arbeiten können. Jede Zweiergruppe erhält zwei Bildtafeln mit gegensätzlichen Darstellungen (bsw. eine traurige Familiensituation/eine glückliche Familie, oder ein ausgestossenes Kind/ein integriertes Kind etc.).
Zusätzlich zu den Bildtafeln erhalten alle drei leere Tafeln und die Aufgabe, darauf drei Veränderungen zu zeichnen, welche vollzogen werden müssten, soll aus der ersten Situation die zweite werden.

Wie lange?

45′

Wozu?

Lernen, Situationen zu beeinflussen.

---

**I1**

Was?

Szene erfinden zu (Zweiergruppen)
«aus klein wird gross»
«aus arm wird reich» oder
«aus dumm wird schlau»
(Es können natürlich auch andere Gegensatzpaare als Spielimpuls gegeben werden.)

Wie lange?

10′ vorbereiten, 10′ Spielzeit

Wozu?

Phantasien entwickeln und spielerisch umsetzen, wie aus Unangenehmem etwas Wünschenswertes werden könnte.

---

**I2**

Was?

Szene erfinden zu «Wetten dass. . .» Anschliessend spielen alle Zweiergruppen den anderen ihre Szene vor.

Wie lange?

10′ vorb. 10′ Spielzeit pro Gruppe

Wozu?

Die Spielebene lässt sehr phantasievolle Wetten zu.

**I3**

Was? Die Klasse ist in Zweiergruppen aufgeteilt. Jede Gruppe bereitet eine Szene vor zum Titel: «Das isch Bschiss.»

Wozu? Die nicht ganz lupenreinen Aspekte in Mahakas Handeln ausleuchten.

---

**A1**

Was? Alle gleichzeitig spielen die Geschichte im Zeitraffertempo:
Mahaka wettet, fängt eine Biene, wird verspottet, gibt sie dem Wirt, schläft und wacht auf, will seine Biene wiederhaben, bekommt dafür ein Huhn, wandert damit weiter, gibt es den Kindern, entdeckt den Tod des Huhns, verlangt eine Ente dafür usw. bis er am Schluss den Ochsen hat und sich endlich in Ruhe hinlegen kann, da er am Ziel seines Vorhabens ist. (Das letzte Hinlegen spielen die Schüler im Zeitlupentempo.) Dann denken alle in Ruhe nochmals über die Geschichte nach.

Wie lange? 15′

Wozu? Das Zeitraffertempo fordert nochmals alle Kräfte – umso schöner ist es, anschliessend zur Ruhe zu kommen und die aufgenommenen Bilder nochmals an sich vorbeiziehen zu lassen.

***Dass mathematische Operationen als Stoffvorlagen für TZT brauchbar sein können, ist auf den ersten Blick erstaunlich. Bei näherer Betrachtung ist aber schnell festzustellen, dass Mathematik ihren Ursprung in den zu lösenden Problemen des gesellschaftlichen Zusammenlebens hat; also nicht als Selbstzweck entwickelt wurde, sondern immer als Lösungsmittel aufkommender Probleme alltäglichen Lebens diente. Diesen Zusammenhang muss der Lernende erleben können, bevor er auf die rein logisch-abstrakte Ebene der mathematischen Operation geführt werden kann. Am Beispiel des Stoffes Division versuchen wir aufzuzeigen, wie das zu leisten ist. Dabei bedienen wir uns eines kleinen Kunstgriffs: Der Stoff «Division» wird als Thema personifiziert und heisst:***

# *Ich teile*

Das Themenpaket 'Division' ist in zwei Teile gegliedert: im ersten Teil versuchen wir den Sachaspekt der Division hinsichtlich verschiedener Gesichtspunkte aufzuzeigen und daraus Themen abzuleiten, die zur Bearbeitung des Stoffes bedeutsam sind. Wir versuchen dies dadurch zu leisten, dass wir den verschiedenen Sachaspekten inhaltliche Schwerpunkte entnehmen und diesen Themen zuordnen. Diese Themen sind Beispiele und Anregungen für die vielfältigen Möglichkeiten der Umsetzung, ohne dadurch andere inhaltliche Schwerpunkte auszuschliessen. Im zweiten Teil haben wir TZT-Spielanlagen (Einstiegsspiele, Situationen, usw.) entwickelt und zusammengetragen; dabei verzichten wir auf eine Zuordnung der einzelnen Spiele zu den speziellen Gesichtspunkten. Wir gehen davon aus, dass einzelne Spiele in verschiedenen thematischen Zusammenhängen – jeweils unterschiedlich passend – eingesetzt werden können und dass sich nicht unbedingt eine eindeutige und ausschliessliche Zuordnung ergibt. Dadurch wollen wir auch verhindern, dass der jeweilige Aufbau stereotyp erfolgt und die Situation der Gruppe dadurch ausser acht gelassen wird, weil der Aspekt der sachlichen Zuordnung dominiert.

**1. Teil**

Der Begriff «Division» weckt zuerst einmal Assoziationen zu mathematischen Operationen, zum Teilen, zum Divisionszeichen, zum komplizierten Vorgang der schriftlichen Division und an Erinnerungen an Schule und Un-

terricht. Dabei betrachtet man vorschnell die Division als uneingeschränkten abstrakt-logischen Vorgang, ohne den konkreten Zusammenhang, der dem abstrakten Rechenvorgang zugrunde liegt, zu berücksichtigen.
Je länger wir uns mit dem Thema «Ich teile» beschäftigt haben, desto vielfältiger wurde die Liste von Erfahrungen mit: aufteilen, verteilen, mitteilen, zuteilen, einteilen . . .. Teilen schien alles zu sein: «Geteiltes Leid ist halbes Leid», «Teile und Herrsche».
Wenn wir die sehr unterschiedlichen Aspekte des Teilens bestimmten Bereichen des gesellschaftlichen Lebens zuordnen, dann können wir z.B. eine *materielle,* eine *psychologische,* eine *soziale* und eine *logisch-abstrakte* Perspektive unterscheiden:
In der *materiellen* Perspektive betrachten wir die Teilung unter dem biochemisch-physikalischen Aspekt der Entwicklung materieller Vorgänge in der Natur: aus Materieteilchen und Energie entstehen Stoffe und lösen sich wieder auf, aus der Zellteilung entsteht Leben, stoffliche Zustände verändern sich, bilden Strukturen und Einheiten und lösen sich wieder auf . . .
Unsere Themenvorschläge zur materiellen Perspektive:

- Aus Teilen werden Ganze –
- Das Leben ist durch Teilung entstanden –
- Ich bin durch Teilung entstanden –

Aus der *psychologischen* Perspektive betrachtet, spielt die Teilung in verschiedener Hinsicht eine Rolle: so beschreibt die Wahrnehmungspsychologie die menschliche Sinnestätigkeit als einen hochselektiven Vorgang (bestimmte Teile der Aussenwelt werden z.B. bevorzugt wahrgenommen). Persönlichkeitstheorien liefern Vorstellungsmodelle über Strukturanteile der Psyche (z.B. 'Es', 'Ich', 'Über-Ich'). Die Selbstpsychologie weist auf den Prozess hin, in dessen Verlauf sich das Erleben der eigenen Person als nach einer nach aussen abgegrenzten Einheit entwickelt (z.B. Symbiose, Individuation).
Unsere Themenvorschläge zur psychologischen Perspektive:

- Ich bin ein Ganzes und habe viele Teile/Anteile –
- Ich teile mich ein und werde eingeteilt –
- Ich teile mich mit und nehme Mitteilung auf –

In engem Zusammenhang mit der psychologischen drängt sich die *soziale* Perspektive als wesentlicher Teil(!)bereich des Stoffes «Division» auf. Das gesellschaftliche Thema «Ich teile» berührt die Schüler in verschiedener Hinsicht: Von der konkreten Ebene der Einteilung des eigenen Taschengeldes, der unterschiedlichen Zuteilung der Aufmerksamkeit auf andere Personen . . . über die Wahrnehmung ungleicher Verteilung von Gütern in der konkreten Umwelt oder gesellschaftlicher Teilgruppen . . . bis hin zur Einteilung der Welt in Länder, Religionen, Rassen und zum «sozialen Gefälle» zwischen Industriestaaten und Entwicklungsländern. Ein besonderer Gesichtspunkt dieser Perspektive sind Überlegungen zu Ideologien des gesellschaftlichen Themas «Ich teile». Gerechte Verteilung, soziale Gleichheit, Chancengleichheit, die christliche Moral des Teilens usw.

Unsere Themenvorschläge zur sozialen Perspektive:
- Ich teile und bekomme zugeteilt –
- Die Welt ist aufgeteilt –
- Die Menschen verteilen die Güter unter sich –

Die vielfältigen Lebenszusammenhänge zum Thema «Ich teile» zeigen die breite Basis auf, die dem Lehrplanstoff «Division» zugrunde liegt.

Die *logisch-abstrakte* Perspektive formaler Rechenoperationen sieht von der Vielfältigkeit und Konkretion des Teilens ab, formalisiert also das, was inhaltlich bedeutsam und keineswegs einheitlich ist zu einem «Zahlenspiel». Wichtig bei der Einübung des Teilens auf dieser logisch-abstrakten Ebene ist der Zusammenhang der mathematischen Operationen mit ihrer existenziellen Grundlage. Dieser Zusammenhang wird keineswegs schon durch das Einkleiden der Rechenoperationen in einen Sachzusammenhang hergestellt: z.B. als Textaufgabe
- 3 Arbeiter stellen 15 Maschinen her –
- 3 Hennen legen 15 Eier –
- 3 Leute laden 15 Freunde ein –

Bei der Behandlung der Division reicht der künstliche Sachzusammenhang der Textaufgaben nicht aus; erst die Herstellung des Zusammenhangs von Lebenserfahrungen zu formalen Denkoperationen stellt den Sinnbezug des Lernens her.

Die mathematische Gleichbehandlung recht unterschiedlicher Phänomene (Maschinen, Eier, Freunde) zeigt die Tragweite der logisch-abstrakten Ebene auf. Zum einen im Vergleichbaren des Nicht-Vergleichbaren, zum anderen in den Möglichkeiten des Denkens, unabhängig von der praktischen Umsetzung in konkretes Handeln.

Uns scheint es wichtig, die logisch-abstrakten Rechenoperationen in Zusammenhang mit Lebenserfahrungen aufzubauen. Darüber hinaus erfordert die Einführung der Division den tatsächlichen Handlungszusammenhang (Kuchen teilen, Äpfel verteilen, etc.), die Ebene der bildlichen Darstellung (erster Abstraktionsschritt) sowie die Operation mit Zahl und Zeichensymbolen (zweiter Abstraktionsschritt).

Unsere Themenvorschläge zum logisch-abstrakten Bereich:
- Wir teilen Mengen in Teilmengen auf –
- Wir verteilen –
- Die Bedeutung des Zeichens «:» und die des Bruchstrichs –

Mitautoren dieser Einheit: M. Klauer, R. Kornmann, W. Lotz, J. Pabst

Menschlich lernen

## Wir teilen uns auf E1

Wer? Ganze Gruppe

Wo? Gruppenraum

Wie lange? Max. 15′

Was? Der Grösse nach in eine Reihe stellen und abzählen. Anweisungen des Spielleiters:
- wir teilen uns in 2 gleich grosse Gruppen – wieviele sind wir pro Gruppe?
- es sollte 4 gleich grosse Gruppen geben – wieviele sind wir pro Gruppe?
- 2 und 2 gehen zusammen – wieviele Gruppen haben wir?
- etc.

Wozu? Divisionen an sich erleben.

## Schokolade teilen E2

Wer? Ganze Gruppe

Wo? Gruppenraum

Wie lange? 5′

Was? Der Spielleiter verteilt 5 Spielern je 6 Reihen Schokolade – jeder dieser Spieler sucht sich 2 weitere Spieler, mit denen er diese Schokoladenreihen teilt, sodass jeder gleichviel bekommt.

Wozu? Division spielerisch gestalten.

## Gerecht Platz verteilen E3

Wer? Ganze Gruppe

Wo? Gruppenraum

Wie lange? 15′

Was? Legt eure Decken so in den Raum, dass jeder gleichviel Platz hat (inkl Zwischenraum).

Wozu? Eine Fläche durch Anzahl Spieler teilen.

## Zahlenreihe stampfen E4

Wer? Ganze Gruppe

Wo? Gruppenraum

Wie lange? 5′

Was? Durch den Raum gehen und bei jedem 2. Schritt fest auf den Boden stampfen – fortlaufend zählen.
Kann für alle Zahlenreihen verwendet werden.

Wozu? Division mal anders rum.

## Mit anderen Raum teilen E5

Was? Jeder bewegt sich frei im Raum. Auf Klatschen des Spielleiters wird der Bewegungsraum auf die Hälfte eingeschränkt. Alle bewegen sich in der einen Hälfte des Raumes. Raum wird weiter verkleinert.

Wozu? Bewegungsräume erfahren in einem Raum, den ich mit anderen teile.

## Nach der Decke strecken E6

Was? Je 2 nehmen zusammen eine Wolldecke und legen, setzen oder stellen sich so hin, dass die Wolldecke in ihrer ganzen Fläche maximal ausgenützt wird, jedoch kein Körperteil über die Wolldecke hinausragt. Verschiedene Positionen ausprobieren.

Wozu? Platzangebot teilen und ausnützen.

## Raum erleben, Raum teilen E7

Was? Ein Spieler hat die Augen verbunden, ein anderer führt ihn, beschreibt ihm den Raum, lässt ihn ihn ertasten.
Er schreitet mit ihm Diagonale, Kreise, halbe Linie und Wände ab –
sie teilen den Raum.

Wozu? Raumteilung erleben.

## Miteinander E8

Was? Im Raum umhergehen und spüren, wie es immer kälter und kälter wird. Spielleiter gibt Impulse: schneller gehen, Hände reiben, Körper massieren, näher zusammenrücken.
Es wird trotzdem noch kälter – Spielleiter verteilt ein paar Decken.

Wozu? Durch Teilen eine Notsituation erleichtern

## Äpfel teilen E9

Was? Spieler bilden einen Kreis, in dessen Mitte für die Hälfte der Gruppe je ein Apfel bereitliegt. Blind und auf allen vieren gehen alle auf die Äpfel zu. Wer einen hat, sucht sich blind ein Gruppenmitglied ohne Apfel. Danach teilt jeder seinen Apfel mit diesem Partner.

Wozu? Erfolgreicher teilt mit Erfolglosem.

## Spaghetti 1 E10

Was? Einer hält eine ungekochte Spaghetti in der Hand, teilt sie in zwei Teile und gibt beide Teile weiter. Diese teilen wiederum in zwei Teile und geben weiter . . .

Wozu? Lawinenwirkung vom Teilen erleben

## Spaghetti 2 E11

Was? Einer hält eine ungekochte Spaghetti in der Hand, teilt sie und gibt nur eine Hälfte weiter. Der nächste teilt, gibt auch nur ein Stück weiter . . .

Wozu? Wieviel gebe ich weiter, wieviel behalte ich

## Atomspiel E12

Was? Musik läuft. Alle tanzen danach:
auf Anweisung des Leiters bilden sich nach dessen Vorgabe 2er, 3er, 4er, etc. Gruppen (Musikstop), lösen sich wieder voneinander und werden nach weitern Vorgaben neu gebildet. Wieviele Gruppen gibt es jeweils?

Wozu? Gruppenbildung und Division überschaubar machen.

## Puzzle E13

Was? Jeder Teilnehmer erhält den Ausschnitt eines Bildes, der gemeinsam zu einem ganzen Bild zusammengesetzt werden soll.

Wozu? Aus Teilen entsteht ein Ganzes.

## Mumienspiel E14

Was? Einer wickelt zwei Schüler mit Toilettenpapier zu einer Mumie zusammen. Auf ein Signal hin sprengt die Mumie auseinander und teilt sich in zwei Teile.

Wozu? Aus einem Ganzen werden Teile.

## Finden und teilen S1

Wer? Ganze Gruppe in 2er Gruppen

Wo? Gruppenraum

Wie lange? 5′ Spieldauer

Was? 2 Bettler finden zusammen ein Portemonnaie mit Fr. 2.50.

Wozu? Gemeinsamen Besitz aufteilen.

## Autokauf S2

Wer? Ganze Gruppe in 3er Gruppen

Wo? Gruppenraum

Wie lange? 5′ Spieldauer

Was? Drei Geschwister kaufen zusammen ein Auto.

Wozu? Finanzielle und praktische Teilung erfahren.

## Ich gebe dir! – Was gibst du mir? S3

Wer? Ganze Gruppe in 2er Gruppen

Wo? Gruppenraum

Wie lange? 5′ Spieldauer

Was? Ein Reicher gibt einem Armen Geld und verlangt eine Gegenleistung.

Wozu? Erfahren, dass wir beim Teilen oft eine Gegenleistung erwarten.

## Im Zug S4

Was? Junge Frau kommt in ein Zugabteil, in dem alle Plätze besetzt sind.
Ein junger Mann jedoch hat 2 Plätze besetzt.

Wozu? Muss ich Raum teilen? Beanspruche ich Raum?

## Geschwisterchen S5

Was? Ein Kind erfährt von seiner Mutter, dass es von jetzt an sein Zimmer mit dem Neugeborenen teilen muss.

Wozu? Mehr als Raumteilung! Welche Gefühle entstehen, wenn ich etwas hergeben muss?

## Garten S6

Was? 2 Nachbarn teilen zusammen den Garten.

Wozu? Gemeinsam aushandeln, wer wieviel braucht.

## Zimmer einrichten S7

Was? 2 Kinder richten zusammen ihr Zimmer ein

Wozu? Den persönlichen Wohnraum mit jemandem teilen und gestalten.

## Fabel S8

Was? Die Fabel von der Ameise und der Grille (La Fontaine) wird vorgelesen, aber nicht bis zum Ende.
Die Situation: Eine Grille kommt zu einer Ameise und bittet um Vorräte für den Winter.

Wozu? Ich teile ein und verteile ich?

## Anschaffung S9

Was? Die Situation: Eine Jugendsportgruppe möchte einen guten und teuren Ball anschaffen. Einer aus der Gruppe will dafür kein Geld bezahlen. Zwei andere versuchen ihn zu überzeugen.

Wozu? Wieviel Freiheit hat der einzelne als Teil einer Gruppe?

## Schneewittchen S10

Was? Die Situation: Schneewittchen hat drei Kuchen gebacken. Überraschend kommen vier Zwerge statt der erwarteten drei.

Wozu? Gleichmässiges Zuteilen.

## Prinzessin S11

Was? Die Situation: Drei Prinzen wollen ein und dieselbe Prinzessin heiraten.

Wozu? Untereinander teilen und verzichten.

## Im Zug S12

Was? Zwei sehr unterschiedliche Persönlichkeiten treffen im Zugsabteil aufeinander.

Wozu? In einer ungewöhnlichen Situation «seinen» Teil finden.

## Mir geht es gut – dir geht es schlecht S13

Was? Ein aufgestellter Jugendlicher trifft seinen Freund, der traurig ist.

Wozu? Sich entscheiden, wer wessen Stimmung teilt, und ob überhaupt geteilt werden kann.

## Feierabend S14

| | |
|---|---|
| Was? | Ein altes Ehepaar sitzt an einem lauen Sommerabend auf dem Bänkchen vor dem Haus. |
| Wozu? | Stimmung miteinander teilen. |

## Störung S15

| | |
|---|---|
| Wer? | Dreier- oder Vierergruppen |
| Wo? | Gruppenraum |
| Wie lange? | 10′ Spieldauer |
| Was? | Ein Ehepaar kommt nach Hause und kocht sich aus besonderem Anlass etwas Aussergewöhnliches. Kurz vor dem Essen läutet es an der Türe. |
| Wozu? | Mir bewusst werden, ob ich meine Zeit, mein Essen mit jemandem teilen will. |

## Weihnachtsplätzchen S16

| | |
|---|---|
| Was? | Die Situation: Ein Kind hat die versteckten Weihnachtsplätzchen entdeckt. Bruder oder Schwester kommt hinzu. |
| Wozu? | Teilen und für sich behalten. |

## Hunger S17

| | |
|---|---|
| Wer? | Zweiergruppen |
| Wo? | Im Raum |
| Wie lange? | Jede Gruppe max. 5 Min. Spieldauer |
| Was? | Die Situation: Ein Schüler packt sein leckeres Pausenbrot aus, ein Klassenkamerad, der grossen Hunger hat, kommt hinzu. |
| Wozu? | Teilen und für sich behalten. |

## Mitteilen – Teilen R1

Wer? In Zweiergruppen

Wo? . . .

Wie lange? 15′

Was? Einander mitteilen:
- Wie ergeht es mir beim Teilen?
- Teile ich immer gerne und freiwillig?
- Was erwarte ich, wenn ich teile?

Wozu? Sich seiner Gefühle und Verhaltensweisen beim Teilen bewusst werden.

## Teilen in der Familie R2

Wer? Ganze Gruppe

Wo? Gruppenraum

Wie lange? 30′

Was? Gespräch: Wieviele Geschwister habe ich?
Muss ich viel/wenig mit ihnen teilen?
Was teile ich gerne – was weniger gerne?

Wozu? Voneinander hören, wie in jeder Familie geteilt wird.

## Wie wohne ich? R3

Wer? Ganze Gruppe in 3er Gruppen

Wo? Gruppenraum oder im Freien

Wie lange? 30′

Was? Einander erzählen, wie ich wohne, mit wem ich wohne, wo ich wohne.

Wozu? Verschiedenartigkeit von Wohnen erfahren – von sich erzählen.

## Wir teilen ein Haus R4

Was? Zusammen Material sammeln für ein Haus – einen Bauplan zeichnen – Haus bauen.

Wozu? Gemeinsam ein Haus bauen.

## Wir richten unser Klassenzimmer ein R5

Was? Nach Plenumdiskussion Zimmer einrichten.

Wozu? Den Plan der dazugehörigen Improvisation durchführen.

## Glaskugel R6

Wer? Ganze Gruppe in 2er Gruppen

Wo? Gruppenraum oder im Freien

Wie lange? 5′

Was? 5 rote Glaskugeln, je 2 Punkte wert.
4 blaue Glaskugeln, je 1 Punkt wert.
So verteilen, dass beide gleich viele Punkte haben.

Wozu? Rechnen, ausprobieren, verteilen.

## Haus Abstecken R7

Wer? Ganze Gruppe in 4er Gruppen

Wo? Im Freien oder in der Turnhalle

Wie lange? 60′

Was? Mit einer 25 m langen Schnur ein Feld von 4 × 5 m abstecken (Haus). – Mit weiteren Schnüren das Viereck in 2 Teile, in 4 Teile und in 8 Teile teilen, sodass jeder Teil am Schluss gleich gross ist (Zimmer).

Wozu? Räumliche Teilung sichtbar machen.

## Trennen und zusammensetzen R8

Wer? Ganze Gruppe

Wo? Gruppenraum

Wie lange? 30′

Was? In der näheren Umgebung Dinge zusammensuchen, die man trennen und wieder zusammensetzen kann.
Dinge auseinandernehmen und unter ein Tuch legen.
Durch tasten die Dinge zusammensuchen, die zusammen gehören.

Wozu? Teilbarkeit von Dingen erfahren.

## Puzzle R9

Wer? Ganze Gruppe in 2er Gruppen

Wo? Gruppenraum

Wie lange? 30′

Was? Ein Bild aussuchen, auf einen Halbkarton kleben und daraus ein Puzzle schneiden.

Wozu? Ein Ganzes teilen und wieder zusammensetzen.

## Güter der Erde R10

Was? Zwei Abbildungen, armes/reiches Milieu, dienen als Gesprächsanlass über die Verteilung des Reichtums auf der Erde.

Wozu? Einführung der Problematik von der unterschiedlichen Verteilung des Reichtums auf der Erde.

## Reich und arm R11

Was? Die Schüler erhalten in ihren Gruppen unterschiedliche Texte zum Thema «arm/reich». Sie arbeiten zu einer Fragestellung bestimmte thematische Schwerpunkte heraus, die die Grundlage zu einem abschliessenden Gespräch in der Gesamtgruppe bilden.

Wozu? Verdeutlichung der Problematik der unterschiedlichen Verteilung des Reichtums auf der Erde.

## So leben andere ... R12

Was? Ausflug in Stadtteile mit unterschiedlicher Sozialstruktur.

Wozu? Wahrnehmung unterschiedlicher Lebensbedingungen.

## Film R13

Was? Film über die Zellteilung bei Einzellern.

Wozu? Erkennen, dass durch Teilung ein neues Leben entsteht.

## Einzeller ... R14

Was? Auf vorbereiteten Objektträgern betrachten die Schüler unter dem Mikroskop Einzeller und Mehrzeller. Das Wahrgenommene wird besprochen und gezeichnet.

Wozu? Erkennen, dass durch Teilung ein neues Leben entsteht.

## Alle sind gleich – gibt es gleichere? R15

Was? Jeder bekommt vom Spielleiter etwas zugeteilt.
Eine Tafel Schokolade, ein Gummibärchen, ein Füller, ein Radiergummi, also möglichst verschiedenartige Gegenstände. Anschliessendes Gespräch.

Wozu? Empfindung über ungleiche Zuteilung äussern.

## Oase I1

| | |
|---|---|
| Wer? | Ganze Gruppe in 2er Gruppen |
| Wo? | Gruppenraum |
| Wie lange? | Max. 10′ Spieldauer |
| Was? | Zettel verteilen mit je einem gegensätzlichen Adjektiv: |

– dumm – klug — geschlagen – verschlagen
– schwarz – weiss — naiv – raffiniert
– ruhig – nervös — friedfertig – streitsüchtig
– bedeutend – unbedeutend

Spielgerüst: Adjektive in der Rolle gebrauchen – 2 Personen kommen in eine Oase und finden nur 1 Kübel Wasser.

Wozu? Vorteilen – übervorteilen – herrschen erfahren.

## Hunger I2

| | |
|---|---|
| Wer? | Ganze Gruppe in 5er Gruppen |
| Wo? | Gruppenraum |
| Wie lange? | 10′ Spieldauer |
| Was? | Zettel, in drei verschiedenen Farben geschrieben, verteilen: |

| | |
|---|---|
| Ort | Alphütte |
| Zeit | nach einem Lawinenunglück |
| Gegenstand | Brotlaib |
| Verb | hungern |
| Phantasiewort | Lulatsch |

Szene vorspielen, die die 5 Begriffe beinhaltet.

Wozu? Im Sinne einer «gerechten» Teilung verhandeln lernen.

## Versteckt I3

Wer? Zuerst ganze Gruppe, dann 3er Gruppen

Wo? Gruppenraum

Wie lange? Zuerst 5', dann 10' Spieldauer

Was?
- Unter einem Tuch liegt für jeden Teilnehmer je ein Gegenstand.
  Etwas herausnehmen und Partner mit ähnlichen Gegenständen suchen.
  Gegenstände: 5-Rappenstück, 10-Rappenstück, 50-Rappenstück
  Bonbon, Kaugummi, Apfel
  Zirkel, Bleistift, Papier
  Kerzenständer, Streichholz, Kerze
  1 Socken, Handschuhe, Halstuch
- Szene mit diesen 3 Begriffen spielen zum Thema ich teile.

Wozu? Mechanismen des Teilens erleben.

## Teilen ist nicht gleich teilen I4

Wer? Fünfergruppen

Wo? Gruppenraum

Wie lange? 10' Spieldauer

Was?
a) Spielt eine Szene, die uneigennütziges Teilen zeigt
b) Spielt eine Szene, die berechnendes Teilen zeigt
c) Spielt eine Szene, die unfreiwilliges Teilen zeigt
(Jede Gruppe nur einen Impuls).

Wozu? Sich bewusst werden, dass es verschiedene Motivationen für's Teilen gibt.

## Gruppe teilen A1

Was? Spieler liegen am Boden
Spielleiterimpuls: teile diese Gruppe gedanklich in 5 gleich grosse Gruppen. Stell dir vor, eine Gruppe geht hinaus. Wer geht hinaus? Teile diejenigen, die noch im Raum sind in 4 gleich grosse Gruppen, schicke sie in Gedanken hinaus etc.

Wozu? Division gedanklich erfahren.

## Stampfen A2

Wer? Ganze Gruppe

Wo? Gruppenraum

Wie lange? 10′

Was? Gruppenleiter sagt jedem eine teilbare Zahl in die Ohren. Die Teilnehmer stampfen soviele Male auf den Boden, wie die Zahl gross ist.
Durch zwei teilen und nur soviele Male auf den Boden stampfen.
Wieder durch 2 teilen etc., bis diese Zahl nicht mehr teilbar ist.

Wozu? Division durch 2 und langsam Abschied nehmen vom Thema.

## Versamen A3

Was? Eine «Pflanze» wächst, teilt Samen aus und verwelkt; andere wachsen, teilen Samen aus und verwelken, bis alle Pflanzen verwelkt am Boden liegen. Jeder versucht eine Pflanze darzustellen.

Wozu? Nach Bewegung Ruhe finden.

## Hampelmann A4

Was? Jeder bewegt möglichst viele Teile seines Körpers! Nach und nach werden weniger Teile bewegt, bis der Hampelmann langsam zur Ruhe kommt.

Wozu? Beruhigung der einzelnen Körperteile.

## Zug A5

Was? Alle bilden zusammen eine Lok mit mehreren Anhängern. Sie fahren erst schnell und werden dann immer langsamer, bis sie zum Stillstand kommen.

Wozu? Viele Teile geben ein Ganzes und kommen gemeinsam zur Ruhe.

## Teile und . . . A6

Was? Ab Tonband das Gedicht von Hans Dieter Hüsch «teile und herrsche nicht» zusammen anhören – anschliessend im Plenum darüber sprechen.

Wozu? Bezug zur Realität herstellen (erhältlich bei: Erklärung von Bern).

## Bandwurm A7

Was? Auf einem Wollknäuel sind verschiedene Wollfarben in verschiedenen Längen aneinandergeknüpft und aufgewickelt. Wir geben den Knäuel reihum und erzählen solange zum Thema «ich teile» etwas, bis die Farbe ändert. Der nächste erzählt die Geschichte weiter, bis die Farbe wieder wechselt . . .

Wozu? Zeit einteilen – Geschichte teilen.

***Den grammatikalischen Stoff «Einführung des Adjektivs» mit der Sinnfrage zu kombinieren hat uns dazu geführt, ihn mit der Frage***

# *Wie bin ich?*

zu thematisieren. Durch dieses Thema wird dem Schüler das Wesen und der Nutzen des Adjektivs als ein Mittel zur Beschreibung von Eigenschaften und Eigenarten bewusst.
Im Verlaufe der Arbeit wird für ihn erlebbar, dass er selber nur so vor Adjektiven strotzt, Adjektive, die ihn allein betreffen aber auch Eigenschaften, die er mit anderen Personen oder Gegenständen gemeinsam aufweist. Dies wiederum regt ihn dazu an, weitere Adjektive zu finden, um dadurch die Eigenarten noch präziser benennen zu können. Langsam entwickelt sich bei ihm etwas, das weit über das grammatikalische Verständnis hinausreicht, das aber erst die Beherrschung einer Sprache gewährleistet: Das Sprachgefühl!

*

«Wissen Sie schon, dass mancher nicht weiss, was er wissen soll, obwohl er schon viel weiss und es selbst unbewusst nicht gewusst hat?»

Karl Valentin

*

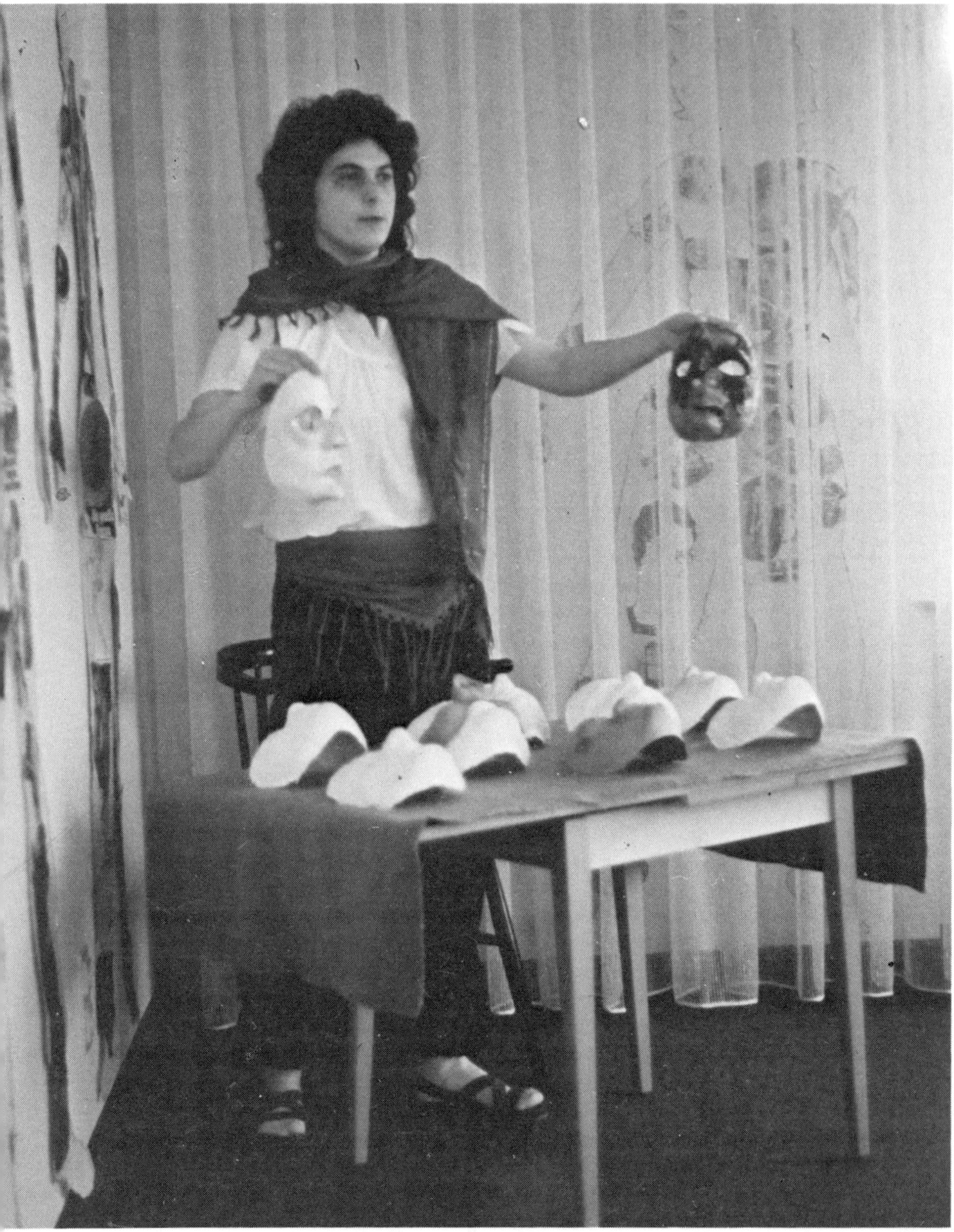

Menschlich lernen

## Eigenschaften erraten E1

Wer? alle

Wo? Gruppenraum

Wie lange? 10′

Was? Ein Spieler geht hinaus. Die anderen einigen sich auf ein Adjektiv und stellen es dar. Darauf kommt ersterer wieder herein und versucht, das Adjektiv zu erkennen und zu nennen.

Wozu? Eigenschaften sichtbar machen.

## Rätsel E2

Wer? Alle im Kreis

Wo? Gruppenraum

Wie lange? 15′

Was? Ein Spieler denkt sich einen Gegenstand. Die übrigen versuchen diesen Gegenstand zu erraten, indem sie nach seinen Eigenschaften fragen.

Wozu? Anhand von bestimmten Eigenschaften einen Gegenstand erkennen.

## Tastspiel E3

Was? Der Spielleiter gibt verschiedene Gegenstände oder Materialien im Kreis herum. Jeder Spieler tastet die Gegenstände blind ab und sucht passende Eigenschaftswörter. Diese werden gesammelt, bevor der nächste Gegenstand die Runde macht.

Wozu? Förderung des Tastsinns.
Eigenschaftswörter suchen, die ausdrücken, wie sich etwas anfühlt.

## Bewegungsspiel I E4

Was? Bewegen zu Musik. Wenn die Musik stoppt, versucht jeder Spieler nach Impulsen des Spielleiters Eigenschaften darzustellen. z.B. hässlich, stark, dumm, schön, ängstlich, stolz . . .

Wozu? Eigenschaften, die in mir sind, mit dem Körper ausdrücken.

## Bewegungsspiel 2 E5

Was? Die Spieler bewegen sich im Raum ihrer Stimmung entsprechend. Nach einer gewissen Zeit suchen alle ein Eigenschaftswort, das zu ihrer Bewegung passt. Dieses Wort schreiben sie auf ein grosses Papier an der Wand. Jeder Spieler sucht für sich 2–3 Eigenschaftswörter.

Wozu? Ich erkenne und drücke durch Bewegungen aus, wie ich mich im Augenblick fühle.

## Bewegungsspiel 3 E6

Was? Alle bewegen sich im Raum, Spielleiter und Teilnehmer rufen Adjektive, die durch Bewegung ausgedrückt werden.

Wozu? Wie drücke ich Eigenschaften körperlich aus?

## Farbetschiggle E7

Was? Der Spielleiter ruft eine Farbe. Alle Spieler berühren möglichst schnell diese Farbe, wo immer sie auch sei.

Wozu? Persönliche Kontaktnahme in der Gruppe.
Reaktionsspiel.

## Gegensätze E8

Was? Jeder erhält einen Zettel mit einem Adjektiv, das er pantomimisch darstellt. So sucht er den Partner mit dem gegensätzlichen Adjektiv.

Wozu? Bewusstmachen von Gegensätzen, Gruppenbildung (S15).

## Steigerung E9

Was? Die Spieler bewegen sich im Raum. Der Spielleiter gibt einen Impuls, z.B. gross, grösser, am grössten. Je drei Spieler stellen diese Reihe dar. Darauf gibt der Spielleiter einen neuen Impuls, z.B. dünn, lang langhaarig, langfingrig, breitschultrig . . .

Wozu? Einführung der Steigerungsformen.
Kontaktnahme, Berührung.

## Orchester E10

Was? Zwei Gruppen. Viele verschiedene Rhythmusinstrumente sind bereit. Die «Musikergruppe» erhält vom Spielleiter Karten mit Eigenschaftswörtern, wie traurig, lustig, langsam, rassig, usw. Sie improvisiert zu einem Wort. Die zweite Gruppe bewegt sich dazu und versucht nach einer Weile, das Wort zu erkennen. Im Wechsel.

Wozu? Stimmungen ausdrücken. Stimmungen aufnehmen und benennen.

## Was passt zu mir? E11

Was? Alle gehen im Raum umher und assoziieren Adjektive zu sich selbst. Impuls des Spielleiters: Entscheide dich für drei Adjektive, die besonders zu dir passen. Wiederhole diese Adjektive immer wieder und teile sie so andern mit. Neuer Impuls: Finde andere Spieler, die zu dir «passen» und nimm sie bei der Hand.

| | |
|---|---|
| Wozu? | Sich über seine momentane Verfassung bewusst werden. Was will ich darüber andern mitteilen? Was teilen andere mit? |

## Heiratsannonce E12

| | |
|---|---|
| Was? | Alle formulieren für sich eine schriftliche Heiratsannonce. (S9) |
| Wozu? | Wie preise ich mich an, welche Eigenschaften gefallen mir? |

## Stimmungsbild E13

| | |
|---|---|
| Was? | Ein Partner nimmt eine Haltung ein, die eine bestimmte Stimmung ausdrücken soll. Der andere «schlüpft» in die gleiche Haltung und versucht, sich darüber klar zu werden, wie der andere empfindet. |
| Wozu? | Sich einfühlen, nachempfinden. |
| Gespräch | Adjektive sind nötig, um zu erklären, was beide empfunden haben. |

## Kindheit E14

| | |
|---|---|
| Wer? | Alle |
| Wo? | Gruppenraum |
| Wie lange? | 30′ |
| Was? | Jeder Spieler bringt ein Foto aus seiner frühen Kindheit mit, legt es in den Kreis. Der Spielleiter sucht ein Foto nach dem andern aus. Die Spieler raten, wer es ist. |
| Wozu? | Gibt es typische Eigenschaften von mir, die ich schon als Kleinkind hatte. Wie war ich, wie habe ich mich verändert. |

## Interview S1

| | |
|---|---|
| Wer? | Alle in 2er Gruppen |
| Wo? | Gruppenraum |
| Wie lange? | 5′ Vorbereitungszeit, 5′ Spielzeit |
| Was? | Ein Volkszähler interviewt einen Passanten über dessen Person. |
| Wozu? | Wie zeige ich einer für mich unwichtigen Person. wie ich bin |

## Konkurrenz S2

| | |
|---|---|
| Wer? | 3er Gruppen |
| Wo? | Gruppenraum |
| Wie lange? | 5′ vorbereiten, 5′ spielen |
| Was? | Zwei Freundinnen/Freunde wollen demselben Mann/derselben Frau gefallen. |
| Wozu? | Wie verhalte ich mich in Konkurrenzsituationen? |

## Vor dem Rendez-vous S3

| | |
|---|---|
| Wer? | 2er Gruppen, gleichgeschlechtlich |
| Wo? | Gruppenraum |
| Wie lange? | 5′ vorbereiten, 5′ spielen |
| Was? | Zwei Freundinnen/Freunde, eine(r) von ihnen bereitet sich auf ein wichtiges Rendez-vous vor. |
| Wozu? | Wie bin ich, wie möchte ich wirken, wie findest du mich? |

## Bewerbung I S4

Wer? Alle in 2er Gruppen

Wo? Gruppenraum

Wie lange? je 5′ Vorbereitungszeit und 5′ Spielzeit

Was? Eine Fussballmannschaft sucht noch einen Spieler. Du bewirbst dich beim Captain.

Wozu? Wie zeige ich mich, wenn ich etwas erreichen will?

## Bewerbung 2 S5

Was? Ein Team einer Kinderfernsehsendung sucht noch einen Teilnehmer. Du bewirbst Dich beim Spielleiter.

Wozu? Wie zeige ich mich, wenn ich etwas erreichen will?

## Bewerbung 3 S6

Was? Neben dem Klassenbesten ist noch ein Sitzplatz frei. Zwei Mitschüler möchten unbedingt dort hinsitzen.

Wozu? Kann ich meine Qualitäten aufzeigen?

## Bewerbung 4 S7

Was? Ein englischer Lord sucht einen Buttler. Du bewirbst Dich um diese Stelle.

Wozu? Wie zeige ich mich, wenn ich einen guten Eindruck machen möchte?

## Hawaii S8

Was? Einer von euch hat eine Ferienreise auf Hawaii für 2 Personen gewonnen. Zwei Freunde bewerben sich um das zweite Ticket.

Wozu? Wie zeigst du dich, wenn dir eine Chance winkt?
Nach welchen Kriterien entscheide ich mich?

## Wer bist du? S9

Was? Telefongespräch auf ein Heiratsinserat hin. Gegenseitige Beschreibung und Vereinbarung eines Rendez-vous.

Wozu? Wie sehe ich mich, wie möchte ich gesehen werden?

## Hauswart S10

Was? Der Hauswart beschwert sich bei einer Mieterin über deren Kind.

Wozu? Verhalten in einer «Abhängigkeitssituation.»

## Im Tram S11

Was? Im Tram:
Variante 1: Mutter mit Kleinkind, das lautstark trotzt.
Variante 2: Zwei Schulkinder lärmen und balgen.
Beide Szenen in 5er Gruppen.

Wozu? Reaktion verschiedener Menschen auf dieselbe Situation. Wie wird das Verhalten durch besondere Umstände beeinflusst?

## Auf hoher See S12

Was? Fünf Schiffbrüchige sind in einem Rettungsboot. Die Lebensmittel reichen noch für einen Tag.

Wozu? Verhalten in Notsituationen. Warum wähle ich welche Rolle?

## Scherben I S13

Was? Die Mutter kommt nach Hause und entdeckt, dass ihre zehnjährige Tochter die schönste Vase zerbrochen hat.

Wozu? Wie verhalte ich mich, wenn ich etwas angestellt habe? Wie gehe ich mit meiner Enttäuschung um.

## Scherben 2 S14

Wer? Alle in Dreiergruppen

Wo? Gruppenraum

Wie lange? 10′ Vorbereitungszeit, 5′ Spielzeit

Was? Ein zehnjähriges Kind hat Mutters Lieblingsvase zerschlagen. Die Mutter kommt mit der Lehrerin des Kindes nach Hause und sieht die Bescherung.

Wozu? Wie gehe ich mit meiner Enttäuschung um, wenn ich einen guten Eindruck machen will?
Wie verhalte ich mich, wenn ich etwas angestellt habe?

## Gegensätze S15

Was? Die Partner mit den gegensätzlichen Adjektiven spielen zusammen eine Szene: Der eine wünscht sich vom andern etwas.

Wozu? Umgang mit einem gegensätzlichen Partner.

## Eichhörnchen und Wolf S16

Wer? 2er Gruppen

Wo? Gruppenraum

Wie lange? 5′ vorbereiten, 5′ spielen

Was? Ein Eichhörnchen trifft einen verletzten Wolf.

Wozu? Relativität erwarteter Eigenschaften erleben.

## Farben mischen R1

Wer? Alle einzeln

Wo? Gruppenraum

Wie lange? 50′

Was? Jeder Spieler erhält die Grundfarben rot, gelb, blau und schwarz und weiss. Er mischt selbständig möglichst viele verschiedene Farbtöne und benennt sie mit einem Eigenschaftswort.

Wozu? Zusammengesetzte Eigenschaftswörter finden und zuordnen.

## Quartett R2

Wer? Alle in 4er Gruppen

Wo? Gruppenraum

Wie lange? 50′

Was? Jede Gruppe erhält vom Spielleiter ein Adjektiv, wie z.B. schön, gross, stark, rot, grün, nass usw. und sucht dazu drei ähnliche Adjektive.
Aufgabe: Ein Quartett erstellen, wobei auf jede Karte ein Adjektiv und ein dazu passendes Bild gehören.

Wozu? Sinnverwandte Adjektive suchen.
Kleine Unterschiede erkennen.

## Collage I R3

Wer? Alle in 4er Gruppen

Wo? Gruppenraum

Wie lange? 30′

Was? In Zeitschriften und Zeitungen Adjektive suchen, ausschneiden und eine Collage kleben.

Wozu? Adjektive erkennen, Wortschatz erweitern.

## Collage II R4

Was? Aus Zeitschriften und Zeitungen Bilder und Adjektive zum Thema «Wie bin ich? Wie möchte ich sein?» suchen und eine Collage daraus kleben.

Wozu? Sich auf sich selber besinnen.

Gespräch Alle versammeln sich im Kreis und äussern sich zu ihrem Bild.

## Was passt nicht zu mir? R5

Was? Jeder Teilnehmer schreibt auf einen Zettel seinen Namen und fünf Adjektive, die nicht zu ihm passen. Der Spielleiter liest die Adjektive vor, die Teilnehmer erkennen, um wen es sich handelt.

Wozu? Wie gut kennen wir uns?

## Verkleiden und Schminken R6

Was? Zwei verkleiden und schminken sich gegenseitig und machen voneinander ein Foto.

Wozu? Anders aussehen, sich anders fühlen.

## Tonfigur R7

Wer? Alle in Fünfergruppen

Wo? Gruppenraum

Wie lange? 15′

Was? Sitzend formen alle auf dem Boden blind und stumm eine eigene Tonfigur.

## Im Urwald I1

| | |
|---|---|
| Wer? | Alle |
| Wo? | Gruppenraum |
| Wie lange? | 30′ |
| Was? | Jeder ist ein Tier im Urwald. |
| Wozu? | Welche Eigenschaften schreibe ich einem Tier zu, welches Tier liegt mir? |

## Märchenfiguren I2

| | |
|---|---|
| Wer? | 5er Gruppen |
| Wo? | Gruppenraum |
| Wie lange? | 3′ vorbereiten, 10′ spielen |
| Was? | Jeder wählt für sich eine Märchenfigur. |
| Wozu? | Welche Märchenfigur hilft mir, bestimmte Eigenschaften darzustellen? |

## Orientalisches Märchen I3

| | |
|---|---|
| Wer? | alle |
| Wo? | Gruppenraum |
| Wie lange? | 1½ Stunden |
| Was? | Alle erfinden für sich eine orientalische Märchenfigur und verkleiden und schminken sich entsprechend. Sich stumm in die Rolle und in die orientalische Szenerie einfühlen, bis der Spielleiter den Impuls zum Sprechen gibt. |
| Wozu? | «Anders» sein. |

## Farben I4

| | |
|---|---|
| Wer? | Alle |
| Wo? | Gruppenraum |
| Wie lange? | 60′ |
| Was? | Aus einer Entspannungslage heraus entscheidet sich jeder für eine bestimmte Farbe.<br>Gruppenbildung: Spieler mit der gleichen Farbe gehören zusammen. |
| Aufgabe | Miteinander die gewählte Farbe darstellen, pantomimisch |
| Wozu? | Welche Eigenschaften ordne ich einer bestimmten Farbe zu. – Lernen, mit meinen Vorstellungen und den Vorstellungen meiner Mitspieler einen gemeinsamen Nenner zu finden. – Farben mit dem Körper ausdrücken. |

## Wie möchte ich sein? I5

| | |
|---|---|
| Wer? | 2er Gruppen |
| Wo? | Gruppenraum |
| Wie lange? | Je nach Altersstufe 5–15′ vorbereiten, 5′ spielen. |
| Was? | Jeder überlegt sich ein Adjektiv, wie er gerne sein möchte und teilt es dem Partner mit. Eine Szene daraus machen. |
| Wozu? | Wie vereinbare ich mein Wunsch-Sein mit dem eines andern? |

## Klassenzusammenkunft I6

| | |
|---|---|
| Was? | Klassenzusammenkunft nach 20 Jahren. |
| Wozu? | Wie stelle ich mir vor, dass ich in 20 Jahren sein werde? |

## Schmetterling A1

| | |
|---|---|
| Wer? | Alle |
| Wo? | Gruppenraum |
| Wie lange? | 10′ |
| Was? | Zu Musik. Wir kauern am Boden als Schmetterlingspuppen.<br>Mit der Zeit erwachen wir als Schmetterlinge und beginnen zu tanzen. |
| Wozu? | Körpergefühl und Musik geniessen. |

## Blume A2

| | |
|---|---|
| Wer? | Alle |
| Wo? | Gruppenraum |
| Wie lange? | 10′ |
| Was? | Wir kauern als Samen am Boden, Musik erklingt, langsam keimt der Samen und wächst zu einer Blume. |
| Wozu? | Wachstum und Wohlbefinden erleben. |

## Händetanz A3

| | |
|---|---|
| Wer? | Alle im Kreis sitzend |
| Wo? | Gruppenraum |
| Wie lange? | 10–15′ |
| Was? | Alle versuchen blind nur mit den Händen zu Meditationsmusik Stimmungen zu tanzen. |
| Wozu? | Stimmungen mit den Händen ausdrücken. Sich sammeln. |

## Geschichte ohne Adjektive A4

Was? Der Spielleiter hat einen Lückentext ohne Adjektive vorbereitet. Die Teilnehmer nennen Adjektive, die der Spielleiter der Reihe nach einsetzt. Der Spielleiter liest erst jetzt die Geschichte vor.

Wozu? Auflockerung, Wortschatz.

## Faxen A5

Wer? Alle im Kreis, den Rücken des Nächsten anschauend.

Was? Ein Spieler macht eine Faxe und gibt sie dem Spieler hinter sich weiter.

Wozu? Blitzschnell Eigenschaften wahrnehmen und weitergeben. Reaktions- und Beobachtungsspiel.

## Assoziation A6

Wer? Alle im Kreis

Wo? Gruppenraum

Wie lange? 10′

Was? Ein Spieler nennt ein Substantiv. Die übrigen nennen Eigenschaftswörter, die ihnen dazu in den Sinn kommen. Nach einer Weile wird ein neues Substantiv genannt.

Wozu? Welche Eigenschaftswörter kommen mir zu einem bestimmten Substantiv in den Sinn.

## Einmal meinte ich . . . A7

Wer? Alle im Kreis

Wo? Gruppenraum

Was? Reihum erzählt jeder von einem Erlebnis, bei dem er meinte, eine bestimmte «Eigenschaft» zu haben, was sich später aber als unrichtig erwies.

Wozu? Subjektivität des Adjektivs erfahren.

***Das TZT-Paket «Zirkus» führt Sie und Ihre Gruppe in eine kleine übersichtliche Welt: die Welt des Zirkus. Nicht Artifizielles, Akrobatisches, sondern lebendige Probleme, die im Zirkus aufkommen und gelöst werden können, sind im Mittelpunkt dieses Paketes.***
***Der Zirkus als eine «selbständige Welt» eignet sich besonders als Hintergrund zum Ausprobieren der Zusammenarbeit und damit zur Entwicklung der Klasse zu einer zusammenhaltenden Gruppe.***

# *Zirkus*

Eine TZT Spielsammlung zum Thema Zirkus, gedacht als Anregung für eigene Variationen zu unseren Vorschlägen – für die Unter- und Mittelstufe, für Kindergärtnerinnen, Hortnerinnen, Lehrer, Heilpädagogen und alle andern, die mit Kindern zusammenarbeiten.

Von: Nina Siebenmann, Lehrerin und Schülerin von Arno Stern, Paris
Heinrich Werthmüller



Wir danken dem Zirkus Nock und Stey, dass wir vor, hinter und zwischen die Kulissen schauen durften.

Circus ist doch eine Art bürgerliche Rechtschaffenheit in der Kunst und das Vorbild dafür.

Ernst Bloch, Das Prinzip Hoffnung

Dass Zirkus Kunst ist, braucht nicht bezweifelt zu werden. Untersucht man die Zirkuswelt, untersucht man also eine Kunstwelt – dies gilt zumindest für den Teil Zirkus, der in der Manege stattfindet, und auch da ist es gewiss keine künstliche, sondern eine, die nicht allein dem Schein – sei es dem schönen, dem trügerischen oder dem utopischen Vorschein – angehört, sondern der Realität. Sinnlich anschaulich und erfahrbar wird dies am allseits offenen, hellbeleuchteten Rund der Manege, die keine Verhüllung, keine Paravents und Verstecke kennt: alle vorgeführten Kunststücke sind bis ins letzte kontrollierbar; nichts kann recht eigentlich vorgetäuscht werden.
Dies nun ist unser Ansatzpunkt bei der Entwicklung dieses TZT-Pakets: Es geht uns dabei nicht darum, einen Kinderzirkus zu fördern, bei dem Kinder perfekte Kunststückchen präsentieren, sondern vornehmlich darum, Kindern diese kleine Welt, die überschaubare Grösse «Zirkus», erlebbar zu machen dadurch, dass wir den Zirkus gesamthafter in Erfahrung bringen wollen als nur durch das offensichtliche Geschehen in der Manege. Dieser Überlegung entspringt auch der von uns gewählte Aufbau.

Heinrich Werthmüller

**Hochverehrtes Publikum**

Dass es den Zirkus schon immer auf der Welt gab, ist ein Märchen.
Natürlich gibt es Abbildungen von ägyptischen Akrobaten, und auch im Altertum gab es für Seiltänzer, Clowns und dressierte Tiere genug zu tun. Als ein reisender Russe um 1697 Amsterdam einen Besuch abstattete, mag er seinen Augen wohl nicht getraut haben, einen Elefanten zu sehen, der Menuett tanzte, auf orientalische Weise eine Trompete blies, mit einer Muskete schoss, allerlei Kunststücke aufführte und mit einem Hund spielte, der immer um ihn herum war.
Der heutige Zirkus ist in einer Zeit entstanden, in der die Macht des europäischen Adels im Niedergang begriffen war. Wer hoch zu Ross sass, war nicht mehr unbedingt eine Hoheit. Dieses Privileg musste allmählich mit den niederen Ständen geteilt werden. Das Entstehen des Sports in England ist dafür ein gutes Beispiel. Als dem Adel die finanziellen Mittel ausgingen um die grosse Masse zu unterhalten, wurden diese Vergnügungen von der Masse selbst finanziert.

Obwohl man erwarten sollte, dass der Zirkus die Erfindung eines herumziehenden Artisten gewesen sei, war es der englische Offizier Philip Astley, der die erste Circusvorstellung gab. Im Jahre 1768 gründete er eine Reitschule bei Lambeth Bridge (London), in der er nicht nur Reitunterricht gab, sondern auch Kunstreiterei vorführte. Schon bald kamen Auftritte von Seiltänzern, Akrobaten und einem Clown hinzu. Dies war die Geburtsstunde des heutigen Zirkus.

Aus: Marja Keyser,
Ein Streifzug durch die Zirkusgeschichte.

**Zirkusclowns**

Innerhalb der darstellenden Kunst des Zirkus bildet die Clownerie das Genre, das sich am frühesten neben der Pferdedressur herauskristallisiert hat. Dies hat sich im Hinblick auf die Zuschauer, die eine Entspannung und eine Abwechslung von den gefährlichen, mutigen Tricks der Reiter und dem ästhetischen und strengen Bild der Schulreiterei brauchten, als sehr wirksam erwiesen – und damit auch für die dramaturgische Gestaltung eines künstlerischen Programms. Es konnte nun mit der Herausbildung der Clownerie dem Anspruch der artistischen Gestaltung – noch nannte man sein Unternehmen ja nicht Zirkus –, die Vielfältigkeit des menschlichen Charakters darzustellen, genügt werden. Durch die Clownerie konnte der Wunsch des Publikums nach Wechsel zwischen Spannung und Entspannung, Ernsthaftigkeit und Komik erfüllt werden, und sie diente auch der Kunst, mit der einen Seite des komplexen Menschen die andere zu betonen und damit zu einer ebenso elementaren wie abstrakten Kunst zu werden.
Wird die Clownerie dem Theater gegenübergestellt, zeichnen sich unterschiedliche Kriterien ab. Doch hat sie als Ausdrucksmittel weniger die Sprache, als meist und bestenfalls die spontane Aktion und Improvisation. Sie setzt keine Literatur um. Raum und Zeit des Künstlers in der Manege stimmen mit denen des Publikums überein. Der Szene genügt eine minimale Raumandeutung mit nur gerade notwendigem Requisit. Denn Äusserlichkeiten können nur als indirekte Träger von Komik angesehen werden. Wenn sie nämlich unmittelbar zur Charakterisierung einer Person gehören, die ihrem komischen Wesen durch sie in einer bestimmten Situation Ausdruck verleiht. Sowie also das für Komik notwendigste Moment der Mensch ist – Akteur sowie Zuschauer – sind ihre sichersten Transportmittel Mimik, Gestik und Bewegung, die elementarsten Ausdrucksformen des Menschen, ausserdem Geräusche, Schreie, Sprache und Musik.

Gun v. Blücher/Iggi Briel

Der Aufbau des Pakets ist chronologisch: Ein Zirkus, der erwartet wird (**Vorher**), steht kurz davor, an den neuen Ort zu fahren (**Reise**). Hier richtet er sich ein (**Aufbau**), die Artisten üben täglich (**Proben**), um dann am Abend aufzutreten (**Vorstellung**). Nach der Vorstellung sich wieder bereitmachen zum Weiterreisen (**Abbau**). Zurück (**Danach**) bleibt das Publikum, das noch lange davon spricht, wie es war – und nächstes Jahr wieder sein wird! (vgl. Vignette äusserer Ring)

## Aufbau TZT-Paket Zirkus

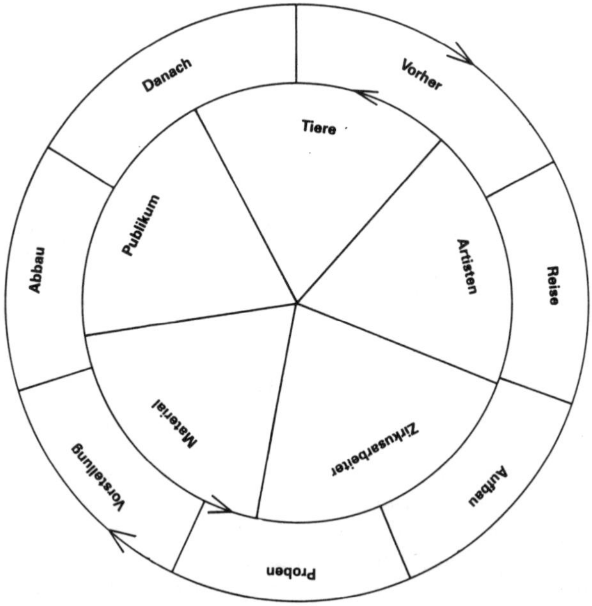


Aktions- und darstellungsmässig zeichnen sich beim Zirkus fünf Gruppen klar ab: 1. Tiere, 2. Artisten, 3. Zirkusarbeiter, 4. Material, 5.Publikum. Nach der Frage: «Wer macht wann was?», lässt sich beim Anblick der Richtungspfeile an der Vignette bald erahnen, welche Fülle von Spielmöglichkeiten sich den Spielern eröffnen. Es sei hier nochmals festgestellt, dass die von uns eingebrachten Spiele lediglich als Grundlagen zu eigenen Variationen und Improvisationen zu verstehen sind.

## Gangarten

**E1 Vorher Tiere**

Wer? Ganze Gruppe

Wo? Gruppenraum

Wie lange? 4′

Was? Die ganze Gruppe geht frei im Raum herum und verwandelt sich langsam in verschiedene Tiere: Wir trampeln wie ein Nilpferd, trotten wie ein Elefant, kriechen wie die Schlange, schleichen wie ein Tiger die Beute an, tanzen wie ein Pferd usw. In einer zweiten Phase kommen die Tiervorschläge jeweils von den Spielern, so dass ein Vorschlag den andern ablöst.

Wozu? Verschiedene Tiere durch den Körper erfahren.

Kommentar Die Wechsel – insbesondere bei verhaltensgestörten Kindern – dürfen nicht zu schnell stattfinden.

## Futter

**E2 Vorher Tiere**

Wer? Ganze Gruppe

Wo? Gruppenraum

Wie lange? 12′

Was? Jeder Spieler erhält ein Zeichenblatt, auf dem bereits eine Futterart aufgezeichnet ist: Bananen, ein Strauch, Fisch, Fleisch. Mit einem Malstift soll der Spieler jetzt versuchen, das Tier auf sein Blatt zu zeichnen, das zu seinem Futter passt: Also z.B. Banane – Affe, Strauch – Elefant, Fisch – Robbe, Fleisch – Löwe. Sobald alle ihr Tier gezeichnet haben, spielen alle zusammen, wie sie fressen.

Womit? Zeichenblätter.

Wozu? Zeichnerische Auseinandersetzung mit dem Tier, das es danach darzustellen gilt, verbunden mit einer Zuordnungsübung.

Kommentar Dem Spieler soll ein Zoobesuch vorangehen, bei dem die Fressgewohnheiten der Tiere besprochen werden.

## Tierpaare

**E3 Vorher Tiere**

Wer? Ganze Gruppe

Wo? Gruppenraum

Wie lange? 4′

Was? Jeder Spieler kriegt einen Zettel, auf dem ein Tier gezeichnet ist oder geschrieben steht, wobei immer zwei Zettel das gleiche Tier bezeichnen. Auf ein Zeichen des Spielleiters versucht jeder sein Tier darzustellen – und sein Partnertier zu finden, so dass am Schluss lauter Tierpärchen vorhanden sind.

Womit? Zettel mit Tierbezeichnungen.

Wozu? Ausdruck der eigenen Figur und gleichzeitig Wahrnehmung.

Kommentar Ein Gruppenbildungsspiel, das direkt zu den Zweiergruppen für das Situationsspiel führt.

## Artisten

**E4 Vorher Artisten**

Was? Alle Spieler gehen frei im Raum herum und verwandeln sich langsam in Artisten: Alle sind Seiltänzer und balancieren auf dem hohen Seil, danach jonglieren alle mit zwei Bällen, drei Bällen, mit Tellern, balancieren ein Glas auf der Hand usw.

Zum Schluss versuchen wir uns noch als «Schlangenmenschen», verrenken uns so stark wie möglich, probieren aus, wie sich unser Körper windet und biegen lässt.

Wozu? Kennenlernen verschiedener Zirkuskünste.

Kommentar Schauen Sie sich vor diesem Spiel mit den Spielern ein Zirkusprogramm durch und besprechen Sie die Artistenbilder.

## Requisiten

**E5**
**Vorher**
**Artisten**

Was? Jeder Spieler erhält vom Spielleiter einen Gegenstand: eine Balancierstange (Besenstiel, Dachlatte, Vorhangstange), zwei Bälle, einen Teller und einen Eierbecher und einen zweiten Teller, eine Peitsche, eine Clownnase, Clownschuhe, eine Clownjacke, eine Hantel usw.
Nach kurzer Überlegung sollen alle Spieler die Rolle spielen, die zu ihrem Gegenstand passt. Verteilen Sie die Gegenstände so, dass jeweils vier Spieler eine ähnliche Tätigkeit probieren – vier Seiltänzer, vier Clowns usw. Nach einiger Zeit unterbrechen Sie die Einzelaktionen und laden die Gruppe ein, kurz den vier Jongleuren zuzuschauen, danach den vier Kraftmenschen, bis alle mal vor der Gruppe gespielt haben.

Womit? Verschiedene «Zirkusgegenstände».

Wozu? Rollenfinden über die dazugehörigen Gegenstände.

## Artistenpaare

**E6**
**Vorher**
**Artisten**

Was? Alle Spieler erhalten einen Zettel, auf dem ihre Rolle geschrieben steht: Dompteur, Clown, Seiltänzer usw., wobei immer zwei Zettel gleich sind. Sobald alle ihren Zettel gelesen haben (oder bei Zeichnungen oder Fotos erkannt haben – ich selber habe bei der Arbeit mit Blinden den Spielern die Begriffe einfach ins Ohr geflüstert), spielen alle ihre Rolle und schauen sich dabei um, wo der zweite Spieler ist, der dieselbe Tätigkeit ausübt (die Blinden haben sich zur Wahrnehmung abwechslungsweise abgetastet), und finden sich so zu Zweiergruppen.

Womit? Zettel, Zeichnungen oder Fotos.

Wozu? Gleichzeitig seine Rolle spielen und den andern wahrnehmen.

## Arbeiten

**E7**
**Vorher**
**Zirkusarbeiter**

Was? Alle gehen frei im Raum herum. Jeder beginnt dann an einem Ort, einen Pflock in die Erde zu schlagen. Danach müssen neue Pflöcke angeschleppt werden. Daran befestigen wir ein Seil, das wir noch anspannen und gut verknoten müssen.

Wozu? Mit dem «Zirkusarbeiter» Fühlung aufnehmen.

## Zirkus zeichnen

**E8**
**Vorher**
**Material**

Was? Jeder Spieler erhält ein grosses Zeichenblatt und die Aufgabe, einen Zirkus zu zeichnen. Nach ca. 30 Minuten unterbrechen wir das Zeichnen vorläufig und schauen uns die Zeichnungen daraufhin an, was alles nötig ist, um den ganzen Zirkus aufzubauen: Legen Sie die Zeichnungen in einer Reihenfolge nach dem «Entwicklungsstand» der Aufbauten aus. Was fehlt noch, was muss noch gemacht werden, welches Material muss noch angeschleppt werden?

Womit? Zeichenblätter und Zeichenstifte.

Wozu? Den Zirkus als etwas «Erbautes» erleben.

Kommentar Lassen Sie die Spieler am Vortag Fotos und Bücher zum Zirkus mitbringen und anschauen.

## Verladen

**E9**
**Vorher**
**Zirkusarbeiter**

Was? Immer zwei Spieler erhalten denselben Zettel, auf dem verschiedene Tätigkeiten im Zusammenhang mit dem Verladen und dem Bereitmachen zur Abreise bezeichnet sind: Sägemehl zusammenwischen, Kisten verladen, Decken zusammenlegen, Seile aufwickeln, Pakete verschnüren. Jeder Spieler soll jetzt seine Tätigkeit solange ausüben, bis er seinen Partner, der dasselbe tut, gefunden hat. Danach schaut sich die Gesamtgruppe reihum die Tätigkeit dieser Paare und errät, was sie machen.

Wozu? Zettel mit Tätigkeiten.

Wozu? Den andern möglichst gut zeigen, was ich mache.

## Waschen

**E10**
**Vorher**
**Zirkussarbeiter**

Was? Alle Zirkusarbeiter sind mit ihrer Arbeit fertig. Bevor sie abreisen, waschen sich alle nochmals an einem grossen Brunnen, der in der Mitte des Raumes «steht» (Brunnenumfang mit einem Seil am Boden andeuten).

Womit? Seil.

Wozu? Die ganze Gruppe in einer gemeinsamen Aktion erleben.

## Gegenstände

**E11**
**Vorher**
**Material**

Was? Alle Spieler verteilen sich im Raum, so dass alle genug Bewegungsfreiheit haben. Nacheinander versuchen wir so steif wie ein Pflock, so biegsam wie ein Seil, so schwer wie ein Sandsack und so gespannt wie ein Drahtseil zu sein. (Die Anregungen können vom Spielleiter mit einem Xylophon unterstützt werden.)

| | |
|---|---|
| Womit? | Xylophon. |
| Wozu? | Körpergefühl. |
| Kommentar | Dieses Spiel beinhaltet von den Anweisungen her überhaupt keine Interaktion, jeder Spieler ist kurzfristig auf sich gestellt. |

## Schleppen

**E12**
**Vorher**
**Material**

Was? Jeder Spieler erhält einen Zettel, auf dem ein Gegenstand steht: Holzkiste, Zeltplane, Scheinwerfer, Futtereimer, Elefantenschrubber. Auf drei Zetteln steht «Träger». Alle Spieler, die einen Gegenstandszettel gezogen haben, stellen sich auf einer Seite des Raumes auf und versuchen, die Form des Gegenstandes mit dem Körper zu finden und zu erstarren. Sie dürfen monoton vor sich hinsprechen, was sie sind. Die Träger sollen nun alle Gegenstände aus der Ecke tragen und sie in einem Kreis aufstellen. Danach sagen alle den andern, was sie gewesen sind.

Womit? Zettel.

Wozu? Körpergefühl und Körperkontakt durch Herumtragen.

## Kann ich das haben?

**E13**
**Vorher**
**Publikum**

Was? Alle Spieler gehen frei im Raum herum. Auf ein Zeichen des Spielleiters geht jeder zu einem Partner und fragt diesen nach einem Gegenstand, den der andere hat: Uhr, Brille, Schuh, Gürtel usw. Wenn er ihn bekommt, behält er ihn vorläufig. Auf ein neues Signal gehen alle weiter für sich. Danach die erste Phase wiederholen, und danach gibt jeder die Gegenstände dem eigentlichen Besitzer zurück, indem er sie ihm wieder anzieht (Schuh), aufsetzt (Brille) usw.

| | |
|---|---|
| Wozu? | Von jemandem etwas verlangen und vielleicht erhalten. |
| Kommentar | Nach diesem Spiel sprechen wir in der Gruppe kurz über die gemachten Erfahrungen. |

## Flucht?

**E14**
**Reise**
**Tiere**

| | |
|---|---|
| Was? | Alle Spieler sind auf engem Raum (Käfig durch Bänke abgrenzen) als Tiger im Käfig eingeschlossen und – schlafen, haben deshalb die Augen geschlossen. Leise schleicht sich der Spielleiter an den Käfig und öffnet eine Tür, langsam erwachen die Tiere – und sehen, dass der Käfig offensteht. Was passiert? Offen lassen! |
| Womit? | Bänke |
| Wozu? | Die Nähe des andern fühlen. Möglichkeiten, sich ihr zu entziehen. |
| Kommentar | Die Spannung des Eingeschlossen-Seins, bewirkt im Ausbruchsfall eine ausgesprochen grosse Dynamik. |

## Vergessen

**E15**
**Reise**
**Artisten**

| | |
|---|---|
| Was? | Alle Spieler sind Artisten während der Reise und sitzen in ihren Wagen. Plötzlich fällt ihnen ein, dass sie zwei wichtige Gegenstände vergessen haben. Nach kurzer Bedenkzeit erzählt jeder dem andern, welche Gegenstände er vergessen hat. |
| Wozu? | Sich Requisiten vorstellen. |

## Mechaniker

**E16**
**Reise**
**Zirkusarbeiter**

Was?

Eine Hälfte der Klasse erhält Zettel mit Automarken: Opel, Fiat, VW, Audi, Ford, Rolls-Royce, Austin usw., die andere Hälfte Zettel auf denen steht: VW-Mechaniker, Opel-Mechaniker usw.
Die «Motoren» laufen und versuchen, die Motorgeräusche mit ihrer Automarke auszudrücken. Sobald dadurch alle Mechaniker ihren Wagen gefunden haben, beginnen die Motoren zu stottern und fallen dann ganz aus. Die Mechaniker müssen nun versuchen, die Motoren wieder zum Laufen zu bringen.

Womit?

Zettel mit Automarken.

Wozu?

Sich mit jemandem auseinandersetzen, sich helfen lassen.

## «Hau ruck»

**E17**
**Reise**
**Zirkusarbeiter**

Was?

Ein Wagen (sechs Spieler, die sich an den Händen halten) ist im Dreck steckengeblieben. Der Rest der Spieler muss versuchen, ihn durch Schieben und Heben wieder flott zu machen.

Wozu?

Gemeinsame Aktion.

## Gierig

**E18**
**Aufbau**
**Tiere**

Was?

Die Hälfte der Spieler sind Raubtiere, die andere Hälfte spielt Antilopen. Nur: Zwischen den beiden Gruppen steht ein riesenstarkes Gitter, das selbst von den stärksten Löwen nicht durchbrochen werden kann. (Gitter mit Stühlen antönen.)

Kurz bevor die Raubtiere das Gitter vielleicht doch niederreissen, bekommen sie vom Tierwärter (Spielleiter) genügend Fleisch zu fressen und vergessen dadurch die Antilopen.

Womit? Stühle.

Wozu? Sich in der Rolle des Bedrohten und des Drohenden erleben.

## Handstand

**E19 Aufbau Artisten**

Was? Nachdem Zweiergruppen gebildet sind, sollen sich die beiden Artisten abwechselnd beim Handstandmachen helfen. Das brauchen sie für eine neue Nummer.

Wozu? Jemandem Hilfestellung bieten.

## Verletzt

**E20 Aufbau Zirkusarbeiter**

Was? Alle Zirkusarbeiter arbeiten wie wild: hämmern, spannen Seile, schleppen Kisten. Wie bei einer Seuche verletzt sich einer nach dem andern. Wer verletzt ist, bleibt liegen. Sobald alle liegen, erzählen wir einander, wo wir verletzt sind und wie das passiert ist.

Wozu? Sich eine Situation vorstellen und darüber berichten können.

## Behinderungen

**E21 Aufbau Zirkusarbeiter**

Was? Alle Zirkusarbeiter sind wieder auf den Beinen, allerdings leiden alle noch etwas an ihren Verletzungen. Aber der Aufbau muss weitergehen. Also versuchen wir es trotz der Behinderung: Alle schleppen eine Kiste, aber wir können die Hände nicht biegen. Alle ziehen an einem Seil, aber unser Fuss schmerzt, wenn wir fest auftreten. Alle schlagen einen Pflock ein, aber der Rücken schmerzt uns dabei.

Wozu? Körpergefühl.

## Ausbruch

**E22**
**Aufbau**
**Zirkusarbeiter**

Was? Es ist mitten in der Nacht. Alle schlafen. Plötzlich kommt der Direktor (ein Frewilliger aus der Gruppe): «Drei schwarze Panther sind entflohen, wir müssen sie wieder einfangen.»
Alle stehen auf, rasen auf die Suche nach den Panthern, vielleicht finden sie sie.
Schluss offen lassen!

Wozu? Sich gemeinsam auf Vorstellungen einigen.

## Der Hauptmast

**E23**
**Aufbau**
**Zirkusarbeiter**

Was? Für das grosse Zelt muss der grosse Mast aufgestellt werden, dabei müssen alle helfen. Erst mal müssen sich alle längs des Mastes, der am Boden liegt, aufstellen. Die an der Spitze müssen jetzt langsam damit beginnen, ihn anzuheben, bis der Mast steht und auf allen Seiten verankert werden kann.

Wozu? Gemeinsam etwas «aufstellen».

## Seil

**E24**
**Aufbau**
**Material**

Was? Alle liegen hintereinander am Boden, ausser dem Hintersten und dem Vordersten, welche den andern zugewandt sitzen. Wir spielen alle kleine Seilstücke, die miteinander verknüpft werden, indem wir uns mit den Händen um die

Knöchel festhalten. Die beiden Sitzenden prüfen jetzt durch langsames Zurückbiegen ihres Oberkörpers die Reissfestigkeit des Stricks. Sobald das Seil reisst, hört das Spiel auf.

Wozu? Sich an andern festhalten und festgehalten werden.

## Bälle

**E25**
**Aufbau**
**Material**

Was? Wir sind alles grosse Bälle, die die Robben nachher verwenden werden, und versuchen uns am Boden möglichst rund zu machen und herumzurollen.

Wozu? Körpergefühl.

## Clown ausstaffieren

**E26**
**Aufbau**
**Material**

Was? Jede Zweiergruppe erhält ein A3 Zeichenblatt und die Aufgabe, darauf zu zweit einen Clown zu malen. Sobald alle Clowns gemalt sind, schauen wir uns die Zeichnungen auf ihre Clownmerkmale hin an: Was macht jemanden äusserlich zum Clown? Riesenschuhe, zu grosse Hosen usw. Aufgrund der Zeichnung erstellen wir eine Materialliste.

Womit? A3 Blätter, Neocolor oder Fingerfarben.

Wozu? Den Clown etwas kennenlernen.

## Jeder sein Clown

**E27**
**Aufbau**

Was?

Für jeden Spieler einen Streifen Packpapier bereithalten. Nacheinander legt sich jeder mit dem Rücken auf das ausgelegte Packpapier. Der Spielleiter fährt mit einem dicken Filzstift den Konturen des Körpers nach, so dass alle Spieler ihre Körperumrisse auf dem Papier haben. Nun können alle ihre Figur als Clown ausmalen.

Womit?

Packpapier, Fingerfarben.

Wozu?

Sich zum Clown verwandeln.

## Locken

**E28**
**Aufbau**
**Publikum**

Was?

Jeder Spieler hat ein Stück Fleisch in der Hand, mit dem er, jeder für sich, versucht, den Löwen, der faul in der Käfigecke herumliegt, hervorzulocken.
Nach einiger Zeit erzählen wir uns, ob es uns gelungen ist, den Löwen zu locken.

Wozu?

Jemanden in der Vorstellung ködern.

## Traumrollen

**E29**
**Aufbau**
**Publikum**

Was?

Es ist Abend und alle schlafen. Kaum sind wir richtig eingeschlafen, träumen wir, wir seien beim Zirkus engagiert. Auf ein Zeichen des Spielleiters erwachen alle und erzählen einander, was sie im Zirkus arbeiten.

Wozu?

Sich erste Gedanken machen, welche Rolle ich im Zirkus spielen möchte.

## «Unhörbar»

**E30**
**Proben**
**Tiere**

Was? Alle spielen grosse Tiere: Nilpferd, Elefant, Pferd, und trampeln dementsprechend herum. Für unsere Nummer, die wir probieren, müssen wir versuchen, absolut geräuschlos herumzugehen.

Wozu? Konzentration.

## «Teppich»

**E31**
**Proben**
**Tiere**

Was? Zuerst versuchen wir der Grösse der Spieler nach eine Reihe zu bilden. Sobald dies geschehen ist, legt sich die erste Hälfte der Gesamtgruppe (die Grösseren) bäuchlings je zwei nebeneinander zu Boden, so dass die Leiber eine Art Teppich bilden. Die Kleinen versuchen jetzt auf allen vieren möglichst sachte auf diesem Teppich lang zu gehen, bis sie am Ende wieder festen Boden unter den Füssen haben.

Wozu? Körperkontakt.

## «Hohe Schule»

**E32**
**Proben**
**Tiere**

Was? Alle Spieler sind Pferde, die sich in einer Reihe der Mähnenfarbe (Haare) nach einordnen. Sobald wir – wie Pferde – ohne zu sprechen, die hellste Mähne am Anfang, die dunkelste am Ende, uns auf allen vieren eingerichtet haben, versuchen wir, ob wir gleichzeitig die linke «Vorderhand», die andere usw. heben können. Der Spielleiter kann mit einem Xylophon dabei helfen, möglicherweise in einen Tanzschritt zu kommen.

Womit? Xylophon.

Wozu? Gemeinsam einen Rhythmus erreichen.

## Affen

**E33 Proben Tiere**

Was? Wir versuchen alle, Affen zu spielen, die herumhüpfen, Purzelbäume schlagen, auf Geräte hüpfen, Bananen fressen und sich «lausen».

Wozu? Körpergefühl und Kontakt.

## Pinguine

**E34 Proben Tiere**

Was? Wir spielen alle Pinguine, stehen erst mal wie Pinguine, watscheln wie Pinguine und versuchen dann – nur mit Kopf und Schnabel – echte Luftballons zu jonglieren.

Womit? Luftballons.

Wozu? Körpergefühl.

## Anwärmen

**E35 Proben Artisten**

Was? Vor jeder Probe massieren sich gute Artisten gegenseitig den ganzen Körper. Nachdem Zweiergruppen gebildet sind, reiben sich die Partner den ganzen Körper ab, bis sie gut durchblutet und damit zum Training bereit sind.

Wozu? Körpergefühl und Körperkontakt.

## Seiltänzer

**E36**
**Proben**
**Artisten**

Was? Alle sind Seiltänzer: Eine besondere Übung der Seiltänzer besteht darin, dass sie versuchen, möglichst lange auf nur einem Bein zu stehen, den Körper leicht hin und her zu bewegen und dabei das Gleichgewicht behalten zu können.

Wozu? Konzentration und Körpergefühl.

## Jonglieren

**E37**
**Proben**
**Artisten**

Was? Alle versuchen mit einem ausgewogenen Gegenstand so lange als möglich zu jonglieren. Zuerst stehend, dann auf einem Stuhl sitzend – vielleicht sogar auf dem Bauch liegend.

Wozu? Körpergefühl und Konzentration.

## Pyramide

**E38**
**Proben**
**Artisten**

Was? In Dreiergruppen versuchen, eine kleine Pyramide zu bauen und möglichst lange im Gleichgewicht zu bleiben.

Wozu? Körperkontakt.

## Pyramide II

**E39**
**Proben**
**Artisten**

Was? Die Aufgabe der Fünfergruppe besteht darin, zu fünft möglichst wenig Kontaktpunkte zum Boden zu haben.

Wozu? Körperkontakt und Zusammenarbeit.

## Sichern

**E40**
**Proben**
**Zirkusarbeiter**

Was?

Bei der Arbeit auf dem hohen Seil wird der Artist durch ein Seil, das in die Kuppel und von dort zu einem Zirkusarbeiter führt, gesichert.
Wir sind nun alle Zirkusarbeiter, halten ein Sicherungsseil in der Hand und schauen zum hohen Seil hinauf: Der Artist scheint sicher, wir geben ihm etwas Seil nach, noch etwas, nicht zuviel – jetzt! – er schwankt, fällt, wir ziehen mit aller Kraft am Seil, er ist gerettet, baumelt im Seil, langsam lassen wir ihn herunter.

Wozu?

Konzentration und Körpergefühl.

## Junge

**E41**
**Vorstellung**
**Tiere**

Was?

Alle Spieler erhalten einen Zettel, auf dem die Figur steht, die gespielt werden soll: Tigermutter und drei Junge, Löwenmutter und drei Junge und weitere Raubtierfamilien. Sobald sich die Familien gebildet haben, suchen sie sich im Raum eine Ecke, wo die Mutter die Jungen säugen kann. Zu allem Überfluss werden noch alle Jungen krank, aber die umsorgende Mutter weiss sich offenbar zu helfen . . .

Wozu?

Körperkontakt und Umsorgung.

## Robben

**E42**
**Vorstellung**
**Tiere**

Was?

Je zwei Robben schieben sich gegenseitig mit der Schnauze einen Wurfball so lange wie möglich hin und her. Zuerst probieren wir es mit kurzer Distanz, danach steigern wir immer mehr.

Womit?

Wurfbälle.

Wozu?

Zusammenspiel und Körpergefühl.

## Affenvorstellung

**E43**
**Vorstellung**
**Tiere**

Was? Die Affen haben ihre Vorstellung mit Erfolg hinter sich gebracht. Nun bilden sie einen Kreis, so dass alle nach aussen schauen, und verabschieden sich mit allerlei Faxen vom Publikum.

Wozu? Vorstellen von Publikum.

## Führen

**E44**
**Tiere**
**Vorstellung**

Was? Die Hälfte der Gruppe spielt Elefanten, die andern Affen. Jeder Affe nimmt einen Elefanten am Rüssel und führt ihn sorgsam im Raum um verschiedene Hindernisse.

Wozu? Partnerübung.

## Resultate

**E45**
**Tiere**
**Vorstellung**

Was? Jeder Spieler erhält einen Zettel, auf dem ein Tier steht – und auf der andern Seite eine kleine Rechenaufgabe (mit Resultaten $<7$). Jedes Tier soll jetzt nach kurzem Überlegen der Rechnung das Resultat mit seinen Mitteln bekanntgeben: z.B. Nilpferd durch Stampfen, Löwe durch Brüllen usw. Die Mitspieler versuchen das Resultat zu erkennen.

Womit? Zettel mit Tierbezeichnung.

Wozu? Ausdruck und Wahrnehmung.

## Clowngesichter

**E46**
**Vorstellung**
**Tiere**

Was? Jede Dreierclowngruppe darf nacheinander in die Arena. Die andern Spieler bilden sitzend einen Kreis. Jede Gruppe muss versuchen, die Zuschauer durch Grimassenmachen zum Lachen zu bringen.

Wozu? Ausdruck und Kontakt.

## Kasse

**E47**
**Vorstellung**
**Publikum**

Was? Zwei Spieler sitzen an der Kasse, der Rest spielt eintrittswilliges Publikum. Die Plätze sind knapp, einige haben reserviert, alle wollen in den Zirkus.

Womit? Evtl. Zettel als Billette.

Wozu? Spannung erleben.

## Warten

**E48**
**Vorstellung**
**Publikum**

Was? Alle Zuschauer haben ein Billett für die Vorstellung, aber das Zelt ist noch gar nicht offen, also schlendern die Zuschauer noch an den Tiergehegen vorbei, schauen in die Zirkuswagen, kaufen eine Bratwurst oder etwas zu Trinken.

Wozu? Spannung auf die Vorstellung erhöhen.

## Platzanweiser

**E49**
**Vorstellung**
**Publikum**

Was? Zwei Spieler sind Platzanweiser. Alle andern warten beim Eingang, bis sie von den Platzanweisern an ihren Platz geführt werden. Sobald alle sitzen, fragen wir, ob alle mit ihrem Platz zufrieden sind.

Wozu? Sich entscheiden, seine Bedürfnisse anmelden.

## Schöne Bescherung

**E50**
**Vorstellung**
**Publikum**

Was? Alle sitzen gespannt auf ihren Zirkusbänken – gleich soll die Vorstellung beginnen. Schon kommt der Direktor (ein eingeweihter Spieler) und meldet, dass der Clown wegen Krankheit leider nicht auftreten kann!

Wozu? Eine Enttäuschung erleben und vielleicht verarbeiten.

## Erfolg

**E51**
**Vorstellung**
**Publikum**

Was? Der Direktor (ein Spieler) kündigt eine ganz grosse Nummer an: 3facher Salto rückwärts – mit verschränkten Armen.
Alle Zuschauer schauen gespannt, wie der Artist die Leiter zum Trapez hochklettert, oben auf dem Trittbrett steht, sich konzentriert und dann ins Leere springt, einen Salto macht und sich am schwingenden Trapez wieder auffängt: Gelungen! Ein Riesenjubel im Zelt – ein Mordsapplaus?

Womit? Tambourin für den Spielleiter, um die Spannung durch «Trommelwirbel» zu unterstützen.

Wozu? Sich als Gruppe auf eine Vorstellung konzentrieren.

## Eselreiten

**E52**
**Vorstellung**
**Publikum**

Was? Alle Spieler sitzen im Kreis und spielen die Zuschauer – ausser zweien, die Esel spielen, auf denen jeder Zuschauer zu reiten versuchen kann.
Die Esel lassen sich nach einiger Zeit durch andere ersetzen.

Wozu? Körperkontakt.

## Finale

**E53**
**Vorstellung**
**Publikum**

Was? Die Vorstellung ist zu Ende. Der Direktor (Spielleiter) kündigt nochmals alle Artisten an, die Zuschauer jubeln und klatschen wie die Wilden.

Wozu? Über verbale Mitteilungen eigene Vorstellungen entwickeln.

## Impfen

**E54**
**Abbau**
**Tiere**

Was? Der nächste Aufführungsort ist im Ausland. Die Tiere (alle Spieler ausser zweien: Tierarzt und Tierpfleger) müssen alle noch geimpft werden. Jeder Spieler überlegt sich kurz, welches Tier er spielt. Tierpfleger und Tierarzt gehen von einem zum andern und impfen es.

Wozu? Körperkontakt.

## Abschminken

**E55**
**Abbau**
**Artisten**

Was? Nach der Vorstellung: Alle Artisten sind noch verkleidet (fiktiv) und geschminkt. Nun schminken sich alle ab, legen die Verkleidung ab und machen sich bereit zur Abreise.

Wozu? Langsame Loslösung von der Rolle.

## Abräumen

**E56**
**Abbau**
**Zirkusarbeiter**

Was? Alle Zirkusarbeiter sind bereit, das Zelt und das ganze Material aufzuräumen und zu verladen. Jeder sucht sich im ganzen Betrieb seine Tätigkeit, manchmal muss einer einem andern helfen. Nach einiger Zeit erzählen wir einander, was jeder gemacht hat.

Wozu? Sich selbständig in eine gemeinsame Aktion einfügen.

## Abschied

**E57**
**Abbau**
**Publikum**

Was? Die Hälfte der Klasse sind Zirkusleute, die andere Hälfte Zuschauer. Einige haben sich in diesen Tagen etwas näher kennengelernt. Nun verabschieden sich alle voneinander.

Wozu? Sich vom Zirkus wieder lösen.

## Krankenbesuch

**E58**
**Nachher**
**Publikum**

Was? Die ganze Gruppe besucht drei kranke Kameraden, die zusammen im Spital sind, und alle erzählen ihnen etwas vom Zirkus.

Wozu? Jemandem in der Gruppe etwas mitteilen.

## Das Schönste zeichnen

**E59**
**Nachher**
**Publikum**

Was? Alle erhalten ein Zeichenblatt und sollen darauf die Szene zeichnen, die ihnen am besten gefallen hat. Nach einer halben Stunde erklärt jeder seine Zeichnung und erzählt, warum ihm das am besten gefallen hat.

Womit? Zeichenblatt und Neocolor.

Wozu? Zur Verarbeitung des Erlebten.

## Mach es selbst

**E60**
**Nachher**
**Publikum**

Was? Zum letzten Mal versuchen wir alle – ohne Artisten zu sein – selbst ein paar Kunststücke aus: balancieren, jonglieren, Tiere dressieren usw.

Wozu? Zur eigenen Umsetzung.

## Leckerbissen

**S1**
**Vorher**
**Tiere**

Wer? Alle in Zweiergruppen

Wo? Gruppenraum

Wie lange? Jede Gruppe max. 3′

Was? Die Situation: Vor dem Transport wird ein Löwe von seinem Pfleger nochmals besonders gut verpflegt.
Jede Gruppe darf ihre Szene 5 Min. vorbereiten. In dieser Zeit wird auch in der Gruppe entschieden, welche Rolle von wem gespielt wird. Danach spielt jede Zweiergruppe ihre Szene den andern vor.

Womit? Requisiten sollen von den Spielern selbst nach ihren Bedürfnissen zusammengesucht und verwendet werden.

---

## Pläne

**S2**
**Vorher**
**Artisten**

Wer? Alle in Zweiergruppen

Wo? Gruppenraum

Wie lange? Jede Gruppe max. 3′

Was? Die Situation: Zwei Artisten sprechen darüber, ob sie eine Nummer, die sie seit langem nicht mehr bringen, am nächsten Ort wieder aufführen wollen.
Jede Gruppe darf ihre Szene 5 Min. vorbereiten. In dieser Zeit wird auch in der Gruppe entschieden, welche Rolle von wem gespielt wird. Danach spielt jede Zweiergruppe ihre Szene den andern vor.

Womit? Requisiten sollen von den Spielern selbst nach ihren Bedürfnissen zusammengesucht und verwendet werden.

## «Sichern»

**S3**
**Vorher**
**Zirkusarbeiter**

Wer? Alle in Zweiergruppen

Wo? Gruppenraum

Wie lange? Jede Gruppe max. 3′

Was? Die Situation: Zwei Arbeiter haben die Aufgabe, die Seilhaken in der Zirkuskuppel auszuhängen. Nur einer muss hinaufsteigen, der andere muss sichern.
Jede Gruppe darf ihre Szene 5 Min. vorbereiten. In dieser Zeit wird auch in der Gruppe entschieden, welche Rolle von wem gespielt wird. Danach spielt jede Zweiergruppe ihre Szene den andern vor.

Womit? Requisiten sollen von den Spielern selbst nach ihren Bedürfnissen zusammengesucht und verwendet werden.

---

## Unfall

**S4**
**Vorher**
**Zirkusarbeiter**

Was? Die Situation: Beim Einladen von Holzbalken verletzt sich einer von zwei Arbeitern und muss behandelt werden.

---

## Packen

**S5**
**Vorher**
**Zirkusarbeiter**

Was? Die Situation: Ein Arbeiter überlegt sich, ob das Seil, das vor ihm liegt, noch stark genug ist, oder ob er es als Ausschuss wegwirft.

---

## «Darf ich?»

**S6**
**Vorher**
**Publikum**

Was? Die Situation: Ein Kind fragt seine Mutter, ob es den Zirkus besuchen darf.

## Kein Geld

**S7**
**Vorher**
**Publikum**

Was?

Die Situation: Ein Kind, das kein Geld hat, um den Zirkus zu besuchen, trifft einen Erwachsenen und versucht, von diesem Geld zu erhalten.

## Frei?

**S8**
**Reise**
**Tiere**

Was?

Die Situation: Während der Reise bemerken die beiden Tiger, dass die Türe vom Transportwagen offensteht.

## Vergessen

**S9**
**Reise**
**Artisten**

Was?

Die Situation: Während der Reise merken zwei Artisten, dass sie einen Materialkoffer am alten Ort vergessen haben.

## Motor fällt aus

**S10**
**Reise**
**Arbeiter**

Was?

Die Situation: Der Motor des vordersten Zugwagens fällt aus, zwei der Arbeiter versuchen, ihn zu flicken.

## Strauss und Panther

**S11**
**Aufbau**
**Tiere**

Was?

Die Situation: Am neuen Ort musste der Pantherkäfig unmittelbar neben dem Straussengehege aufgebaut werden.

## Neue Nummer?

**S12**
**Aufbau**
**Artisten**

Was?

Die Situation: Heute muss von den zwei Artisten endgültig entschieden werden, ob sie die neue Nummer bringen wollen und wie sie aussieht.

## Besprechung

**S13**
**Aufbau**
**Zirkusarbeiter**

Was?

Die Situation: Ein beim Abbau verletzter Arbeiter erklärt dem Direktor, dass er beim Aufbau nicht mithelfen kann.

## «Früher»

**S14**
**Aufbau**
**Zirkusarbeiter**

Was?

Die Situation: Ein alter Arbeiter erzählt während des Aufbaus seinen jüngeren Kollegen von dem Sturm, der vor einigen Jahren das Zelt zerfetzte und die Gehege der Tiere so beschädigte, dass einige fliehen konnten.

## Zufall

**S15**
**Aufbau**
**Zirkusarbeiter + Publikum**

Was?

Die Situation: Während des Aufbauens trifft ein Zirkusarbeiter einen ehemaligen Schulkollegen, der an diesem Ort wohnt.

## Kaufen

**S16**
**Zirkusarbeiter**

Was?

Die Situation: Ein Vertreter kommt zum Direktor, um ihm neue Seile für's Trapez zu verkaufen.

## Mithelfen

**S17**
**Aufbau**
**Publikum**

Was? Die Situation: Ein Kind schaut einem Tierwärter beim Futterzubereiten zu und fragt, ob es mithelfen kann.

## «Vielleicht schon»

**S18**
**Aufbau**
**Publikum**

Was? Die Situation: Zwei Passanten schauen beim Aufbau zu – und überlegen sich dabei, ob sie selbst gerne beim Zirkus wären.

## «Fremde»

**S19**
**Proben**
**Tiere**

Was? Die Situation: Ein Panther und ein Wildschwein werden probeweise zusammen in die Manege gelassen – vielleicht entwickelt sich daraus eine neue Nummer.

## Löwe und Elefant

**S20**
**Proben**
**Tiere**

Was? Die Situation: Ein Elefant soll über einen liegenden Löwen (laufen) gehen.

## Zusammenarbeit

**S21**
**Proben**
**Tiere**

Was? Die Situation: Ein Trapezkünstler hilft seinem Partner beim «Handstandüben» und anderen Gleichgewichtsübungen.

## Jongleure

**S22**
**Proben**
**Artisten**

Was?

Die Situation: Zwei Jongleure besprechen und üben eine Nummer, in der sie die verschiedensten Gegenstände balancieren.

## Krank

**S23**
**Proben**
**Artisten**

Was?

Die Situation: Ein Artist ist krank geworden. Nun muss sein Partner einem Arbeiter erklären, was dieser zu tun hat, damit die Nummer doch noch stattfinden kann.

## Dompteur

**S24**
**Vorstellung**
**Tiere**

Was?

Die Situation: Ein Dompteur hat eine ganz grosse Nummer erfunden: Während er auf dem Rücken liegt, legt ihm ein Tiger die beiden Pfoten auf die Augen. Die führt er nun vor.

## Proben

**S25**
**Vorstellung**
**Tiere**

Was?

Die Situation: Zwei Robben, eine ältere und eine jüngere, zeigen ein Ball-(Luftballon)Kunststück vor.

## Teilen

**S26**
**Vorstellung**
**Tiere**

Was?

Die Situation: Zwei Affen zeigen, wie genau sie ihr Futter (Erdnüsse, Bananen usw.) teilen können.

## «Feinde»

**S27**
**Vorstellung**
**Tiere**

Was? Die Situation: Eine Katze reitet auf einem Hund eine ganze Runde in der Manege.

## Führen

**S28**
**Vorstellung**
**Tiere**

Was? Die Situation: Ein Affe führt ein Lama über verschiedene Hindernisse.

## Rechnen

**S29**
**Vorstellung**
**Tiere**

Was? Die Situation: Ein Papagei stellt einem Elefanten einfache Rechenaufgaben (1+2=? usw.). Der Elefant antwortet mit Beinestampfen oder Trompetenstössen.

## «Lausen»

**S30**
**Vorstellung**
**Tiere**

Was? Die Situation: Zwei Affen «lausen» sich (in Wirklichkeit suchen und fressen sie ja Schuppen), finden dann nichts mehr – und beginnen, die Zuschauer zu «lausen».

## Rasieren

**S31**
**Vorstellung**
**Artisten**

Was? Die Situation: Ein Clown rasiert einen «Kunden» (einen zweiten Clown).

## Stolpern

**S32**
**Vorstellung**
**Artisten**

Was?

Die Situation: Zwei Clowns sind auf einer Bergwanderung: Einer fällt immer um, der andere muss ihn immer auffangen.

## «Samson»

**S33**
**Vorstellung**
**Artisten**

Was?

Die Situation:
A) Ein Gewichtsheber hebt ein Riesengewicht,
B) zerreisst eine «Kette»,
C) verbiegt eine «Eisenplatte».
Alle Szenen werden vom Mitspieler angekündigt.

## Singen

**S34**
**Vorstellung**
**Artisten**

Was?

Die Situation: Zwei Clowns singen zusammen ein Lied.

## «Platsch»

**S35**
**Vorstellung**
**Artisten**

Was?

Die Situation: Zwei Clowns versuchen, zusammen über einen Wassergraben zu einem Schloss vorzudringen.

## Angst

**S36**
**Vorstellung**
**Artisten**

Was?

Die Situation: Ein Arbeiter trifft während der Vorstellung einen Seiltänzer, der sich aus Angst im Gerätezelt versteckt hat.

## Übelkeit

**S37**
**Vorstellung**
**Publikum**

Was? Die Situation: Während der Vorstellung wird es dem Vater, der mit seinem Kind im Zirkus sitzt, schlecht.

## Verloren

**S38**
**Vorstellung**
**Publikum**

Was? Die Situation: Während der Vorstellung fällt einem Kind, das mit seinen Kameraden da ist, ein wichtiger Gegenstand zwischen den hochgebauten Zuschauerbänken hinunter.

## Junge

**S39**
**Abbau**
**Tiere**

Was? Die Situation: Am Abreisetag bekommt eine Elefantenkuh Nachwuchs.

## Blinddarm

**S40**
**Abbau**
**Artisten**

Was? Die Situation: Am Tag der Abreise muss das Kind eines Artisten wegen Blinddarm dringend ins Spital.

## Gefunden

**S41**
**Abbau**
**Zirkusarbeiter**

Was? Die Situation: Zwei Arbeiter finden beim Abbau unter den Bänken etwas ganz Kostbares.

## Belohnung

**S42**
**Abbau**
**Zirkusarbeiter**

Was?

Die Situation: Ein Arbeiter wird vom Direktor belohnt, weil er während der Vorstellung ein Unglück verhindert hat.

## Zukunft

**S43**
**Abbau**
**Publikum**

Was?

Die Situation: Ein Kind geht zu einem Artisten und fragt diesen, wie es zum Zirkus kommen kann.

## Erzählen

**S44**
**Nachher**
**Publikum**

Was?

Die Situation: Ein Kind erzählt seiner Grossmutter, die zu Besuch ist, vom Zirkus.

## Nachahmen

**S45**
**Nachher**
**Publikum**

Was?

Die Situation: Ein Kind ahmt mit seinem Freund eine gesehene Clownnummer nach.

## Kunststücke

**S46**
**Nachher**
**Publikum**

Was?

Die Situation: Ein Kind bekommt einen Hund – und versucht mit diesem Kunststücke einzuüben, wie es sie im Zirkus gesehen hat.

## Briefwechsel

**R1**
**Vorher**

Wer? Ganze Gruppe

Wo? Gruppenraum

Wie lange? 45′

Was? Wir schreiben zusammen einen Brief an einen Zirkuslehrer (Adressen im Anhang), in dem wir uns vorstellen – jeder Schüler mit Namen, Alter usw. – und fragen, ob wir mit den Kindern im Zirkus in Briefwechsel treten können. Falls der Zirkus mal in unserem Ort gastiert, könnten wir uns sogar sehen.
Unter PS können wir fragen, ob der Zirkus uns Prospekte und Plakate schicken kann.

Wozu? Direkte Information durch Gleichaltrige. Während der Arbeit am Themenpaket können periodisch «Berichte» an die Zirkuskinder geschrieben werden.

## Tierzwiesprache I

**R2 – Musik**
**Vorher**
**Tiere**

Wer? Ganze Gruppe

Wo? Gruppenraum

Wie lange? 50′–60′

Was? Jedes Tier sitzt allein in seinem Käfig – der Wärter hat vergessen abzuschliessen. Was geschieht?

1. Die Kinder sitzen mit je einem Instrument an den Wänden entlang, jeder allein in seinem Käfig, und beginnen zu musizieren – einsam, monoton, öde.
2. Ausbrechen, in die Mitte kommen, Kreis bilden, frei improvisieren lassen – Chaos, Stimmengewirr – unterbrechen: Ist es möglich, dass nur immer einer spricht?
3. Tierrollen fest zuordnen. Erfassen der verschiedenen Charaktere der Tierlaute.

4. Nach Rollenverteilung nochmals spielen. Wie reagiert Löwe auf Elefant, Puma auf Affen, etc.?
5. Evtl. nachher spr. fassen: Was wollte ich ausdrücken? Hast Du mich verstanden?

Womit? Orff

Wozu? Erfassen der Verschiedenheit der Tiere (Herkunft!), mögliche Einsamkeit, Schwierigkeit der Verständigung. Diszipliniertes Aufeinander-hören-lernen. Identifikation.

---

## Tierzwiesprache II

**R3 – Musik**
**Vorher**
**Tiere**

Was? Situation wie Tierzwiesprache I:
Zweiergruppen: jedes wählt sich sein Tier bzw. Instrument.
Nun geht der Tiger zum Pinguin, die Giraffe zum Nilpferd etc. Kombinationen selber wählen, miteinander «sprechen».
Jeweils von anderen erraten lassen.

Womit? Orff

Wozu? siehe Tierzwiesprache I.
Statt Gruppenerlebnis, hier Zwiesprache.

---

## Raubtier hinter Gittern I

**R4 – Malen**
**Vorher**
**Tiere**

Wie lange? 50′

Was? Voraussetzungen: Zoo- bzw. Zirkuszoobesuch.
In Sprach-Spiellektion Rilkes Gedicht: «Der Panther» besprechen, rezitieren, spielen.
Auf Gefühlszustand des Panthers eingehen, Problematik Raubtiere eingehend besprechen. Bewegung beobachten, nachahmen.
Wir versuchen nun zu erfassen, was innerlich vorgeht.

1. Zu Strophe 3: Ein Bild dringt ein:
– Bild welcher Art? Heimat?
– Was für Gefühle entstehen?
– sprachlich: Adjektive zuordnen.
Welche Farben passen zu entsprechenden Adjektiven?
2. Wir versuchen dieses «eindringende Bild» zu malen. Einzelarbeit.

Womit? Guache-Farben

Wozu? Erfassen des «traurigen» Schicksals gefangener, aus dem Ursprungsland entführter Raubtiere. Identifikation. Projektion möglicher eigener Phantasien.

---

## Der Panther (R.M. Rilke) im Jardin des Plantes, Paris

zu R4

Sein Blick ist vom Vorübergehn der Stäbe
so müd geworden, dass er nicht mehr hält.
Ihm ist, als ob es tausend Stäbe gäbe
und hinter tausend Stäben keine Welt.

Der weiche Gang geschmeidig starker Schritte,
der sich im allerkleinsten Kreise dreht,
ist wie ein Tanz von Kraft um eine Mitte,
in der betäubt ein grosser Wille steht.

Nur manchmal schiebt der Vorhang der Pupille
sich lautlos auf –. Dann geht ein Bild hinein,
geht durch der Glieder angespannte Stille –
und hört im Herzen auf zu sein.

aus: R.M. Rilke, Gedichtzyklen, Band I, S. 261,
Insel Verlag.

## Raubtier hinter Gitter II

**R5 – Musik**
**Vorher**
**Tiere**

Wie lange? 50′

Was?

Voraussetzung siehe «Raubtier I»
Wir versuchen Rilkes Gedicht musikalisch zu illustrieren, etwas zu «komponieren». Zu jeder Strophe entsprechende Musik: 3 Sequenzen.

1. Freie Improvisation zu gleichzeitigem Rezitieren bzw. Spielen des Gedichts.
2. Besprechen: Wie habt ihr es empfunden, was ändern.
3. 3 Gruppen bilden – jeder eine Strophe zuteilen, komponieren lassen.

Beispiel:

1. Str.: monoton, Schlaghölzchen, Pauke ..., Gang auf Xylophon auf und ab.
2. Str.: einer in Mitte mit Wellblech (Spannung), andere im Kreis, verschiedene Instrumente.
3. Str.: Bild: Klang (Cluster) mit Metallophon zurück zu monotonen Schlägen (Gitter).
4. vorspielen, evtl. Tonbandaufnahme.

Wozu?

Ganzeinheitliches Erfassen des Gedichts, nonverbaler Bereich, dramatisieren. Musikalischer Background zum Spiel.

---

## Zirkuswerbung

**R6 – Malen**
**Vorher**
**Artisten**

Wie lange? 2 × 45′

Was?

Der Zirkus wird bald in die Stadt einziehen! Wir müssen werben!

1. Gruppen bilden: jede Gruppe bildet eine Zirkustruppe, muss sich einen Namen erfinden. Plakate entwerfen.
2. Wer kann am meisten Leute anwerben?
3. Evtl. Jury einsetzen. (Bei Werbung ist Wettbewerb und Bewertung gerechtfertigt!)
4. Ausdehnung in weiteren Lektionen auf Probleme der Werbungspolitik.

Womit? Plakatfarben, Grossformat, Papier (Halbkarton).

Wozu? Auf was kommt es an bei der Werbung? Verschiedene Werbungsarten: Wie zieht man am meisten Leute an?

## Pflegen, Verbinden, Heilen

**R7**
**Vorher**
**Zirkusarbeiter**

Wie lange? 45′

Was? Beim Abbau des Zeltes ist ein Unfall geschehen. Viele sind verletzt: Die Hälfte der Klasse bekommt kleine Zettel, auf denen je eine Verletzung geschrieben steht, und muss versuchen, sich mit Farbe (Schminke, Tomatenpuree) ungefähr so herzurichten, als wäre der Unfall soeben passiert.
In diesen ca. 10 Minuten verteilt der Spielleiter der andern Hälfte Verbandszeug, Salben (Nivea, Sonnenschutzmittel usw.), Decken, Waschzeug. Nachdem alle ihren Medikamenten-Koffer gepackt haben, gehen sie zur Unfallstelle und jeder beginnt damit, einen Verunfallten zu bergen und zu pflegen.

Womit? Schminke, Wasserfarbe.
Verbands- und «Hausapotheken»-Material.

Wozu? Konkrete Hilfeleistung an einem andern.

## Zirkusarena

**R8 – Malen**
**Aufbau**

Wie lange? Kann immer wieder daran gearbeitet werden.

Was?
1. Rahmensituation: Nacht, Tiere und Artisten schlafen, ein Gewitter kommt auf – Angst, Panik, alles drängt zueinander ins grosse Zirkuszelt.

Chaos, Durcheinander.
Wie arrangiert man sich?
2. Vorgehen: Eine Wand mit Packpapier bespannen.
2 Leintücher seitlich als Zelt.

In der Arena malen wir nun alles, was zum Zirkus gehört! Enteilen, wer was malt (Tiere, Artisten etc.), um Streitigkeiten während der Arbeit zu vermeiden.

Womit? Neocolor.

Wozu? Bühnendekoration.

## Tierzirkus malen zu Musik «Carneval des Animaux» von Saint-Saëns

**R9 – Musik – Malen**
**Proben**
**Tiere**

Wie lange? 50′

Was? Platte wird abgespielt, verschiedene Tiere zu erkennen versuchen.
Welche davon kommen im Zirkus vor?
Nur ausdenken!
1. Jeder steht vor einem grossformatigen Blatt (an der Wand).
Plattentisch in der Mitte, mehrere Pinsel zu jeder Farbe. (evtl. Fingerfarben!)
2. Gleichzeitiges Malen zu Musik.
Nur mit Farbe und Form spielen, keine Tiere «zeichnen».
Dunkler Klang – dunkle Farbe etc.
3. Wenn seitens der Kinder Bedürfnis zu erklären: darüber sprechen.
Erkennen der Tiere, weshalb diese Musik, weshalb diese Farbe, Form.

Womit? Entweder Wasserfarbe und Pinsel oder Fingerfarben!

Wozu? Charaktere der Tiere direkt durch Klang und Farbzuordnung erfassen.
Enger Bezug zwischen Musik und Farbe:
Klangfarbe erfassen!

Platte: Bei Jecklin Best.-Nr. 1C/063-14-148/Q, Karneval der Tiere.

## Pferdenummer

**R10 – Musik
Proben
Tiere**

Wie lange? 45′

Was? Auf dem weichen Boden der Arena ist das Stampfen der Pferdehufe kaum zu hören – wir müssen ganz genau hinhören!
Wie klingt es, wenn ein Pferd im Schritt geht, trabt, galoppiert? (Evtl. Tonbandaufnahme vorspielen.)

1. Möglichen Vorgang erst sprachlich schildern lassen.

Beispiel: Ein einziger Schimmel, zu dem sich ein wilder Hengst gesellt. – Beide Pferde in der Mitte, Stand auf den Hinterbeinen etc. – 10 Pferde im Kreise um die beiden: im Schritt, Trab, Galopp.

2. Einer wird zum Dresseur (Spielleiter) erwählt. Auf bestimmte akustische Signale seinerseits müssen die Pferde reagieren.

Alle haben möglichst rasch denselben Rhythmus zu übernehmen.

3. Spielleiter wechseln!
4. Evtl. graphische Darstellung der verschiedenen Taktarten an WT.

Wozu? Auf einander hören lernen, schnell reagieren und sich einfügen können.
Rhythmusschulung.

## Der störrische Esel

**R11 – Musik
Proben
Tiere**

Wie lange? 50′

Was? Der Esel will seinem Reiter nicht gehorchen, alles misslingt – vielleicht gelingt es uns, ihn zu zähmen!

1. Spiel: Der störrische Esel wird gemimt, einzelne versuchen mit akustischen Signalen, Zurufen etc. ihn zu zähmen:

Verschiedene Möglichkeiten ausprobieren:
- geduldig
- lieb
- unwillig
- sanft

wütend, böse
– mit Schlägen etc.
An WT festhalten oder eventuell erst nachher verarbeiten.
2. Umsetzen auf Instrumente:
Kreis bilden, Esel mit entsprechendem Instrument in die Mitte.
Zu «rufe» (Signale mit Instrumenten!) nun aus der Gruppe, verschiedene Klänge/Geräusche für entsprechende Zähmungsarten. (Es «spricht» immer nur einer!)
Auf welche Stimmen lässt sich der Esel ein, bzw. nicht ein? – Kann er sich evtl. anfreunden? Entsteht ein Dialog?
3. «Eselrolle» jeweils wechseln (Freiwillige).

Womit? Orff-Instrumente

Wozu? Versuch, sich nur durch akustische Signale zu verständigen.
Erlebnis: Unterlegen – Überlegen.
Auf einander reagieren lernen im non-verbalen Bereich.

---

## Clowngesichter

**R12 – Malen**
**Proben**
**Artisten**

Wie lange? 50′

Was? In Zweiergruppen Clowngesichter herstellen, Collagen.

Womit? Grosser Karton, Stoffreste, Filze, Kork, Bast, Drähte, Schnur, Seidenpapier etc.

Wozu? Spiel mit Farbe, Form, Material, Dekoration.

---

## Seiltänzer

**R13 – Musik**
**Proben**
**Artisten**

Wie lange? 50′–60′

Was? Wir versuchen uns vorzustellen, wir selber stünden auf dem Seil. – Unter uns gähnende Leere. – Was geht in uns vor?
1. Vorgang sprachlich schildern:
Kunststücke auf dem Seil: Kopfstand, Purzelbäume – fällt beinahe, hält sich mit den Händen, schwingt hin und her, schwingt sich auf . . . landet sicher . . . etc.

2. Geschilderten Vorgang in Musik übersetzen.
Gruppenarbeit: Wer schildert am spannendsten? Schluss jeweils offen lassen, die andern sollen erraten! (Fällt er, oder ist es ihm gelungen? Fällt er ins Netz? – ohne Netz . . .) Augen jeweils schliessen beim Zuhören.

Womit? Eigene Stimme, Geräusche selber erfinden:
- Papier zerreissen (verschieden stark, langsam, rasch)
- Wellblech zittern lassen (Donnereffekt)
- rascheln, knistern
- klopfen, schlagen, reiben, mit der Zunge schnalzen etc.

Wozu? Vielfältige Möglichkeiten der Geräuscherzeugung.
«Instrument eigener Körper» erfahren.

---

## Der Trapezkünstler

**R14 – Malen**
**Proben**
**Artisten**

Wie lange? 50′

Was? Wir versuchen, uns die Bewegungen eines Trapezkünstlers vorzustellen.
- Hin und her pendeln.
- Saltos.
- Abspringen, auffangen.

1. Schwung selber erleben, Arme kreisen, dazu summen etc., in die Luft malen.
2. Einzelarbeit an Wänden (grossformatiges Papier), Fingermalen.

Womit? Fingerfarben.

Wozu? Schwung am eigenen Körper erfahren.
Befreiende Wirkung.
Verkümmerte Bewegungen wiederentdecken.
Enthemmende Wirkung.

## Der dumme August — R15 – Malen
## In der Arena – hinter der Manege — Proben
## Artisten

Wie lange? 50′

Was? Vorbesprechung: Gegensatznatur des Clowns erfassen.
Clown in der Arena: Charakteristische Züge aufzeigen, wie empfinde ich ihn? Komisch, ungeschickt, lustig, amüsant, fröhlich, beschwingt . . .
Clown hinter der Manege: Wie ist ihm möglicherweise zumute: traurig, melancholisch, Alltagssorgen . . .
Gegensätze festhalten.
Zweiergruppen bilden: Wir malen ein «Seelenbild»: Der eine beginnt zu malen, der andere versucht, mit einer ihm gegensätzlich erscheinenden Farbe, Form zu 'antworten'.
- kalt – warm
- eckig – rund
- hell – dunkel

Womit? Neocolor oder Wasserfarben

Wozu? Clown in Rolle und Wirklichkeit ganzheitlich erfassen.

---

## Verkleidung hinter der Manege — R16 – Gestalten
## Vorstellung
## Artisten

Wie lange? 2 × 45′

Was? Der Kostümwagen ist verlorengegangen. Es gilt so schnell als möglich die verschiedenen Artisten zu verkleiden!
1. 3er Gruppen bilden.
Je einer wird «eingepackt» (Packpapierstreifen, WC-Papier) und angemalt.
2. Figuren photographieren, evtl. zeichnen lassen (bequeme Stellung für Verkleidete!!).

Womit? Packpapier, WC-Rollen, Schere, Klebstreifen, Plakatfarben, Pinsel.

Wozu? Erkennen der typischen Attribute verschiedener Akteure.
Arbeit am Körper.

## Clownkostüme

**R17 – Gestalten**
**Vorstellung**
**Artisten**

Was?

Am Vortag erzählen: Der dumme August hat sich in der grossen Stadt verirrt. Die Vorstellung beginnt! Wir müssen helfen! – Da kommt er! – aber nicht kostümiert und ungeschminkt.
Auftrag: Alte Hemden, Hosen, Schuhe, Hosenträger etc. mitbringen!

1. Zweiergruppen: Wir kostümieren, bemalen und schminken uns gegenseitig.
2. Clownumzug durchs Schulhaus.

Womit?

Mitgebrachtes Material, Schminke.

Wozu?

Kostüme für improvisierte Clownnummern.

## Bläserkapelle fällt aus

**R18 – Musik**
**Vorstellung**
**Artisten**

Wie lange?

50′

Was?

Die Vorstellung beginnt – die Bläser sitzen immer noch in der Beiz nebenan . . . verspäten sich – wir müssen einspringen!

1. Improvisieren zu verschiedenen Nummern:
- Seiltänzer
- Jongleur
- Zauberer
- Dompteur
- Zwischendurch jeweils Nummern Damen/Herren.
2. Welche Instrumente wählen wir für welche Nummern?
- An Wandtafel festhalten.
3. Darbietungen von Einzelnen mimen oder erzählen lassen, dazu Geräuschekulisse.
4. Zwischenfälle einbauen: Jongleur verliert seinen Ball im Publikum (Metallophon), Seiltänzer fällt (beinahe) – Cluster!)

Womit?

Orff

Wozu?

Äusseren Vorgang musikalisch illustrieren.

## Hinter der Manege

**R19 – Musik Vorstellung**

Wie lange? 50′

Was? Hinter dem Vorhang der Manege können wir nicht stehen, also müssen wir genau hinhören!

1. Szenen dichten: Was geschieht vor/nach dem Auftritt? Jongleur übt, Clown schlägt Purzelbäume, Direktor schimpft . . . Stimmungen: Nervosität, Spannung, Lampenfieber.
2. Wie tönt das Durcheinander? Stimmengewirr . . .
3. Einmal frei improvisieren.
4. Aktionen, Personen vorgeben, Rollen verteilen.
5. Vorspielen – daraus schliessen, was vorgegangen ist.
6. Evtl. Tonbandaufnahme, abhören.

Womit? Eigene Stimme, Geräusch, wenige Orff-Instrumente.

Wozu? Bewusstwerden, dass hinter dem Vorhang, gleichzeitig, sehr viel geschieht.
Diskrepanz bewusst machen zu geordnetem, strahlendem Auftritt in der Arena.

---

## Ich im Rampenlicht

**R20 – Malen Vorstellung**

Wie lange? 50′–70′

Was? Jeder wählt sich seine Lieblingsrolle, wenn er in der Arena stehen würde.
Einzelarbeit.
Ich allein im Rampenlicht.
Jeder stellt sich dar, allein (oder in Artistengruppe) in der Arena.

Womit? Neocolor

Wozu? Identifikation mit Helden im Rampenlicht.

## Zirkus I1

| | |
|---|---|
| Wer? | Alle in Vierergruppen |
| Wo? | Gruppenraum |
| Wie lange? | Max. 5′ Spielzeit |
| Was? | Der Spielleiter gibt, nachdem Vierergruppen gebildet worden sind, die Anweisung: «Spielt bitte eine Szene, die mit dem Zirkus etwas zu tun hat!»<br>Jede Gruppe bespricht dann ca. 5 Min. ihre Szene und spielt sie danach der Gruppe vor. |
| Womit? | Requisiten sollen von den Spielern besorgt werden. |
| Wozu? | Erster Schritt zum offeneren Spiel. |
| Kommentar | Die Anweisung lässt sehr viel offen, so dass aus den Szeneninhalten Interessenschwerpunkte ersichtlich werden. |

## Drei Begriffe I2

| | |
|---|---|
| Wer? | Alle in Dreiergruppen |
| Wo? | Gruppenraum |
| Wie lange? | Max. 5′ Spielzeit |
| Was? | Dreiergruppen bilden. Jede Gruppe erhält einen Umschlag, in dem eine Karte steckt, auf der steht:<br>1. Vor dem Zusammenpacken<br>2. Schimpfen<br>3. Beim Clown «Gluri»<br>Die Gruppe soll eine Szene vorbereiten, in der diese Angaben berücksichtigt werden.<br>Jede Gruppe bespricht dann ca. 5 Min. ihre Szene und spielt sie danach der Gruppe vor. |
| Womit? | Briefumschläge, Karten. |
| Wozu? | Geschichte selber erfinden. |

## Erzählung: Bild 1 — I3

| | |
|---|---|
| Wer? | Alle in Vierergruppen |
| Wo? | Gruppenraum |
| Wie lange? | Max. 5′ Spielzeit |
| Was? | Der Spielleiter erzählt aus dem «Zirkus Nock» das erste Bild. Die Gruppe soll aus dem Gehörten eine Szene machen.<br>Jede Gruppe bespricht dann ca. 5 Min. ihre Szene und spielt sie danach der Gruppe vor. |
| Wozu? | Eine Handlung in den Griff bekommen. |

## Streit — I4

| | |
|---|---|
| Wer? | Vierergruppen |
| Was? | Der Spielleiter gibt das Thema der nächsten Improvisation an: «Im Zirkus hat es Streit gegeben.» |
| Wozu? | Geschichten erfinden. |

## Zeitungsreporter — I5

| | |
|---|---|
| Was? | Nachdem Dreiergruppen gebildet sind, schreibt der Spielleiter an die WT:<br>1. Kurz vor der Abreise<br>2. Im Zirkuswagen<br>3. Ein Zeitungsreporter<br>Die Gruppe soll diese Angaben in eine Szene einbauen. |
| Wozu? | Fakten kombinieren. |

## Der Zirkus ist auf der Reise — I6

| | |
|---|---|
| Was? | Jeder Vierergruppe die Aufgabe stellen, eine Szene zu spielen, die im Zusammenhang mit der Zirkusreise steht. |
| Wozu? | Unterthema «Reise» anspielen. |

## Farbzettel I7

Was? An alle Spieler Zettel verteilen mit:
Zeit: 10.00
Ort: Unterwegs
Gegenstand: Telefon
Jeweils ein Spieler erhält einen Zettel, auf dem eine dieser Angaben steht. Jeweils Dreiergruppen dieser Zettel sind mit derselben Farbe geschrieben, so dass, sobald alle ihren Zettel haben, sich die Gruppen nach gleichen Farben bilden können.
Die «Zettelbegriffe» müssen irgendwie in der Szene vorkommen.

Womit? Farbig beschriebene Zettel.

Wozu? Kombinieren.

## Unfall I8

Wer? Vierergruppen

Was? Die Improvisationsaufgabe: «Auf der Reise passiert ein Unfall.»
Keine weiteren Angaben machen.

Wozu? Handlungen entwickeln.

## Der neue Ort I9

Wer? Vierergruppen

Was? Jede Gruppe erhält die Aufgabe, eine Szene zu spielen, durch die wir sehen, wie der Ort (Grösse, Lage usw.) aussieht, an dem der Zirkus jetzt ankommt.

Wozu? Durch eine Szene etwas bestimmtes mitteilen.

## Erzählung: Bild 2 I10

Wer? Vierergruppen

Was? Der Spielleiter erzählt aus dem «Zirkus Nock» das zweite Bild. Die Gruppe soll aus dem Gehörten eine Szene machen.

Wozu? Zusammen Impulse weiterführen.

## Hunger I11

Wer? Dreiergruppen

Was? Die Angabe des Spielleiters: «Tiere haben Hunger.»*

Wozu? Handlungen entwickeln.

*Kommentar Auch bei Rückfragen der Spieler wenn möglich keine weiteren Angaben machen.

## Der Direktor muss einen neuen Namen suchen I12

Wer? Fünfergruppen

Was? Die Angaben des Spielleiters: «Ein Zirkusname muss gefunden werden.»

Wozu? In mittelgrossen Gruppen etwas besprechen.

## Werbesprüche I13

Wer? Dreiergruppen

Was? Die Angabe des Spielleiters: «Im Ort muss Werbung gemacht werden.»

Wozu? Handlung erfinden.

## Erzählung: Bild 3 I14

Wer? Vierergruppen

Wie lange? Max. 4′ Spielzeit

Was? Der Spielleiter erzählt aus dem «Zirkus Nock» das dritte Bild.
Die Gruppen sollen aus dem Gehörten eine Szene machen.
Jede Gruppe bespricht dann ca. 5 Min. ihre Szene und spielt sie danach der Gruppe vor.

Wozu? Konkrete Angaben selber weiterführen.

## Erzählung: Bild 4 I15

Wer? Fünfergruppen

Wie lange? Max. 4′ Spielzeit

Was? Der Spielleiter erzählt aus dem «Zirkus Nock» das vierte Bild.

Wozu? Den Zirkus «hinter den Kulissen» erleben.

## Proben I16

Wer? Vierergruppen

Was? Aufgabe an jede Gruppe: «Spielt eine Szene im Zusammenhang mit den Proben der Artisten.»

Wozu? Zum Thema «Proben» Stoff mobilisieren.

## Erzählung: Bild 5 I17

Wer? Vierergruppen

Was? Der Spielleiter erzählt aus dem «Zirkus Nock» das fünfte Bild.

Wozu? Impulse gemeinsam verarbeiten.

## Erzählung: Bild 6 I18

Wer? Fünfergruppen

Was? Der Spielleiter erzählt aus dem «Zirkus Nock» das sechste Bild.

Wozu? Den Zirkus «ohne Kunst» erleben.

## Panne vor der Vorstellung I19

Wer? Dreiergruppen

Was? Die Angaben des Spielleiters an jede Gruppe: «Vor der Vorstellung klappt etwas nicht.»

Wozu? Zusammen Phantasie entwickeln.

## Erzählung: Bild 7 I20

Wer? Sechsergruppen

Was? Der Spielleiter erzählt aus dem «Zirkus Nock» das siebente Bild.

Wozu? Möglichkeit, ganz grosse Gruppen zu bilden (durch die Solidarisierung der Zirkusleute gegenüber den Einheimischen).

## Vorstellung der Tiere I21

Wer? Vierergruppen

Was? Angabe des Spielleiters: «Eine Tiernummer spielen.»

Wozu? Eine Handlung eigenständig entwickeln.

## Artisten in der Vorstellung I22

Wer? Dreiergruppen

Was? Angabe des Spielleiters: «Eine Artistennummer spielen (keine Clownnummer).»

Wozu? Handlungen entwickeln.

## Clown I23

Wer? Dreiergruppen

Was? Möglichst viel Clown-Requisiten zusammentragen: Jeder Spieler kann sich davon nehmen, was er braucht. Dreiergruppen bilden und eine Clownnummer erfinden.

Wozu? Handlungen entwickeln.

## Erzählung: Bild 8 I24

Was? Der Spielleiter erzählt aus dem «Zirkus Nock» das achte Bild.

Wozu? Information eigenständig verarbeiten.

## Erzählung: Bild 9 I25

Was? Der Spielleiter erzählt aus dem «Zirkus Nock» das neunte Bild.

Wozu? Als Anhaltspunkte

Kommentar Danach lassen sich I21 und I22 nochmals machen.

## Erzählung: Bild 10 I26

Was? Der Spielleiter erzählt aus dem «Zirkus Nock» das zehnte Bild.

Wozu? Den Zirkus ohne Kulissen erleben.

## Kein Applaus I27

Wer? Vierergruppen

Was? Angabe des Spielleiters: «Eine Darbietung misslingt so stark, dass überhaupt kein Zuschauer klatscht.»
Jede Gruppe bespricht dann ca. 5 Min. ihre Szene und spielt sie danach der Gruppe vor.
Nachdem alle gespielt haben, spielen wir in denselben Gruppen noch: «An diesem Abend, fünf Minuten nach der Vorstellung.»

Wozu? Eine Szene in einem Zusammenhang zu einer vorherigen setzen.

## Erzählung: Bild 11, 12, 13, 14, 15 I28

Wer? Sechsergruppen

Was? Der Spielleiter erzählt das elfte Bild.

Wozu? Versuch, in dieser grossen Gruppe einen Konsens zu finden.

## Zirkus total I29

Was? Alle spielen gemeinsam: Am Anfang sind alle Zuschauer, die in der Schlange stehen und auf den Beginn der Vorstellung warten – Zuschauer verwandeln sich in Zirkusleute, zuerst eine Jongliernummer, danach eine Tiernummer usw., bis am Ende der Vorstellung die Zuschauer zufrieden aus dem Zelt nach Hause gehen.

Wozu? Impulse aufnehmen, mit vielen gleichzeitig und ohne Absprache spielen.

## Celestino Piatti: Zirkus Nock, Text von Ursula Huber

**Bild 1**
Über die staubige Landstrasse holpert langsam eine lange Wagenkolonne. Der Zirkus Nock ist unterwegs.

**Bild 2**
Auf diesem Platz hat sie haltgemacht. Aus allen Wagen heraus purzeln und hüpfen die Zirkusleute und machen sich sofort an die Arbeit. Starke Männer schlagen eiserne Pflöcke in den Boden, breiten das Zelt aus und ziehen es an den vier silbern blitzenden Hauptmasten hoch. Dann stellen sie aus langen bunten Brettern eine Zuschauertribüne zusammen, schleppen Stühle und Kissen herbei, befestigen Scheinwerfer und richten ein Podium für die Musikanten ein. Wenn alle schwere Arbeit getan ist, hängen die Frauen noch die prächtigen roten Samtvorhänge beim Eingang auf und die Kinder streuen Sägemehl in die Manege.

**Bild 3**
Grosspapa Nock, der Zirkusdirektor, fährt unterdessen mit dem Lautsprecherwagen durchs Städtchen.

**Bild 4**
Das ist Tante Veronika. Sie liebt ihre grosse Familie und sie kocht furchtbar gern. Aber vorhin war sie ein bisschen aufgeregt, denn auf der langen Fahrt hat es alle Gewürzfläschchen durcheinandergeschüttelt und die Milch ist sauer geworden und Tante Veronika hat die Hände über dem Kopf zusammengeschlagen und ein bisschen gejammert wegen dieser Bescherung. Dann ist ihr in den Sinn gekommen, dass Jammern ihr nicht hilft, ein Mittagessen auf den Tisch zu zaubern, und sie hat schnell mit Aufräumen und Kochen angefangen, und jetzt duftet es ganz prächtig aus den Töpfen und Pfannen. «Wo habe ich jetzt nur das Becken mit dem Salat hingestellt?», brummt sie vor sich hin, während sie die Suppe schöpft und sich der ganze Küchenwagen mit Zirkusleuten füllt. Als letzter kommt der kleine Brigado, schwingt das leere Salatbecken in der Hand und kräht: «Pony war brav, hat allen Salat gefressen.» Alle lachen, Grossmama verschluckt sich, und Onkel Fritz sagt: «Das wird einmal ein richtiger Clown.»

**Bild 5**
In diesem Wagen wohnt die Trapezkünstlerin Rita mit ihrem Mann und ihren fünf Kindern. Alle fünf treten bereits im Zirkus auf. Da geht der Mutter die Arbeit nie aus. Ständig gibt es etwas zum Aufräumen, Putzen, Flicken und Waschen. Auch die Kostüme müssen immer tadellos in Ordnung sein. Belinda, die Jüngste, bettelt: «Mama, erzähl mir eine Geschichte.» Brigado fragt: «Mama, darf ich dem Kamel eine Rübe bringen?» Die kleine Ballerina

Manuela erkundigt sich besorgt: «Mama, vergisst du auch bestimmt nicht, die Rüschchen an mein Kostüm zu nähen?» Und Mama verteilt geduldig Rüben für das Kamel, erzählt Geschichten und näht Rüschchen an Spitzenröckchen.

**Bild 6**
Im Stallzelt drin ist es kühl und dämmrig und ganz still; die Pferde grasen auf der Wiese. Darum findet heute die Schulstunde unter dem grünen Zeltdach statt. Manuela und Monika beugen sich über ihre Lesebücher und buchtabieren mit roten Backen. Erich und Sonja lösen eine Rechenaufgabe. Ab und zu kommt das schwarze Pony herbeigetrottet und schaut den Kindern über die Schulter. Wenn die Lehrerin es nicht sieht, versucht Sonja schnell, ihren Bleistift auf der Nasenspitze zu balancieren. Und Erich jongliert mit drei Radiergummis, wie er es bei seinem Vater gesehen hat. Dann kritzeln alle wieder so fleissig auf ihre Schiefertafeln, dass die Pudel leise winseln, denn die hören das gar nicht gern.

**Bild 7**
Das ist die Zirkusgesellschaft, wie sie abends durchs Städtchen zieht, denn alle Leute sollen wissen: der Zirkus Nock ist da!

**Bild 8**
Eine Stunde später beginnt drinnen in den Zirkuswägelchen ein geheimnisvolles Treiben. Netzstrümpfe und Kostüme werden hervorgeholt. Die Akrobaten ziehen ihre gestreiften Tricots an. Ritas Mann zwirbelt an seinem Schnurrbart. Grosspapa Nock malt sich dicke schwarze Ringe um die Augen. Dann reibt er sich mit roter Farbe die Nase ein und setzt den alten Schlapphut auf. Tante Elvira sitzt im perlenbestickten Kostüm vor ihrem Schminktischchen und hantiert geschickt mit Pinselchen, Bürstchen und Stiften. Die ganze Familie Nock putzt sich für die Vorstellung heraus. Die Pferde schnauben aufgeregt, während der Stallmeister das blitzende Zaumzeug anlegt, nochmals die Schweife striegelt und ihnen die bunten Federbüsche aufsteckt. An der Kasse stauen sich die Menschen. Im Kassenwagen sitzt Grossmama Nock und verkauft Billette und Programme. Immer mehr Leute drängen ins Zelt. Die Trompeten schmettern einen Tusch.

**Bild 9**
Scheinwerfer blenden. Die Vorstellung beginnt. Wie der Wind reiten die gelehrigen Pudel auf dem Ponyrücken, springen durch Ringe und machen den Handstand. In der zweiten Nummer treten die Kinder auf. Sehr putzig sehen sie aus in ihren hellblauen Spitzenröckchen. Am Schluss ihres Auftrittes knicksen sie artig und werfen den Zuschauern Kusshändchen zu.

**Bild 10**
Zehn Minuten später liegen die Kinder bereits in ihren Bettchen. Zuweilen trägt der Wind Fetzen von Musik und das Getrappel der Pferde herüber. Aber das sind vertraute Geräusche. Schon schlafen sie friedlich. Die Mutter streicht zärtlich die Decken glatt und dann zieht sie sich eilig und ohne die Kinder zu wecken für die nächste Nummer um. Der Mond schaut geradewegs in die kleinen Wagen hinein und lächelt ein wenig.

**Bild 11**
Im Zirkuszelt drin geht unterdessen die Vorstellung ohne Unterbruch weiter. Die Pferde wirbeln den Manegenstaub auf und ihre Augen spühen Feuer. Elvira und ihr Bruder Franz zeigen in schwindelnder Höhe ein Luftballett. Pausenlos folgen sich die Nummern. Wer gerade nicht auftritt, geht durch die Zuschauerreihen und verkauft Eis und Schokolade oder zeigt zu spät angekommenen Besuchern die Plätze oder stellt die Scheinwerfer ein. Auch die Musikanten lösen einander gegenseitig ab, denn jeder will ja auch seine Nummer zeigen.

**Bild 12**
Grosspapa Nock stolpert als übermütiger Clown in die Manege. Sein Schwiegersohn Joggi ist der ernste Clown mit dem weissen Gesicht. Er hat seine liebe Mühe mit Grosspapas tollen Streichen: bald rast er auf dem Hochrad quer durch die Manege, bald schlägt er lang hin, weil er über seinen Schatten gestolpert ist. Aber die Ponies lassen sich durch all diese Kapriolen nicht stören, und der Seiltänzer Fredy fährt sogar mit einem Rad über das dünne Drahtseil.

**Bild 13**
Die Musikanten spielen immer ausgelassener. Dicht unter der Zirkuskuppel saust jetzt Rita von einem hin- und herschwingenden Trapez zum andern. Auf einem schwankenden Turm von Stühlen zeigt Franz seine tollkühnen Kunststücke. Auf dem Trampolin schlägt ein Artist einen dreifachen Salto. Die Zuschauer sitzen atemlos auf ihren Bänken. Da wird jongliert und balanciert, Tier- und Akrobatiknummern lösen sich ab. Dann plötzlich gehen alle Lichter an. Die Vorstellung ist vorbei. Langsam erwacht das Publikum wie aus einem Traum und klatscht und lacht und klatscht noch, wenn schon die ersten Hammerschläge ertönen.

**Bild 14**
Denn für die Zirkusleute ist der Tag noch nicht zu Ende. Sofort nach der Vorstellung brechen sie das Zelt ab: am nächsten Abend wollen sie bereits in einer andern Stadt spielen. Bald haben sie wieder alles in den Wagen verstaut. Im Städtchen brennt längst kein einziges Licht mehr. Die Zirkusleute sitzen noch ein Weilchen im Küchenwagen bei Brot, Käse und Kaffee beisammen und erzählen sich alte Zirkusgeschichten. Dann aber verschwindet einer nach dem andern in seinem Wagen. Der Zirkus schläft.

**Bild 15**
Am Morgen zieht die lange Wagenkolonne weiter über die staubige Landstrasse.

*Mit freundlicher Genehmigung des Artemis-Verlags, Zürich.*
*Das Bilderbuch ist erhältlich bei Ex Libris.*

## Vollgefressen

**A1**
**Vorher**
**Tiere**

Wer? Ganze Gruppe

Wo? Gruppenraum

Wie lange? ca. 4′

Was? Die ganze Klasse spielt Tiger, Löwen, Panther, die am Fressen sind. Alle fressen und fressen. Langsam haben alle genug und suchen sich ein Plätzchen, wo sie ihren Verdauungsschlaf machen können, wie das Raubtiere tun.

Wozu? Um nach einer Theaterstunde wieder ruhiger zu werden.

## Schlafen

**A2**
**Vorher**
**Artisten**

Wer? Ganze Gruppe

Wo? Gruppenraum

Wie lange? ca. 4′

Was? Der Direktor versammelt nochmals alle Artisten zur Beschreibung der Reise am nächsten Tag und wünscht allen eine gute Nacht. Alle gehen in ihre Wagen und schlafen bald ein, nachdem sie sich etwas vorgestellt haben, wie das am neuen Ort sein wird.

Wozu? Gezielte Konzentration auf das «Kommende».

## «Durchmachen»

**A3**
**Vorher**
**Zirkusarbeiter**

Wer? Ganze Gruppe

Wo? Gruppenraum

Wie lange? ca. 4′

Was? Die Zirkusarbeiter arbeiten noch lange bis in die Nacht hinein, müssen aber darauf achten, dass sie keinen Lärm machen während der Arbeit. Heute ist es noch länger gegangen. Sie kommen gar nicht mehr ins Bett, sondern hocken sich auf die Materialkisten und dösen ein wenig – bis sie vielleicht doch noch einnicken.

Wozu? Als Ausstieg aus der «handfesten» Spielphase.

## Glas versorgen

**A4**
**Vorher**
**Material**

Was? Ein Artist hat eine Nummer in der er viele Glaszylinder braucht, die besonders vorsichtig eingepackt werden müssen. Am Boden werden mit Seilen die Umrisse der Glaskisten ausgelegt, in welche die Zylinder gelegt werden sollen. In einer ganz leichten Grätsche stehen alle (ausser dreien: der Artist und zwei Helfer) im Raum und stellen die Glaszylinder dar. Die drei versuchen jetzt, die Zylinder in die verteilten Kisten zu legen, ohne dass sie zerspringen (3–5 pro Kiste).

Womit? Seile.

Wozu? Als Ausklang nochmals jemanden «mit Samthandschuhen anfassen» und sich anfassen lassen.

## Sich freuen

**A5**
**Vorher**
**Publikum**

Was? Alle haben vor dem Ins-Bett-gehen erfahren, dass sie in den Zirkus dürfen, und schlafen deshalb friedlich ein.

Wozu? Versuch, Freude auch als Ruhe zu erleben.

## «Dickhäuter»

**A6**
**Reise**
**Tiere**

Was? Alle Spieler sind Nilpferde oder Elefanten, die in ihren Wagen dösen. Die Wagen fahren über holprige Strassen, die mächtigen Tiere vibrieren ganz leicht mit, bis sie einschlafen.

Wozu? Den eigenen Körper auch als «schwerfällig» erleben und durch das Vibrieren entspannen.

## Gefunden

**A7**
**Reise**
**Artisten**

Was? Alle Spieler sind Artisten auf der Reise, die ein altes Foto einer Vorstellung suchen. Der ganze Spielraum ist der Zirkuswagen, überall muss gesucht werden, bis nach und nach alle das Gesuchte finden, sich hinsetzen und das Foto lange anschauen.

Womit? Evtl. alte Zirkusfotos. (Das Spiel ist auch in der Vorstellung möglich.)

Wozu? Erlebnis der Dynamik des Suchenden und anschliessender Ruhe nach dem Finden.

## Motoren

**A8**
**Reise**
**Material**

Was? Alle Spieler sind Motoren, die am Anfang noch laufen, plötzlich zu stottern beginnen und schliesslich ganz aussetzen – bis alle Motoren stillstehen.

Wozu? Luft schöpfen und rauslassen als Entspannung.

## Am neuen Ort

**A9**

Was? Alle spielen Tiere, die erst gerade am neuen Ort in den Käfig gekommen sind – und jetzt alles beschnuppern und prüfen müssen, bis sie ein Plätzen gefunden haben, wo sie sich hinlegen können.

Wozu? Sich in einer neuen Umgebung zurechtfinden und zur Ruhe kommen.

## Zusammensitzen

**A10**

Was? Alle sind Artisten, die soeben ihr Training beendet haben und zum Abschluss noch zusammen an dem Manegenrand sitzen und etwas trinken.

Wozu? Nach der Körperarbeit sich zusammensetzen und vielleicht darüber sprechen.

## Feierabend

**A11**

Was? Beim Aufbau, der nun beendet ist, sind alle Zirkusarbeiter ins Schwitzen gekommen. – Nun liegen sie bei ihren Zirkuswagen – ihre Arbeit ist vorläufig gemacht.

Wozu? Etwas zu Ende geführt haben.

## Säcke

**A12**
**Aufbau**
**Material**

Was? Alle Spieler sind Säcke, die während der Reise prall gefüllt waren und dann langsam geleert wurden. Dieses Leeren versuchen wir nochmals nachzuempfinden – bis rein gar nichts mehr im Sack ist und er in sich zusammenfällt.

Wozu? Entspannung.

## Ruhig

**A13**
**Aufbau**
**Publikum**

Was? Jeweils einer der Gruppe ist ein Kind und der andere Spieler das Tier, das gefüttert wurde (s. S. 17) und nun vom Kind gestreichelt wird, bis es ganz ruhig wird.

Wozu? Versuch, auch zu zweit ruhig zu werden.

## Schlangen

**A14**
**Proben**
**Tiere**

Was? Alle Spieler sind Schlangen, die sich vorerst nicht kennen. Nachdem alle herumgekrochen sind und dabei die andern jeweils etwas beobachtet werden konnten, merken alle, dass sie ja zur gleichen Art gehören und deshalb nichts zu befürchten haben.

Wozu? Andere einschätzen und zu sich in Beziehung setzen.

## Jonglieren

**A15**
**Proben**
**Artisten**

Was?

Alle Spieler gehen frei im Raum herum und beginnen, in der Vorstellung etwas ganz Kleines zu jonglieren. Es geht «kinderleicht». Langsam wird der Gegenstand schwerer und schwerer, bis er nicht mehr zu halten ist.
Nun lassen wir ihn wieder leichter werden, kleiner, noch kleiner – jetzt ist er völlig unsichtbar, er hat sich in Luft aufgelöst.

Wozu?

Aktive Entspannung.

## «Ging alles prima»

**A16**
**Proben**
**Artisten**

Was?

Wir sind alles erkrankte Artisten, die im Bett liegen und warten, bis am Ende der Vorstellung die andern kommen und uns sagen, ob alles gut gegangen sei. Wir sind alle gespannt. Plötzlich kommt der Dumme August (evtl. der Spielleiter): «Es hat alles geklappt. – Mach dir wegen deiner Krankheit keine Sorgen!»

Wozu?

Gespannt auf einem Bericht warten und sich danach beruhigen.

## «Lausen»

**A17**
**Vorstellung**
**Tiere**

Was?

Alle Spieler sind «lausende» Affen. Jeder Affe geht zu jedem, sucht sich Schuppen (vgl. S. 30), bis jeder genug davon hat und sich in eine Ecke setzt.

Wozu?

Trotz enger Körperberührung langsam zur Ruhe kommen.

## Trompeten

**A18**
**Vorstellung**
**Tiere**

Was?

Alle Spieler sind Elefanten, die ganz toll durch ihren Rüssel posaunen, bis das Konzert langsam abklingt und sich die Elefanten beruhigen.

Wozu?

«Ausser Atem» sein und sich langsam beruhigen.

## Verstecken

**A19**
**Vorstellung**
**Artisten**

Was?

Alle Spieler gehen frei im Raum herum und verstummen. (Sie verstecken sich akustisch). Sobald nichts mehr zu hören ist, schliessen alle die Augen und setzen sich, bleiben etwas mit geschlossenen Augen sitzen, öffnen dann langsam die Augen und stehen gleichzeitig auf.

Wozu?

Sich verstecken, sich nicht mehr direkt ausdrücken.

## Plattenteller

**A20**
**Vorstellung**
**Artisten**

Was?

Alle Spieler nehmen sich an den Händen und bilden einen Kreis. Der Kreis soll sich möglichst schnell in eine Richtung drehen, und jeder kann für sich ein Lied singen oder pfeifen, wenn möglich im Tempo der Kreisbewegung. Langsam dreht sich der Kreis weniger schnell, das Singen wird zum Summen; noch langsamer werden, bis sich der Kreis nur noch in Zeitlupe dreht und das Summen wie ein zu langsamer Plattenspieler tönt.

Wozu?

Bewegung und Akustik auf «einen Nenner bringen».

## «Schluss der Vorstellung»

**A21**
**Abbau**

Was? Die Vorstellung war so gut, dass das Publikum verlangt, dass alle, die zum Zirkus gehören, nochmals in die Manege kommen und sich winkend von den Zuschauern verabschieden.

Wozu? Abschied nehmen von Gruppe zu Gruppe.

## Rundgang

**A22**
**Abbau**
**Zirkusarbeiter**

Was? Alle Spieler gehen als Zirkusarbeiter nochmals über den Platz und schauen zum letztenmal, ob nicht noch etwas liegengeblieben ist.

Wozu? Etwas Beendetem nochmals seine Aufmerksamkeit schenken.

## Heimweg

**A23**
**Abbau**
**Publikum**

Was? In Gedanken über die gesehene Vorstellung versunken, machen wir uns alle auf den Heimweg (die Gruppe geht frei im Raum herum) und «erwachen», sobald wir unsere Haustürklinke in der Hand haben.

Wozu? Langsames Ablösen von der Fiktion.

## Mitteilen

**A24**
**Nachher**
**Publikum**

Was? Die ganze Gruppe geht frei durch den Raum und jeder, der einen trifft, sagt diesem, was ihm am besten gefallen hat, und umgekehrt.

Wozu? Mitteilung aus der Erinnerung.

***Die Lebendigkeit des Themenzentrierten Theaters durch ein Buch mitteilen ist heikel. Der Grund, dennoch ein Buch darüber zu machen, steht in diesem Buch: es ist gedacht als Einladung in eine Werkstatt und als Information über ein Werkzeug, als Einstieg also. Ich bin davon ausgegangen, dass viele Leserinnen und Leser bereits Erfahrungen in ähnlicher Richtung gemacht haben – und ihnen der Inhalt des Buches einfach weitere Anregungen bieten kann. Andere haben sich bis jetzt noch weniger in dieser Art betätigt, wollten es aber schon lange. Sie alle möchte ich bitten, sich mit uns in Kontakt zu setzen, sich zu Wort und zur Tat zu melden, damit wir unsere Eigenerfahrung gegenseitig ergänzen um unser Können weiter auszubauen. Alle Interessierten möchte ich auch zu unseren TZT-Kursen einladen und im besonderen auf die***

# *TZT-Leiterinnen und Leiterausbildung*

aufmerksam machen. Die Ausbildung ist ein berufsbegleitender zweijähriger Lehrgang.
Sie knüpft an Ihre Lebenserfahrung und Ihr schon vorhandenes Können an. Durch die erlebnisreiche und handlungsbezogene Unterrichtsweise wachsen Sie stetig in das TZT hinein; als Erwachsener, nicht als «entmündigter» Schüler. Konkret bieten sich Ihnen dabei folgende Chancen:

1. Sie lernen ein neues und ganzheitliches Lehrsystem kennen und beherrschen.
2. Sie gehören zu einer Ausbildungsgruppe, in der Sie fachliche und andere Kontakte knüpfen und ausbauen können.
3. Schon während Ihrer Ausbildung können Sie das TZT immer mehr in Ihre Arbeit integrieren. Zusätzlich sind Sie nach Ihrer Ausbildung fähig, TZT auch mit Zielgruppen ausserhalb Ihres angestammten Berufsfeldes einzusetzen.

Ausführliche Unterlagen dazu senden wir Ihnen gerne. Ihre Anfragen richten Sie bitte an: ***Schweizerische Informationsstelle Themenzentriertes Theater (SI TZT), Rainstr. 57, CH-8706 Meilen. Telefon 01/923 65 64.*** Für Ihr Engagement danke ich Ihnen jetzt schon und hoffe, dass wir bald etwas miteinander tun können. Am besten: menschlich lernen.

**Persönliche Notizen:**

**«Ich betrachte eine Warnehmung als Wegweiser – nicht als Ortstafel.» H.W.**

Ammon, G. Analytische Gruppendynamik, Hamburg 1976
Balint, M. Therapeutische Aspekte der Regression, Rheinbeck 1973
Bettelheim, B. Ein Leben für Kinder, Erziehung in unserer Zeit DVA, Stuttgart 1987
Boadella, D. Wilhelm Reich, München 1980
Boal, A. Theater der Unterdrückten, Frankfurt 1980
Brecht, B. Schriften zum Theater, Frankfurt 1957
Capra, F. Wendezeit, Bern 1984
Chapman, A. H. Die verräterischen Spiele der Kinder, Ravensburg 1974
Cohn, R. Von der Psychoanalyse zur Themenzentrierten Interaktion, Stuttgart 1975
Collodi, C. Pinocchio, Zürich 1978
Glass, D. Der Frieden und das Theater, unveröff. Manuskript, 1986
Feigenwinter, M. Soziales Lernen im Unterricht, Zug 1978
Franzini, U. und Röthlin, F. Vanakkam – grüezi, Luzern 1987
Fromm, E. Die Kunst des Liebens, Frankfurt 1968
Gordon, Th. Familienkonferenz, Hamburg 1972
Hernandez, J.: Pädagogik des Seins, Achenbach 1977
Herrmann, D. u. Hofer, Th. D'Zyt isch da, Zinnober 10, Meilen 1987
Hotchkis und Morris: No acting please, Los Angeles 1977
Jung, C.G. Der Mensch und seine Symbole, Freiburg i. Br. 1968
Kuhn, M. Woher kommt es, dass wir beim Theaterspielen so vielmehr lernen als im Alltag vun morgens bis abends? In Werthmüller, H.: TZT-Basismappe, 3. Aufl., Zollikon 1978
Lowen, A. Körperausdruck und Persönlichkeit, München 1986
Bio-Energetik, erweiterte Neuausgabe, Zürich 1986
Marmet, O. Ich und Du und so weiter, 2. Auflage, München 1986
Montessori, M. Das kreative Kind, Freiburg i. Br. 1972
Moreno, J.L. Gruppenpsychotherapie und Psychodrama, Hemsbach 1959
Peccei, A. Das menschliche Dilemma, München 1979
Perls, F. Grundlagen der Gestalttherapie, München 1976
Peseschkian, N. Positive Psychotherapie, Frankfurt 1977
Petzold, H. Angewandtes Psychodrama in Therapie, Pädagogik, Theater und Wirtschaft, Paderborn 1972
Die neuen Körpertherapien, Paderborn 1977
Piaget, J. Nachahmung, Spiel und Traum, Stuttgart 1969

| | |
|---|---|
| Reiser, H. | Das TZT nach Werthmüller als pädagogisch-therapeutisches Verfahren. In: Behindertenpädagogik, Heft 3, 1978 |
| Reich, W. | Die Charakteranalyse, Berlin 1970 |
| Richter, H.-E. | Lernziel Solidarität, Rheinbeck 1974 |
| Rogers, C. | Die Kraft des Guten, München 1978 |
| Stanislawski, C. | Die Arbeit des Schauspielers an sich selbst, Berlin 1961 |
| Watzlawick, Beavin, Jackson | Menschliche Kommunikation, Bern 1969 |
| Watzlawick, P. (Hrsg.) | Die erfundene Wirklichkeit, München 1981 |
| Werthmüller, H. | Kaktus, TZT – Basismappe, Zollikon 1977 |
| | Kinder haben Rechte, TZT – Paket, Zürich 1980 |
| | Familie 1, TZT-Paket, Zollikon 1981 |
| | TZT – Basisbuch, Männedorf 1984 |
| Zorn, F. | Mars, Frankfurt 1979 |
| Zulliger, H. | Heilende Kräfte im kindlichen Spiel, Stuttgart 1980 |